Horoscope chinois 2011

Traduction : Françoise Schetagne
Infographie : Chantal Landry

DISTRIBUTEURS EXCLUSIFS :

Pour le Canada et les États-Unis :
MESSAGERIES ADP*
2315, rue de la Province
Longueuil, Québec J4G 1G4
Téléphone : 450 640-1237
Télécopieur : 450 674-6237
Internet : www.messageries-adp.com
* filiale du Groupe Sogides inc.,
    filiale du Groupe Livre Quebecor Media inc.

Pour la France et les autres pays :
INTERFORUM editis
Immeuble Paryseine, 3, Allée de la Seine
94854 Ivry CEDEX
Téléphone : 33 (0) 1 49 59 11 56/91
Télécopieur : 33 (0) 1 49 59 11 33
Service commandes France Métropolitaine
Téléphone : 33 (0) 2 38 32 71 00
Télécopieur : 33 (0) 2 38 32 71 28
Internet : www.interforum.fr
Service commandes Export – DOM-TOM
Télécopieur : 33 (0) 2 38 32 78 86
Internet : www.interforum.fr
Courriel : cdes-export@interforum.fr

Pour la Suisse :
INTERFORUM editis SUISSE
Case postale 69 – CH 1701 Fribourg – Suisse
Téléphone : 41 (0) 26 460 80 60
Télécopieur : 41 (0) 26 460 80 68
Internet : www.interforumsuisse.ch
Courriel : office@interforumsuisse.ch
Distributeur : OLF S.A.
ZI. 3, Corminboeuf
Case postale 1061 – CH 1701 Fribourg – Suisse
Commandes :
Téléphone : 41 (0) 26 467 53 33
Télécopieur : 41 (0) 26 467 54 66
Internet : www.olf.ch
Courriel : information@olf.ch

Pour la Belgique et le Luxembourg :
INTERFORUM BENELUX S.A.
Fond Jean-Pâques, 6
B-1348 Louvain-La-Neuve
Téléphone : 32 (0) 10 42 03 20
Télécopieur : 32 (0) 10 41 20 24
Internet : www.interforum.be
Courriel : info@interforum.be

08-10

L'ouvrage original a été publié
par HarperElement,
succursale de HarperCollins*Publishers* Limited,
sous le titre *Your Chinese Horoscope 2011*

Dépôt légal : 2010
Bibliothèque et Archives nationales du Québec

ISBN 978-2-7619-2939-4

Gouvernement du Québec – Programme de crédit
d'impôt pour l'édition de livres – Gestion SODEC –
www.sodec.gouv.qc.ca

L'Éditeur bénéficie du soutien de la Société de développement des entreprises culturelles du Québec pour son
programme d'édition.

Le Conseil des Arts du Canada
The Canada Council for the Arts

Nous remercions le Conseil des Arts du Canada de l'aide
accordée à notre programme de publication.

Nous reconnaissons l'aide financière du gouvernement du
Canada par l'entremise du Fonds du livre du Canada pour
nos activités d'édition.

L'année du Lièvre

Horoscope
chinois 2011
Neil Somerville

LES ÉDITIONS DE
L'HOMME

Une compagnie de Quebecor Media

Remerciements

Je suis reconnaissant aux personnes de mon entourage pour leur concours et leur appui inestimable dans la rédaction de mon livre *Horoscope chinois 2011*.

J'aimerais également mentionner ici l'ouvrage de Theodora Lau, *Le grand livre des horoscopes chinois* (Éditions du Jour, 1982) qui m'a été particulièrement utile dans mes recherches.

En plus du livre de Mme Lau, je recommande les ouvrages suivants à tous ceux qui désirent s'informer davantage sur les horoscopes chinois : Kristyna Arcarti, *Chinese Horoscopes for Beginners* (Headway, 1995) ; Catherine Aubier, *Zodiaque chinois* (France-Amérique, 1983) – en douze volumes ; E. A. Crawford et Teresa Kennedy, *Chinese Elemental Astrology* (Piatkus Books, 1992) ; Paula Delsol, *Horoscopes chinois* (Mercure de France, 1960) ; Barry Fantoni, *Barry Fantoni's Chinese Horoscopes* (Warner, 1994) ; Bridget Giles et le Diagram Group, *Chinese Astrology* (Harper-Collins, 1996) ; Kwok Man-Ho, *Complete Chinese Horoscopes* (Sunburst Books, 1995) ; Lori Reid, *The Complete Book of Chinese Horoscopes* (Element Books, 1997) ; Paul Rigby et Harvey Bean, *Chinese Astrologics* (Publications Division, South China Morning Post Ltd., 1981) ; Ruth Q. Sun, *The Asian Animal Zodiac* (Charles E. Tuttle Company, Inc., 1996) ; Derek Walters, *L'astrologie chinoise : art et pratique* (Flammarion, 1987) et *The Chinese Astrology Workbook* (The Aquarian Press, 1988) ; Suzanne White, *La double astrologie* (Éditions du dauphin, 2003), *The New Chinese Astrology* (Pan, 1994) et *Chinese Astrology Plain and Simple* (Eden Grove Editions, 1998).

Nous entrons tous dans cette nouvelle année
munis de nos espoirs, de nos ambitions, de nos rêves.

Le sort et les circonstances viendront parfois
à notre secours,
parfois aussi des problèmes surgiront et nous lutterons
contre le désespoir ;
mais nous devrons quand même poursuivre notre route

Car ceux qui persévèrent
et s'entêtent à nourrir leurs aspirations
sont les plus susceptibles de réaliser leurs rêves.

Allez-y ! Courage !
Votre détermination sera récompensée d'une façon
ou d'une autre.

                                        Neil Somerville

Introduction

L'origine de l'horoscope chinois se perd dans la nuit des temps. C'est un fait connu que les astrologues orientaux pratiquaient déjà leur art il y a plusieurs milliers d'années. Encore de nos jours, l'astrologie chinoise éveille la curiosité et la fascination.

Le zodiaque chinois compte douze signes, chacun étant symbolisé par un animal différent. Nul ne sait au juste comment cette désignation a eu lieu, mais la légende nous offre un début d'explication.

Pour fêter le Nouvel An chinois, le Bouddha aurait invité tous les animaux du royaume à venir lui rendre hommage. Malheureusement, pour des raisons que les animaux sont les seuls à connaître, douze d'entre eux seulement se présentèrent : d'abord le Rat, puis le Bœuf, ensuite le Tigre, le Lièvre, le Dragon, le Serpent, le Cheval, la Chèvre, le Singe, le Coq, le Chien et enfin, le Cochon.

Afin de leur manifester sa reconnaissance, le Bouddha assigna une année à chacun de ces animaux et décréta que toute personne née durant cette année hériterait de certains traits de la personnalité de l'animal correspondant. Ainsi, les personnes nées durant l'année du Bœuf seraient dures à la tâche, énergiques et entêtées comme l'est le Bœuf, tandis que celles nées durant l'année du Chien seraient dotées de la loyauté et de la fidélité du Chien. Bien qu'il soit impossible que toutes les caractéristiques d'un signe se retrouvent chez un seul individu, il est tout de même surprenant de voir à quel point les similitudes sont nombreuses. C'est là une des principales raisons pour lesquelles le zodiaque chinois nous fascine encore et toujours.

En plus de ses douze signes, le zodiaque chinois comprend cinq éléments qui renforcent ou modèrent l'influence de chaque signe. Nous expliquons en détail les effets de ces éléments dans les chapitres consacrés à chacun des douze signes.

Pour savoir quel signe animal vous gouverne, consultez les tableaux des pages qui suivent. Puisque l'année chinoise se fonde sur le calendrier lunaire (elle commence toujours vers la fin du mois de janvier ou au début du mois de février), il est de toute première importance que les personnes nées en janvier ou en février vérifient très soigneusement les dates de l'année chinoise de leur naissance.

En appendice, le lecteur trouvera aussi deux tables de compatibilité affective et professionnelle entre les signes, et des détails sur les signes qui gouvernent les différentes heures de la journée. Ces renseignements lui permettront de trouver son ascendant. Comme dans l'astrologie occidentale, l'ascendant a une incidence profonde sur la personnalité.

En écrivant ce livre, j'ai fait un choix inhabituel : combiner la nature curieuse des horoscopes chinois au désir, courant chez les Occidentaux, de savoir ce que leur réserve l'avenir. J'ai ainsi basé mes interprétations sur différents facteurs se rapportant à chaque signe. Depuis la première édition de l'*Horoscope chinois*, j'ai pu constater au fil des ans que mes prédictions sont appréciées des lecteurs, et j'espère qu'elles leur ont été utiles et qu'elles se sont révélées productives. N'oubliez cependant jamais que vous êtes en tout temps maître de votre destinée. Je souhaite vivement que l'*Horoscope chinois 2011* sache piquer votre curiosité et vous aider dans votre traversée de l'année qui s'annonce.

Table des années chinoises

Cheval	25	janvier	1906	au	12	février	1907
Chèvre	13	février	1907	au	1er	février	1908
Singe	2	février	1908	au	21	janvier	1909
Coq	22	janvier	1909	au	9	février	1910
Chien	10	février	1910	au	29	janvier	1911
Cochon	30	janvier	1911	au	17	février	1912
Rat	18	février	1912	au	5	février	1913
Bœuf	6	février	1913	au	25	janvier	1914
Tigre	26	janvier	1914	au	13	février	1915
Lièvre	14	février	1915	au	2	février	1916
Dragon	3	février	1916	au	22	janvier	1917
Serpent	23	janvier	1917	au	10	février	1918
Cheval	11	février	1918	au	31	janvier	1919
Chèvre	1er	février	1919	au	19	février	1920
Singe	20	février	1920	au	7	février	1921
Coq	8	février	1921	au	27	janvier	1922
Chien	28	janvier	1922	au	15	février	1923
Cochon	16	février	1923	au	4	février	1924
Rat	5	février	1924	au	23	janvier	1925
Bœuf	24	janvier	1925	au	12	février	1926
Tigre	13	février	1926	au	1er	février	1927
Lièvre	2	février	1927	au	22	janvier	1928
Dragon	23	janvier	1928	au	9	février	1929
Serpent	10	février	1929	au	29	janvier	1930
Cheval	30	janvier	1930	au	16	février	1931
Chèvre	17	février	1931	au	5	février	1932
Singe	6	février	1932	au	25	janvier	1933
Coq	26	janvier	1933	au	13	février	1934
Chien	14	février	1934	au	3	février	1935
Cochon	4	février	1935	au	23	janvier	1936
Rat	24	janvier	1936	au	10	février	1937
Bœuf	11	février	1937	au	30	janvier	1938
Tigre	31	janvier	1938	au	18	février	1939
Lièvre	19	février	1939	au	7	février	1940

Dragon	8	février	1940	au	26	janvier	1941
Serpent	27	janvier	1941	au	14	février	1942
Cheval	15	février	1942	au	4	février	1943
Chèvre	5	février	1943	au	24	janvier	1944
Singe	25	janvier	1944	au	12	février	1945
Coq	13	février	1945	au	1er	février	1946
Chien	2	février	1946	au	21	janvier	1947
Cochon	22	janvier	1947	au	9	février	1948
Rat	10	février	1948	au	28	janvier	1949
Bœuf	29	janvier	1949	au	16	février	1950
Tigre	17	février	1950	au	5	février	1951
Lièvre	6	février	1951	au	26	janvier	1952
Dragon	27	janvier	1952	au	13	février	1953
Serpent	14	février	1953	au	2	février	1954
Cheval	3	février	1954	au	23	janvier	1955
Chèvre	24	janvier	1955	au	11	février	1956
Singe	12	février	1956	au	30	janvier	1957
Coq	31	janvier	1957	au	17	février	1958
Chien	18	février	1958	au	7	février	1959
Cochon	8	février	1959	au	27	janvier	1960
Rat	28	janvier	1960	au	14	février	1961
Bœuf	15	février	1961	au	4	février	1962
Tigre	5	février	1962	au	24	janvier	1963
Lièvre	25	janvier	1963	au	12	février	1964
Dragon	13	février	1964	au	1er	février	1965
Serpent	2	février	1965	au	20	janvier	1966
Cheval	21	janvier	1966	au	8	février	1967
Chèvre	9	février	1967	au	29	janvier	1968
Singe	30	janvier	1968	au	16	février	1969
Coq	17	février	1969	au	5	février	1970
Chien	6	février	1970	au	26	janvier	1971
Cochon	27	janvier	1971	au	14	février	1972
Rat	15	février	1972	au	2	février	1973
Bœuf	3	février	1973	au	22	janvier	1974
Tigre	23	janvier	1974	au	10	février	1975
Lièvre	11	février	1975	au	30	janvier	1976

Table des années chinoises

Dragon	31	janvier	1976	au	17	février	1977
Serpent	18	février	1977	au	6	février	1978
Cheval	7	février	1978	au	27	janvier	1979
Chèvre	28	janvier	1979	au	15	février	1980
Singe	16	février	1980	au	4	février	1981
Coq	5	février	1981	au	24	janvier	1982
Chien	25	janvier	1982	au	12	février	1983
Cochon	13	février	1983	au	1er	février	1984
Rat	2	février	1984	au	19	février	1985
Bœuf	20	février	1985	au	8	février	1986
Tigre	9	février	1986	au	28	janvier	1987
Lièvre	29	janvier	1987	au	16	février	1988
Dragon	17	février	1988	au	5	février	1989
Serpent	6	février	1989	au	26	janvier	1990
Cheval	27	janvier	1990	au	14	février	1991
Chèvre	15	février	1991	au	3	février	1992
Singe	4	février	1992	au	22	janvier	1993
Coq	23	janvier	1993	au	9	février	1994
Chien	10	février	1994	au	30	janvier	1995
Cochon	31	janvier	1995	au	18	février	1996
Rat	19	février	1996	au	6	février	1997
Bœuf	7	février	1997	au	27	janvier	1998
Tigre	28	janvier	1998	au	15	février	1999
Lièvre	16	février	1999	au	4	février	2000
Dragon	5	février	2000	au	23	janvier	2001
Serpent	24	janvier	2001	au	11	février	2002
Cheval	12	février	2002	au	31	janvier	2003
Chèvre	1er	février	2003	au	21	janvier	2004
Singe	22	janvier	2004	au	8	février	2005
Coq	9	février	2005	au	28	janvier	2006
Chien	29	janvier	2006	au	17	février	2007
Cochon	18	février	2007	au	6	février	2008
Rat	7	février	2008	au	25	janvier	2009
Bœuf	26	janvier	2009	au	13	février	2010
Tigre	14	février	2010	au	2	février	2011
Lièvre	3	février	2011	au	22	janvier	2012

Note: Les appellations des signes du zodiaque chinois peuvent varier d'un livre à l'autre, sans pourtant modifier, de quelque façon que ce soit, les caractéristiques de ces signes. Ainsi, dans certains livres, le Bœuf porte les noms de Buffle ou de Taureau ; le Lièvre, ceux de Lapin ou de Chat ; la Chèvre, celui de Mouton ; et le Cochon, celui de Sanglier.

Ce livre s'adresse à tous, hommes et femmes, mais dans le but d'en simplifier la lecture, seul le masculin a été utilisé.

Bienvenue dans l'année du Lièvre

Qu'il soit en train de brouter dans une prairie verte et luxuriante ou qu'il s'amuse à courir à flanc de coteau, le Lièvre semble né sous le signe du contentement. Peu de choses semblent le troubler et il coule avec la vie avec un calme et une placidité remarquables. Plusieurs choses pourront se produire pendant l'année du Lièvre et la vie de plusieurs personnes en sera touchée d'une manière à la fois positive et inspirante. Ce sera le temps idéal pour prendre soin de sa famille, favoriser l'apprentissage et la croissance personnelle en plus de célébrer dignement des événements importants.

Sur le plan politique, les années du Lièvre sont favorables à la diplomatie et aux négociations. Cette année, en considérant les tensions et l'état de guerre qui règnent dans certaines régions du monde, les chefs de plusieurs pays seront appelés à évaluer différentes manières d'en arriver à un accord qui pourrait convenir à tous les intervenants. Des ententes importantes négociées avec soin seront faites tout au long de l'année. Elles apporteront enfin la paix dans des régions où la situation est tendue, contribueront à réduire les émissions de CO_2, aideront au démantèlement de certaines armes et s'attaqueront aux problèmes d'ordre économique.

Fait à noter, les années du Lièvre précédentes ont vu la création de l'Entente cordiale entre la France et le Royaume-Uni, l'installation du téléphone rouge entre Moscou et Washington en 1963, la fin de la guerre du Vietnam en 1975 et, en 1987, la signature du Traité sur les forces nucléaires à portée intermédiaire entre les États-Unis et l'Union soviétique visant le démantèlement de missiles à charges nucléaires et à charges conventionnelles. C'est aussi au cours d'une année du Lièvre que le président Mikhail Gorbachev a introduit la *glasnost,* une politique de transparence qui a transformé la vie en Union soviétique en plus d'avoir ultérieurement des répercussions majeures dans les pays de l'Est. Les événements que l'on observera en 2011 pourraient avoir un impact d'une ampleur semblable sur le plan international.

Dans la sphère économique, plusieurs pays connaîtront une croissance lente mais régulière. Dans un esprit de bonne volonté, plusieurs gouvernements prendront des mesures incitatives pour encourager les gens à investir, stimuler la croissance économique et réduire le taux de chômage. Après avoir réfléchi aux conséquences de la récente crise bancaire, ils renforceront certaines formes de contrôle, et la réglementation fiscale et gouvernementale sera révisée avec prudence. Plusieurs Bourses feront des gains à travers le monde et on pourrait observer une mobilisation notable dans ce domaine. Cette accalmie pourrait être suivie par des corrections sévères et les investisseurs ne devront pas relâcher leur vigilance au cours des mois qui suivront.

Plusieurs entreprises seront mises sous les feux de la rampe cette année, et ce, principalement dans le domaine de l'énergie. On tentera de trouver de nouvelles façons de gérer les ressources naturelles mondiales. Des efforts particuliers seront consacrés à de nouveaux projets de recherche, à l'aménagement de parcs éoliens et à la promotion de l'énergie des vagues et de l'énergie solaire.

L'année du Lièvre pourrait aussi être marquée par des découvertes majeures dans le domaine de la prévention, du traitement et de l'éradication de certaines maladies ainsi que des diagnostics précoces. L'accent sera mis sur des recherches qui pourraient mener à des découvertes capitales et à l'élaboration de procédés qui transformeront certains aspects de notre vie. L'invention du poumon d'acier et la première transplantation rénale effectuée avec succès ont eu lieu au cours d'une année du Lièvre.

L'un des points forts de la nouvelle année est qu'elle favorisera grandement la vie culturelle. Certains artistes visionnaires dépasseront leurs limites au-delà de toute attente en créant des œuvres extraordinaires. On aura aussi la chance de voir des expositions itinérantes d'envergure qui permettront à un plus grand nombre de gens de contempler des œuvres d'art et des objets anciens rares. Plusieurs pays organiseront des célébrations et des festivités afin de commémorer de grandes réalisations et de faire la promotion du commerce et de l'industrie. On se souviendra que le festival de Grande-Bretagne de 1951 avait été un événement de haute importance à l'époque.

La nouvelle année sera aussi de bon augure dans le monde de l'éducation. Certains gouvernements accorderont avec enthousiasme des fonds additionnels aux institutions scolaires en plus de créer des bourses et des programmes incitatifs pour ceux qui veulent parfaire leur éducation et leur formation. Plusieurs pays se feront un devoir de prendre les mesures nécessaires pour favoriser l'apprentissage et créer des emplois. L'éducation et la formation seront des priorités pour plusieurs gouvernements.

Influencés par la vague qui mettra fortement l'accent sur la croissance personnelle, plusieurs voudront modifier positivement leur mode de vie. L'année du Lièvre sera propice au développement personnel et on aura l'occasion – et il *faudra* en profiter – d'adopter de nouveaux centres d'intérêt, de s'inscrire à des cours ou à un programme d'études.

L'année du Lièvre sera aussi toute désignée pour se consacrer davantage à sa famille. Plusieurs voudront passer plus de temps de qualité avec leurs êtres chers. Ce sera une période idéale pour évaluer ses priorités et apporter un meilleur équilibre à son style de vie. Les relations interpersonnelles seront vécues sous une bonne étoile et ce sera un temps rêvé pour trouver l'amour, renouveler ses vœux, avoir un premier enfant et passer du bon temps en famille.

L'année du Lièvre sera bien remplie et intéressante. Plusieurs événements auront lieu sur la scène internationale et, malgré les tensions, les dangers et les moments tragiques, il y aura toujours de l'espoir à l'horizon. L'année sera propice aux discussions, à la diplomatie et, ne l'oublions surtout pas, à la croissance personnelle. George Eliot, l'illustre femme de lettres anglaise née sous le signe du Lièvre, a écrit : « Il n'est jamais trop tard pour devenir ce que nous aurions pu être. »

Pour bien profiter de l'année du Lièvre, il ne faudra pas hésiter à saisir la chance au vol, à mettre à profit ses compétences et ses forces personnelles. Même si certains signes du zodiaque chinois seront naturellement plus choyés que d'autres, l'année du Lièvre promet d'être bien remplie en encourageante pour tous. Utilisez-la judicieusement! Je souhaite du succès et de la chance à chacun d'entre vous.

Le Rat

18 FÉVRIER 1912 – 5 FÉVRIER 1913	Rat d'Eau
5 FÉVRIER 1924 – 23 JANVIER 1925	Rat de Bois
24 JANVIER 1936 – 10 FÉVRIER 1937	Rat de Feu
10 FÉVRIER 1948 – 28 JANVIER 1949	Rat de Terre
28 JANVIER 1960 – 14 FÉVRIER 1961	Rat de Métal
15 FÉVRIER 1972 – 2 FÉVRIER 1973	Rat d'Eau
2 FÉVRIER 1984 – 19 FÉVRIER 1985	Rat de Bois
19 FÉVRIER 1996 – 6 FÉVRIER 1997	Rat de Feu
7 FÉVRIER 2008 – 25 JANVIER 2009	Rat de Terre

La personnalité du Rat

Voir, et voir ce que les autres ne voient pas.
Voilà la vraie vision.

Le Rat naît sous le signe du charme. Il est intelligent et populaire, c'est un être très sociable qui raffole des fêtes et des réunions mondaines. Il est doué d'une facilité remarquable pour nouer des amitiés, et le bien-être de ceux qui l'entourent lui tient à cœur. Sa compréhension de la nature humaine fait qu'on recherche souvent ses conseils. On se sent bien en sa compagnie.

Le Rat est un travailleur acharné, à l'imagination fertile, et qui n'est jamais à court d'idées. Cependant, un manque de confiance en lui le retient parfois de les promouvoir avec vigueur, ce qui l'empêche d'obtenir la reconnaissance et le crédit qu'il mérite.

Le Rat est réputé pour son sens de l'observation et on retrouve chez plusieurs natifs de ce signe de très bons écrivains ou journalistes. Il excelle également dans le domaine des relations publiques et dans tout emploi qui le met en contact avec les gens et les médias. En temps de crise, on apprécie tout particulièrement ses talents, car il sait garder la tête froide ; il arrive toujours à trouver une solution pour se sortir d'une situation délicate.

Sur le plan du travail, le Rat aime être plongé dans l'action. Si vous le condamnez à une vie de rond-de-cuir, il peut devenir rigide et tatillon.

Un certain opportunisme fait qu'il est toujours à l'affût ; il laisse rarement s'échapper une occasion d'améliorer son sort matériel et risque même, en voulant courir plusieurs lièvres à la fois, de disperser ses énergies et, finalement, d'accomplir très peu. Facilement crédule, il risque de se laisser manipuler par des personnes moins scrupuleuses que lui.

On reconnaît le Rat à son attitude envers l'argent. Il se montre très économe, certains diraient même un peu mesquin, mais c'est qu'il aime que l'argent reste dans la famille. C'est avec son conjoint, ses enfants, ses intimes qu'il fera preuve de libéralité. Il sait également être généreux envers lui-même, résistant difficilement à se priver d'un objet ou d'un luxe qui lui fait envie. Animé d'un fort instinct de possession, le Rat accumule : il a horreur du gaspillage et se résout rarement à jeter quoi que ce soit. Il peut manifester une certaine avidité, aussi acceptera-t-il volontiers toute invitation ou sortie qui n'entraîne pas de débours.

En société, le Rat est fin causeur, même si à l'occasion il manque de tact. Il peut être sévère dans ses jugements à l'égard des autres (si vous désirez un point de vue franc et non tendancieux, demandez au Rat) et parfois ne répugne pas à utiliser à son profit des informations confidentielles. Toutefois, vu sa nature attachante, peu résistent à lui pardonner ses quelques indiscrétions.

À aucun moment au cours de sa vie le Rat ne manquera d'amis. C'est avec les natifs de son propre signe ainsi que ceux du Bœuf, du Dragon et du Singe qu'il a le plus d'affinités, mais il s'entend également bien avec les Tigres, les Serpents, les Coqs, les Chiens et les Cochons. Cependant, les Lièvres et les Chèvres, plus sensibles, considèrent que le Rat est trop critique et qu'il manque de délicatesse. De même, le Cheval et le Rat ont quelque mal à s'entendre ; le caractère changeant du Cheval et sa nature indépendante déconcertent le Rat, qui recherche la sécurité.

Le Rat attache une grande importance à la famille, et il est prêt à tout pour faire plaisir à ses proches. Sa loyauté envers ses parents est exceptionnelle, et il est, pour sa part, un parent aimant et attentionné. Il n'est pas rare qu'il ait plusieurs enfants ; il s'intéresse de près à leurs activités et s'assure qu'ils ne manquent de rien.

La femme Rat est dotée d'une nature ouverte et généreuse. Elle partage son temps entre mille activités. Elle possède un large cercle d'amis et, excellente hôtesse, elle adore recevoir. Elle aime que sa maison soit bien tenue et fait preuve d'un goût très sûr pour la décorer. Les membres de sa famille sont assurés de son soutien indéfectible. Sur le plan professionnel, sa débrouillardise, son entregent et sa persévérance la servent bien, quel que soit le domaine qu'elle choisisse.

Bien que spontanément communicatif, extraverti même, le Rat s'avère également secret. Il affiche peu ses sentiments et, alors qu'il aime bien être au courant de ce que font les autres, il admet mal qu'on vienne mettre le nez dans ses affaires. Toutefois, il n'aime guère la solitude, et s'il lui arrive de se retrouver seul pour une longue période, il devient facilement déprimé.

Le Rat possède incontestablement une quantité de talents; s'il n'en tire pas toujours le meilleur parti, c'est qu'il a tendance à se disperser en poursuivant plusieurs objectifs en même temps. En ciblant mieux ses efforts, il pourra connaître la réussite. Sinon, fortune et succès risquent de lui échapper. Mais comme il dispose d'un charme considérable, le Rat se retrouvera bien rarement privé d'amis.

Les cinq types de Rats

Aux douze signes de l'astrologie chinoise sont associés cinq éléments dont l'influence vient tempérer ou renforcer le signe. Sont décrits ci-après leurs effets sur le Rat, de même que les années au cours desquelles ces éléments exercent leur influence. Ainsi, les Rats nés en 1960 sont des Rats de Métal; ceux qui sont nés en 1912 et en 1972 sont des Rats d'Eau, etc.

LE RAT DE MÉTAL (1960)

Le Rat de Métal fait preuve d'un goût très sûr et il apprécie le raffinement, comme en témoigne son intérieur. Il adore recevoir, ce qu'il fait souvent, et fréquenter les cercles mondains. Grâce à un sens des affaires aiguisé, il sait faire fructifier son argent. Chez le

Rat de Métal, les apparences sont parfois trompeuses : alors qu'il semble plein d'entrain et d'assurance, intérieurement, il est préoccupé par des soucis qu'il se crée lui-même, bien souvent. Tant à l'égard des amis que de la famille, il manifeste une loyauté exceptionnelle.

LE RAT D'EAU (1912, 1972)

Le Rat d'Eau est intelligent et très perspicace. C'est un être réfléchi, qui sait exprimer ce qu'il pense de manière claire et convaincante. Toujours avide d'apprendre, il est doué dans plusieurs domaines. Le Rat d'Eau jouit habituellement d'une grande popularité, mais la peur d'être seul pourrait faire qu'il se retrouve en mauvaise compagnie. Il manie la plume avec bonheur, c'est une de ses forces. Toutefois, comme il est facilement distrait, il doit apprendre à concentrer ses efforts sur une tâche à la fois.

LE RAT DE BOIS (1924, 1984)

Le Rat de Bois a une personnalité engageante, aussi collègues et amis recherchent-ils sa présence. Il a l'esprit vif et aime se rendre utile à son entourage. Il ressent de l'insécurité face à l'avenir, mais c'est bien sans raison, vu son intelligence et ses aptitudes. Il a un excellent sens de l'humour et raffole des voyages. Étant donné sa nature hautement imaginative, il peut être écrivain ou artiste.

LE RAT DE FEU (1936, 1996)

Le Rat de Feu est rarement inactif ; on dirait qu'il possède d'inépuisables réserves d'énergie et d'enthousiasme, que ce soit pour découvrir des contrées inconnues, pour explorer des idées nouvelles, ou pour faire campagne pour une cause qui lui tient à cœur. C'est un esprit original qui déteste les contraintes et les ordres. Il sait exprimer ses vues sans détour, mais, quelquefois, emporté par le feu du moment, il risque de s'engager dans des entreprises en négligeant d'en mesurer toutes les implications. Toutefois, il ne se laisse jamais abattre et, bien épaulé, il ira loin dans la vie.

LE RAT DE TERRE (1948, 2008)

Le Rat de Terre possède finesse et sang-froid. Il est rare de le voir prendre inutilement des risques et, bien qu'il ait toujours en tête d'améliorer sa situation financière, il sait être patient et ne laisse rien au hasard. Le Rat de Terre a probablement l'esprit moins aventureux que les autres types de Rats ; le familier lui plaît davantage que l'inconnu et il répugne à se lancer tête baissée dans ce qu'il ne connaît pas à fond. Il est doué, consciencieux et bienveillant à l'égard de ses proches. Il se soucie parfois trop de l'image qu'il veut projeter.

Perspectives pour 2011

L'année du Tigre (du 14 février 2010 au 2 février 2011) aura été fort animée pour le Rat et il aura peut-être eu du mal à suivre le rythme et à faire face aux changements. Le Rat aime l'action, mais il veut être le maître du jeu et certains événements ont peut-être été à la source d'une certaine anxiété ou de l'apparition de questions existentielles chez lui. Il devra user de prudence au cours des derniers mois de l'année du Tigre.

L'une de ses plus grandes forces est de pouvoir créer des liens facilement avec les autres. D'ici le 2 février 2011, il devra profiter de toutes les occasions qui se présenteront pour rencontrer des gens et les consulter à propos de ses idées et de ses projets. Il ne doit pas être trop indépendant ni faire cavalier seul, surtout s'il fait face à un dilemme à propos d'une décision ou d'une situation liée à son travail. En discutant avec sa famille et des personnes compétentes, il pourra bénéficier de leurs suggestions. Les mois d'août et de décembre seront bien remplis dans le domaine de ses relations sociales.

Le Rat devra mieux contrôler ses dépenses et, dans la mesure du possible, mieux planifier ses achats importants. Plusieurs Rats auront la chance de voyager au cours des prochains mois et ils devront mettre de l'argent de côté afin de pouvoir mieux en profiter.

Bon travailleur, le Rat devra rester alerte et prêt à s'adapter à tous les changements éventuels. Les années du Tigre sont souvent exigeantes, mais il n'est pas à cours de ressources ; plusieurs natifs de ce signe pourront faire des progrès certains. Une chose est sûre, le Rat a su profiter de l'année du Tigre pour être sur la sellette, obtenir des récompenses et profiter de certains événements favorables.

L'année du Lièvre commence le 3 février 2011 et elle sera très intéressante pour le Rat. Il pourra faire des progrès notables, mais il devra surtout faire preuve de patience et de persévérance. Il ne faudra surtout pas se hâter ni espérer des résultats très rapides. Il devra s'adapter aux exigences de son temps et procéder lentement, prudemment et méthodiquement.

Ces précautions seront particulièrement de mise dans le domaine du travail. Plusieurs Rats pourront profiter de l'expérience qu'ils ont acquise au fil des années ; on fera appel à leurs conseils et plusieurs responsabilités plus pointues leur seront offertes. Même si certaines situations seront exigeantes à cause des défis qu'on leur proposera, ils sauront être leur meilleur allié pendant toute l'année.

Le Rat aura la chance de travailler en étroite collaboration avec des collègues et d'autres personnes œuvrant dans son domaine. Certains contacts créés pendant l'année lui procureront un soutien ainsi que des conseils particulièrement utiles.

Cela concerne également les Rats qui ont la motivation nécessaire pour quitter leur poste actuel ou qui sont à la recherche d'un emploi. En discutant avec les autres et en tenant compte de leur avis, ils créeront un terrain propice pour les impressionner et faire place à des possibilités qui vaudront la peine d'être considérées. Les mois d'avril, de juin, de septembre et de novembre seront encourageants.

Pendant l'année, tous les Rats devraient dire oui aux formations qui leur seront proposées ou, s'ils cherchent un emploi, ils auraient intérêt à suivre des cours pour être à la fine pointe des derniers développements qui ont lieu dans leur domaine. En faisant preuve de bonne volonté et en améliorant leurs compétences et leur savoir-faire, ils feront preuve de leur engagement tout en élargissant leurs horizons pour le futur. Le succès n'arrivera peut-être pas du jour au lendemain, mais l'année du Lièvre récompensera certainement leur esprit d'initiative.

Le Rat devra toutefois être prudent dans le domaine financier. Même s'il est économe dans certains domaines, il peut aussi être prodigue en faisant des achats mal planifiés. Il devra donc faire preuve de discipline. S'il veut faire une dépense importante, il devra être conscient de tous les tenants et aboutissants en faisant une évaluation judicieuse des coûts. Il ne faudra surtout pas prendre de risques ni se hâter.

De par sa nature sociable, le Rat entretient de bonnes relations avec autrui et cette nouvelle année le tiendra très occupé à la fois sur les plans familial et social. Dans le domaine des relations familiales, 2011 sera l'occasion d'événements importants. Un nouveau membre viendra probablement s'ajouter à la famille sinon il pourrait s'agir d'un mariage ou d'un événement important qui mérite d'être célébré. Ses proches le consulteront et lui demanderont son aide. Ses compétences seront très appréciées, mais il devra être attentif aux opinions des autres tout au long de l'année. S'il se montre trop dogmatique ou s'il manque de considération envers les autres, cela pourrait créer des problèmes et des mésententes. Heureusement, les Rats sont habituellement très attentionnés, mais l'année du Lièvre exigera encore davantage d'attention et de communication positive de leur part.

Le Rat appréciera le soutien de ses amis et il ne verra pas le temps passer lorsqu'il sera avec eux pour discuter, partager des centres d'intérêt communs ou participer à certains événements. Cette année sera favorable pour élargir son cercle d'amis et créer de nouveaux liens d'amitié durables. Les mois de mai et d'août ainsi que la période de novembre à la mi-janvier seront florissants pour sa vie sociale.

Il devrait profiter de l'année du Lièvre pour prendre du temps pour son développement personnel. Il pourra acquérir de nouvelles compétences dans le cadre de son travail, s'adonner à de nouvelles activités ou adopter des centres d'intérêt qu'il entend faire fructifier. En profitant de ses idées et des bonnes occasions, il tirera beaucoup de satisfaction de sa vie. Plusieurs Rats sont d'habiles communicateurs et pour ceux qui aiment l'écriture, il s'agira d'une activité très agréable et satisfaisante pour l'expression de leur créativité.

Pendant l'année du Lièvre, le Rat doit rester vigilant, consulter les autres et agir avec prudence. Il ne doit pas se précipiter ni être trop prompt. Toutefois, en profitant des bonnes occasions qui se présenteront, il pourra faire des progrès raisonnables et savourer plusieurs de ses activités. Il aura la chance de vivre de beaux moments avec sa famille et en société.

LE RAT DE MÉTAL

Ce sera une année convenable pour le Rat de Métal même s'il devra faire preuve de patience. Il voudra peut-être échafauder des plans rapidement en espérant des résultats immédiats, mais il devra apprendre à ne pas se presser. Même si le rythme sera plus lent cette année, celle-ci sera porteuse de bonnes choses pour l'avenir.

Au travail, plusieurs Rats de Métal seront heureux de garder leur poste actuel en se concentrant sur des tâches qu'ils maîtrisent bien. Les compétences qu'ils ont acquises et leur bonne connaissance du fonctionnement de l'entreprise les serviront favorablement. Plusieurs se verront confier de nouvelles responsabilités et de nouveaux défis souvent accompagnés de primes intéressantes. Leurs fonctions seront plus stimulantes.

Le Rat de Métal profitera de ses bonnes relations avec ses collègues et il devra continuer à créer de nouveaux liens chaque fois qu'il en aura l'occasion. Même s'il est un expert dans son emploi actuel, il aura avantage à accroître ses connaissances et ses compétences. Il gagnera à suivre tous les cours qu'on lui propose afin d'être à la fine pointe des développements qui bouleversent son domaine. Ces nouvelles connaissances et cet esprit d'initiative lui seront très utiles pour le futur.

Pour les Rats de Métal qui sont à la recherche d'un emploi ou qui souhaitent changer de poste, l'année du Lièvre ouvrira de nouveaux chemins étonnants. Pendant plusieurs mois, tout semblera stagner désespérément, puis plusieurs occasions favorables se présenteront soudainement. Avril, juin, septembre et novembre verront naître des développements importants, mais la patience devra être leur mot-clé pendant toute l'année. Les résultats escomptés *arriveront,* mais il faudra faire des efforts et être patient. Toutefois, leurs projets connaîtront une remontée favorable l'an prochain et c'est pourquoi tout ce qu'ils accompliront maintenant leur profitera plus tard.

L'un des aspects positifs de cette année est que le Rat de Métal pourra développer de nouveaux centres d'intérêt. Même si ses temps libres sont parfois limités, il trouvera beaucoup de satisfaction en faisant des choses qui le passionnent. Ses nouvelles idées et les nombreuses possibilités qui surgiront lui feront beaucoup de bien. Les Rats de Métal qui aiment les activités de création gagneront à faire fructifier leurs talents puisque les années du Lièvre favorisent l'esprit de créativité.

Le Rat de Métal est habituellement économe, mais il devra être encore plus vigilant et prudent cette année. À cause de dépenses substantielles pour sa famille et son logement, il devra surveiller les sorties d'argent et faire certaines économies en prévision de dépenses plus importantes. Il devra être prudent en remplissant certains documents administratifs liés à l'impôt et aux avantages sociaux puis il conservera tous ses reçus et tous ses contrats en lieu sûr. Une erreur ou un document perdu pourrait lui causer du tort. Rats de Métal, prenez-en note et ne courez aucun risque dans le domaine financier.

Plusieurs Rats de Métal seront témoins d'une effervescence familiale au cours de l'année et pourraient aussi célébrer un événement important. Leur sens de l'organisation sera un grand atout. Leurs proches leur témoigneront leur reconnaissance pour leurs conseils, leur soutien et leur empathie. Aucune année n'est toutefois dépourvue d'épreuves; si des différences d'opinions surgissent ou si certains stress créent de l'irritabilité, le Rat de Métal devra faire face à la situation avec brio. S'il n'est pas vigilant, certains événements apparemment anodins pourront se transformer en véritables problèmes et nuire à ses bonnes relations. Rats de Métal, encore une fois prenez-en note! L'année peut être très agréable et excitante sur le plan familial, mais il faut demeurer conscient *et* vigilant.

Cela s'applique également à la vie sociale du Rat de Métal. Il appréciera plusieurs événements auxquels il participera cette année, mais il devra être attentif. Des mésententes pourraient naître et il sera peut-être touché par des paroles qu'il entendra. Dans un tel cas, il devra agir rapidement afin de savoir exactement ce qui se trame et, si possible, atténuer les désagréments qui pourraient découler de cette situation. Même si la plus grande partie de sa vie sociale sera agréable et sans nuages, il devra rester alerte et respectueux des opinions des autres. Cela concerne aussi les Rats de Métal qui vivront une nouvelle union sentimentale. Ils ne devront surtout pas tenir pour acquis les sentiments de leur conjoint. Les relations devront être nourries de manière positive et, encore une fois, le Rat de Métal gagnera à être attentionné.

Si l'on tient compte de la tendance de la nouvelle année, certains mois seront plus calmes que d'autres sur le plan social, mais il y aura soudainement un afflux d'invitations et de bonnes occasions. La deuxième partie de l'année sera plus animée tandis que mai, août et la période de la mi-novembre à la mi-janvier seront plus stimulants et plus intéressants.

Le Rat de Métal sera parfois frustré par la cadence plutôt lente de l'année du Lièvre, mais en faisant preuve de patience et en profitant des bonnes occasions, il en sortira gagnant. En développant ses compétences, il connaîtra beaucoup de satisfaction et ses réalisations le prépareront à vivre des succès plus importants à compter de 2012. À la maison, il vivra des événements heureux et c'est en accordant son temps et son attention aux autres qu'il connaîtra les moments les plus positifs, les plus significatifs et les plus remarquables de cette nouvelle année. En résumé, il vivra une année plus calme qui lui procurera de véritables bienfaits à long terme.

Conseils pour l'année

Profitez de toutes les occasions pour développer vos compétences et vos connaissances. Prenez le temps d'évaluer vos centres d'intérêt personnels pour le futur. Cela pourra être très satisfaisant et vous mener à de nouvelles possibilités. Donnez de votre temps aux autres. Vous possédez de grandes aptitudes et vous devriez utiliser vos dons de manière bénéfique.

LE RAT D'EAU

La nouvelle année sera significative pour le Rat d'Eau. Même si certaines périodes seront plus calmes, tout ce qu'il entreprendra aura une grande valeur à long terme. Plusieurs Rats d'Eau auront la chance de développer de nouvelles compétences et de nouvelles idées, et leurs accomplissements récolteront des bénéfices immédiatement *et* dans le futur.

Sur le plan du travail, le Rat d'Eau aura souvent la chance de faire des progrès, surtout lorsque certains de ses collègues seront mutés, ce qui libérera des postes et facilitera l'intégration de nouvelles initiatives et façons de travailler. En faisant preuve de souplesse et de bonne volonté, il pourra vivre de nouvelles expériences et ouvrir ses horizons pour l'avenir. Grâce à sa connaissance du fonctionnement de la régie interne de l'entreprise, il pourra mettre de l'avant ses idées qui pourraient être utiles. Par son engagement, ses connaissances et son expérience, il prouvera son engagement et mettra son potentiel en valeur. Ce bon esprit d'initiative sera profitable à plusieurs Rats d'Eau cette année.

Plusieurs choisiront d'être fidèles à leur employeur en bâtissant leur avenir à partir de leur poste actuel et de leurs compétences, mais l'année du Lièvre réserve des surprises à ceux qui ont hâte de changer de cap ou de trouver du travail. Ils devront être patients et faire de nombreux efforts pour obtenir le poste désiré, mais grâce à leur persévérance et à leur ouverture d'esprit, ils sauront orienter efficacement leur carrière dans une nouvelle direction. Voilà une année où il est recommandé d'être ouvert à toutes les possibilités. Avril, juin, septembre et novembre verront apparaître des développements intéressants.

Un autre aspect positif de cette année est que le Rat d'Eau apprendra à mieux connaître ses collègues et à travailler efficacement avec eux. Grâce à sa façon simple d'aborder les choses, il impressionnera plusieurs nouvelles personnes et sa réputation prendra du galon. S'il rêve à un poste en particulier ou s'il vit un dilemme dans le cadre de son travail, il devra prendre les devants en parlant avec ceux qui ont les connaissances et l'expérience nécessaires pour lui venir en aide. Il ne doit surtout pas faire preuve d'une trop grande indépendance. Le soutien des autres, son esprit d'initiative et ses relations seront ses meilleurs atouts tout au long de l'année.

Le Rat d'Eau est très curieux : si un sujet attire son attention, il voudra l'approfondir. S'il souhaite étudier un sujet en particulier, il devrait prendre le temps de réaliser son rêve. Ses démarches dans les domaines pratique et créatif lui apporteront beaucoup de joie dès le commencement de la nouvelle année ainsi que dans l'avenir.

À cause du stress et des exigences de certaines activités, le Rat d'Eau devrait faire un temps d'arrêt et prendre des vacances. Même s'il n'a pas la chance d'aller très loin, un changement d'air et une coupure avec sa routine lui feront le plus grand bien. S'il reçoit des invitations de sa famille ou de ses amis, il devrait tout faire pour les accepter. La dernière moitié de l'année lui apportera peut-être des occasions de voyage inattendues fort intéressantes.

Ce sera une année passionnante sur le plan social puisqu'il sera invité à plusieurs événements. S'il prend le temps d'y participer, il s'amusera en plus de rencontrer de nouvelles personnes, de se relaxer et d'avoir de nouvelles idées en ébullition. Mai, août et la période de la mi-novembre à la mi-janvier seront bien remplis sur le plan social. Le Rat d'Eau gagnera à rester actif en acceptant ces invitations.

À la maison, sa vie sera aussi très active. Le Rat d'Eau fera en sorte d'être de bon conseil pour les personnes plus jeunes et plus âgées. Il y aura peut-être une célébration ou une rencontre familiale pendant l'année et il pourra aider efficacement à l'organisation de l'événement. Il jouera souvent un rôle de pilier très apprécié. À tout moment, il devra toutefois être attentif envers ses proches et tenir compte de leur façon de voir les choses. Une faute d'inattention ou une supposition pourrait être source de problèmes. Rats d'Eau, prenez-en note et consultez les autres. Septembre et décembre seront des mois propices à des développements intéressants sur le plan familial.

Sur le plan financier, le Rat d'Eau devra se montrer discipliné puisqu'il sera très sollicité. Afin que certains projets puissent être réalisés, il devra établir un budget avec soin et garder l'œil sur l'ensemble de ses dépenses. Il faudra aussi être très vigilant au moment de remplir des documents administratifs et régler rapidement toute correspondance importante relative à des formulaires et à des ententes d'affaires. La nouvelle année sera sous le signe de la vigilance sur le plan financier.

En résumé, l'année du Lièvre sera généralement agréable et constructive pour le Rat d'Eau. Il aura d'excellentes occasions de développer ses talents et de profiter de certaines occasions. Il sera soutenu et encouragé par son entourage et, s'il sait utiliser intelligemment son temps, ses actions lui seront favorables à la fois pour le présent et pour le futur.

Conseil pour l'année

Passez du temps avec votre famille et vos amis. Appréciez les centres d'intérêt que vous partagez. En ayant un mode de vie équilibré, vous récolterez le maximum de cette année tout en vous préparant pour les occasions favorables qui ne sauront tarder, particulièrement en 2012.

LE RAT DE BOIS

Cette année sera importante sur le plan personnel pour le Rat de Bois. Lui dont la vie privée n'est jamais ordinaire, il verra peut-être sa famille s'agrandir. Il devra peut-être décider s'il est prêt ou non pour le mariage, sinon il rencontrera une personne à qui il s'attachera sérieusement. Il vivra une année très animée et remplie d'événements de toutes sortes.

Le Rat de Bois se lie facilement aux autres et il est très en demande. Il aura plusieurs occasions pour sortir et faire des rencontres. Que ce soit dans le cadre de son travail, de ses passe-temps ou de ses amitiés, il ne s'ennuiera pas! Pour ceux qui ont récemment connu des problèmes relationnels ou qui se sentent seuls, peut-être parce qu'ils ont dû déménager loin des leurs, l'année du Lièvre leur apportera un peu d'air frais: leurs actions positives et le fait qu'ils se présentent toujours bien seront des atouts de taille au cours des prochains mois.

Chaque année apporte son lot de difficultés et le Rat de Bois devra être vigilant même si ses relations seront positives avec son entourage. Il pourrait regretter un faux pas. Les Rats de Bois qui vivent une relation stable devront accorder plus de temps à leur partenaire en étant ouverts et communicatifs. Il ne faut rien tenir pour acquis ni faire de suppositions malvenues. Les Rats de Bois sont habituellement courtois et conscients, mais une attention supplémentaire pourra faire toute la différence. Les occasions les plus favorables auront lieu en mai, en août et à la mi-novembre.

Cette année, le Rat de Bois aura la chance d'approfondir ses centres d'intérêt. Si un sujet ou une activité l'intéresse particulièrement, il devrait suivre son cœur. Certains Rats de Bois seront attirés par une toute nouvelle activité. Ceux qui aiment être guidés par leur créativité pourront alors partager leurs idées avec les autres et être ainsi encouragés dans leurs démarches. Les années du Lièvre favorisent la créativité.

Sur le plan du travail, la cadence sera plutôt lente et les résultats tarderont à se pointer malgré leurs efforts. Même si cela pourrait être frustrant, les Rats de Bois auront quand même l'occasion de tirer profit de leurs aptitudes. Ils pourront aussi acquérir de l'expérience dans différents domaines liés à leur emploi tout en apprenant à mieux se connaître. En usant bien de leur temps, ils sauront profiter des bonnes occasions lorsque le moment sera venu.

La plupart des Rats de Bois seront fidèles à leur employeur cette année. Ceux qui souhaitent un changement ou qui cherchent du travail devront élargir leurs horizons et profiter des occasions qui se présentent même si elles ne correspondent pas exactement à leurs rêves. Leur quête sera longue et ils devront être persévérants. Plusieurs d'entre eux se verront offrir un emploi différent de ce qu'ils faisaient auparavant. Il s'agira d'un défi, mais s'ils le relèvent efficacement, ils pourront s'en servir comme tremplin pour l'avenir. Avril, juin, septembre et novembre pourront leur apporter de nouvelles possibilités, mais dès qu'ils entendront parler d'une bonne occasion, ils devront la saisir sans tarder. Des offres intéressantes pourront leur être faites tout au long de l'année.

Dans le domaine financier, le Rat de Bois devra rester discipliné. À cause de ses engagements actuels et de certaines dépenses imprévues, il devra établir un budget avec soin. Sa nature économe lui sera heureusement d'un grand secours mais, comme tous les autres Rats, il devra renoncer aux dépenses extravagantes cette année. Surveillance et contrôle : voilà deux mots-clés qui seront obligatoirement à l'ordre du jour cette année ! S'il conclut une affaire importante, il devra bien en évaluer tous les tenants et les aboutissants. Il n'y a aucune place pour la frivolité.

En résumé, l'année du Lièvre sera lente par moments, mais les compétences que le Rat de Bois développera lui procureront une satisfaction personnelle ainsi qu'une ouverture favorable pour l'avenir. Sur le plan personnel, il peut s'agir d'une période significative et riche en développements importants.

Conseil pour l'année

Évitez de vous presser. Faites une liste minutieuse de vos activités et mettez le moment présent à profit. Vous serez récompensé pour vos actions positives et vos compétences même si l'année ne sera pas une ligne droite. Mettez votre personnalité en valeur en profitant des occasions de rencontrer de nouvelles personnes et d'élargir votre réseau social. Si vous prenez ces conseils au sérieux, cette année pourra vous apporter des bénéfices à long terme.

Le Rat de Feu

Même si la nouvelle année semble plutôt calme pour le Rat de Feu, tout ce qu'il entreprendra aura des conséquences à long terme. L'importance de l'année du Lièvre ne doit surtout pas être sous-estimée.

Les Rats de Feu nés en 1996 consacreront une grande partie de leur temps aux études et à l'éducation. Avec la préparation de leurs devoirs et de leurs examens, ils gagneront à demeurer organisés et disciplinés. Ils seront surpris de leurs résultats dans les domaines où ils porteront leurs compétences à un niveau plus élevé. Dans certains cas, ils pourront être particulièrement inspirés par leur travail et cela indiquera les domaines dans lesquels ils auraient avantage à se spécialiser pour leur future carrière.

En essayant de parfaire leurs compétences, principalement en musique, en art dramatique ou en sport, plusieurs Rats de Feu s'amuseront tout en s'ouvrant à de nouvelles possibilités. En ce qui a trait à leur croissance personnelle, cette nouvelle année sera importante : en profitant des cours et des facilités qui jonchent leur route, les jeunes Rats de Feu pourront ultérieurement jouir d'une récolte abondante en retour de tous les efforts qu'ils déploient maintenant.

Il est très important que le Rat de Feu soit ouvert aux idées nouvelles. Dans certains cas, ses idées ou ses centres d'intérêt pourront le mener dans une nouvelle direction ou lui donner envie de s'adonner à de nouvelles activités qui l'attirent. En étant bien préparé – et son esprit d'entreprise sera ici d'un grand secours –, il pourra transformer ces changements en occasions significatives. L'année du Lièvre sera porteuse d'un riche potentiel et il faudra profiter de la chance pendant qu'elle passe.

Le Rat de Feu sera bien soutenu dans la plupart de ses démarches et il devra être attentif aux conseils de son entourage tout au long de l'année. Même s'il sait défendre ses idées et ses goûts, il pourrait s'ouvrir à de nouvelles possibilités ou bénéficier d'une aide intéressante au moment de faire des choix importants en étant simplement attentionné envers les autres. S'il vit des difficultés sur le plan personnel ou dans le domaine de l'éducation, il devrait en parler afin d'être aidé et conseillé.

Le Rat de Feu appréciera particulièrement le soutien de certains amis très intimes avec qui il partagera ses passions, ses pensées et ses confidences. Les nouvelles activités qu'il choisira lui permettront de faire plusieurs rencontres et de voir naître des amitiés fort utiles.

Même si le Rat de Feu passera beaucoup de temps à étudier et à faire ses activités habituelles, il devrait accorder plus de temps à sa vie familiale. En acceptant d'être aidé ou en étant simplement plus ouvert en parlant à ses proches, il verra que son engagement et sa contribution peuvent faire une grande différence. Il gagnera toujours à s'engager davantage.

Les Rats de Feu nés en 1936 pourront eux aussi connaître une année intéressante même s'ils devront consulter les autres. En discutant de leurs idées, de leurs projets, de leurs inquiétudes et de leurs problèmes, en faisant preuve d'ouverture et en acceptant de parler librement, ces Rats de Feu seront soutenus et rassurés. Il ne faut pas adopter une attitude trop solitaire ni trop indépendante (ni avoir un esprit obtus).

Le Rat de Feu souhaitera voir ses projets porter fruit rapidement, surtout en ce qui concerne son logement, mais il devra faire preuve de patience cette année. Le temps n'est pas propice à la hâte. L'année du Lièvre nous force souvent à reporter nos projets à un moment plus favorable plutôt que de précipiter les choses. La tendance est à la lenteur, mais cela pourra être bénéfique puisque ces délais conduiront généralement à des décisions plus sages.

Pendant l'année, le Rat de Feu tirera une immense satisfaction de ses centres d'intérêt et sa créativité lui apportera un plaisir très spécial. En partageant ses activités avec ses amis et ceux qu'il aime, il récoltera une grande joie et ses activités revêtiront une signification toute nouvelle.

Certaines occasions de voyages le raviront. En s'accordant un temps de repos ou en visitant ses relations, il découvrira de nouveaux endroits et profitera de tout ce que ces voyages mettront sur sa route.

Sur une note plus prudente, il devra être minutieux dans le domaine financier et vérifier toute correspondance et tout formulaire qu'il recevra. Tout délai ou toute supposition pourrait le léser. Rats de Feu, soyez vigilants!

Ceux qui sont nés en 1936 ou en 1996 seront encouragés cette année. En mettant à profit leurs idées et leur chance, ils tireront une véritable satisfaction personnelle. S'ils sont ouverts à de nouvelles possibilités et écoutent attentivement les autres, des développements intéressants et favorables pourront survenir. L'année du Lièvre ne sera peut-être pas riche en événements impromptus, mais elle pourra être bénéfique à long terme.

Conseil pour l'année

Profitez de toutes les occasions qui s'offrent à vous. Avec votre bonne volonté et le soutien de vos proches, de nouveaux horizons s'ouvriront à votre avantage. Vos efforts et votre engagement vous récompenseront maintenant ainsi que dans le futur.

Le Rat de Terre

Le Rat de Terre a tendance à être plus prudent que les autres natifs de ce signe. Il sait faire preuve de retenue et de mesure. Cette qualité le servira bien cette année et il connaîtra des développements intéressants et amusants sur le plan personnel.

Dès le début de l'année du Lièvre, il devra décider des changements qu'il souhaite vivre au cours des douze prochains mois. Cela peut concerner son travail, son logement ou ses centres d'intérêt. Dans tous les cas, il gagnera à clarifier ses projets et à en parler avec ses proches afin de mieux connaître ses buts et de canaliser plus efficacement ses énergies. Plusieurs Rats de Terre découvriront que les années du Lièvre ne sont pas propices à l'empressement et qu'il est préférable de s'adapter au rythme naturel et plus lent de 2011.

Le soutien et les conseils de ses proches joueront en sa faveur. En jonglant avec ses idées ou en s'apprêtant à prendre des décisions, il constatera que le fait d'en parler clarifiera son esprit tout en lui donnant la chance de profiter des suggestions des autres. Il serait malvenu d'être trop indépendant.

Il devra être particulièrement vigilant dans le domaine financier. S'il reçoit de la correspondance qui n'est pas suffisamment claire ou qui lui cause de l'inquiétude, il devra consulter des personnes qui sauront le guider. Pour toute transaction ou tout engagement majeur, il devra lire attentivement les responsabilités inhérentes. Cette attention supplémentaire l'aidera à prévenir les erreurs et à éviter les dépenses inutiles.

Plusieurs Rats de Terre voudront remplacer rapidement certains articles ou ajouter de nouveaux éléments de confort à leur demeure. Encore une fois, ils devront être vigilants. Aucun achat ne devra être fait précipitamment. S'ils savent prendre leur temps, ils seront plus heureux de leurs choix et pourront profiter d'offres plus avantageuses. Les Rats de Terre qui souhaitent changer de maison devront peut-être reporter une vente, un achat ou un déménagement.

Dans le monde du travail, l'année du Lièvre sera généralement satisfaisante, surtout pour ceux qui auront la chance de se concentrer dans leur domaine d'expertise. Lorsque le stress et les problèmes croîtront, leurs collègues seront portés à se tourner vers eux pour tirer des leçons de leur expérience. Ils admireront le fait qu'ils sont toujours pleins de ressources. Pendant l'année, plusieurs Rats de Terre verront leurs compétences être très sollicitées. Même s'ils seront portés à vouloir conserver leur poste actuel, leur travail leur donnera un bon sentiment d'accomplissement.

Certains Rats de Terre voudront toutefois profiter d'une offre de retraite ou réduire leurs activités professionnelles. Même s'ils évaluaient cette possibilité depuis longtemps, ces changements influenceront leur vie de plusieurs manières. Il est important qu'ils prennent le temps de voir ce qu'ils ont vraiment envie de faire à ce moment-ci de leur vie. En étudiant les différents projets avec soin, ils verront que l'année du Lièvre peut marquer le début d'un nouveau chapitre très excitant. Mieux ils sauront planifier leur avenir et mieux ils se porteront.

Les Rats de Terre intéressés à faire des changements dans leur travail ou prêts à assumer de nouvelles fonctions profiteront de leur réflexion et des occasions qui se présenteront à eux. Grâce à leurs ressources, à leur esprit d'initiative et à de bons conseils, ils pourront transformer cette année en une aventure passionnante.

Le Rat de Terre tirera beaucoup de satisfaction de ses centres d'intérêt personnels. En se donnant des buts précis ou en faisant des projets bien ficelés, il saura apprécier ce qu'il trouvera sur sa route. Cette nouvelle année récompensera les personnes concentrées et dévouées. Ses activités courantes et ses nouveaux projets lui apporteront beaucoup de joie.

Pendant l'année, le Rat de Terre saura apprécier ses bons amis. Il prendra plaisir à les rencontrer et à bénéficier de leur soutien et de leur bonne volonté. Plusieurs Rats de Terre élargiront leur réseau social de façon agréable grâce à leurs loisirs. Les mois de mai, juin et août ainsi que les derniers mois de l'année du Lièvre favoriseront une grande activité sur le plan social.

La vie familiale du Rat de Terre pourra aussi être satisfaisante. S'il apprend à partager ses pensées, plusieurs de ses projets pourront se concrétiser même si cela prendra parfois du temps. En plus de bénéficier du soutien de ses proches, il saura à son tour conseiller et aider les autres. Il aura l'occasion d'organiser certaines célébrations familiales importantes. Pour vivre une année bien remplie et agréable, les mots-clés devront être collaboration et relations positives.

Le Rat de Terre devrait songer à faire un voyage avec ceux qu'il aime pendant l'année. Une telle pause fera du bien à tous et, s'il choisit sa destination avec soin, il appréciera tout particulièrement les lieux qu'il visitera et les activités qu'il choisira.

Plusieurs choses joueront en sa faveur cette année, mais certains problèmes pourront surgir puisqu'aucune année ne peut être exempte de soucis. Le Rat de Terre aura besoin de consulter les autres et de trouver une solution ou un arrangement à l'amiable. Le fait d'ignorer les problèmes pourrait créer une escalade ou laisser les ennuis en latence jusqu'à ce qu'ils surgissent inévitablement à nouveau. Le Rat de Terre sait user de son tact et de son esprit, mais lorsque des difficultés surviennent, il doit agir, s'engager et prendre les devants.

En résumé, l'année du Lièvre est idéale pour faire des plans. Grâce à sa prudence innée et au soutien d'autrui, le Rat de Terre saura développer ses idées et ses centres d'intérêt de façon satisfaisante. L'année ne se prêtera pas aux décisions précipitées, mais elle sera tout de même agréable.

Conseil pour l'année

Accordez-vous du temps, surtout pour développer vos centres d'intérêt préférés. Vos compétences et vos idées pourront vous procurer beaucoup de plaisir. Aussi, ouvrez-vous à de nouvelles activités et mettez-les à profit de manière avantageuse et intéressante.

Des Rats célèbres

Ben Affleck, Ursula Andress, Thierry Ardisson, Louis Armstrong, Charles Aznavour, Lauren Bacall, Shirley Bassey, Marlon Brando, Charlotte Brontë, Luis Buñuel, George H. Bush, Jimmy Carter, Pablo Casals, Chateaubriand, Maurice Chevalier, Paolo Conte, Arlette Cousture, Jean-Claude Van Damme, Françoise David, Gérard Depardieu, Richard Desjardins, Camerone Diaz, Anne Dorval, David Duchovny, T. S. Eliot, Clark Gable, André-Philippe Gagnon, Nicole Garcia, Garou, Al Gore, Hugh Grant, Marc-André Grondin, Sacha Guitry, Daryl Hannah, le prince Harry, Vaclav Havel, Joseph Haydn, Charlton Heston, Buddy Holly, Engelbert Humperdinck, Henrik Ibsen, Eugène Ionesco, Jeremy Irons, Jean-Michel Jarre, Marc Labrèche, Avril Lavigne, Guy A. Lepage, Mata-Hari, Claude Monet, Richard Nixon, Marie-Denise Pelletier, Sean Penn, Jacques Prévert, Jean Racine, Vanessa Redgrave, Madeleine Renaud, Burt Reynolds, Rossini, Francine Ruel, Antoine de Saint-Exupéry, Yves Saint-Laurent, George Sand, William Shakespeare, Donna Summer, Serge Thériault, Léon Tolstoï, Toulouse-Lautrec, Guylaine Tremblay, Zinédine Zidane, Émile Zola.

Le Bœuf

6 FÉVRIER 1913 – 25 JANVIER 1914	Bœuf d'Eau
24 JANVIER 1925 – 12 FÉVRIER 1926	Bœuf de Bois
11 FÉVRIER 1937 – 30 JANVIER 1938	Bœuf de Feu
29 JANVIER 1949 – 16 FÉVRIER 1950	Bœuf de Terre
15 FÉVRIER 1961 – 4 FÉVRIER 1962	Bœuf de Métal
3 FÉVRIER 1973 – 22 JANVIER 1974	Bœuf d'Eau
20 FÉVRIER 1985 – 8 FÉVRIER 1986	Bœuf de Bois
7 FÉVRIER 1997 – 27 JANVIER 1998	Bœuf de Feu
26 JANVIER 2009 – 13 FÉVRIER 2010	Bœuf de Terre

La personnalité du Bœuf

Plus on jauge le chemin à parcourir
Plus démesuré est le voyage

Le Bœuf naît sous le double signe de l'équilibre et de la ténacité. C'est un travailleur acharné, consciencieux, qui entreprend tout ce qu'il fait avec méthode et détermination. On l'admire pour son courage, sa loyauté et sa sincérité, c'est un meneur-né. Il sait ce qu'il veut accomplir dans la vie et suit la trajectoire qu'il s'est fixée avec rigueur.

Le Bœuf possède un sens aigu des responsabilités et un esprit de décision qui le rend apte à saisir toutes les occasions qui se présentent. Même s'il estime ses collègues et ses amis et leur accorde sa confiance, il est plus solitaire que grégaire, d'une grande réserve, et souvent porté à garder ses pensées pour lui. Jaloux de son indépendance, il aime faire les choses à sa manière plutôt que de se voir imposer des contraintes ou de subir des pressions extérieures.

D'un tempérament habituellement égal, le Bœuf peut exploser de colère s'il a des motifs d'être déçu ou irrité, et ses entêtements occasionnels le mettent facilement en conflit avec ceux qui l'entourent. Le Bœuf réussit généralement à obtenir ce qu'il veut, mais, si les choses se retournent contre lui, il s'avère mauvais perdant ; il accepte difficilement les revers ou les contretemps.

Sérieux et appliqué, le Bœuf est souvent un être très réfléchi, qui n'est pas particulièrement reconnu pour son sens de l'humour. Les dernières trouvailles et les nouveaux gadgets ne l'attirent pas, car c'est un traditionaliste qui préfère s'en tenir au plus conventionnel.

Son foyer a une grande importance pour lui – on pourrait dire que c'est son sanctuaire – et il s'assure que tous les membres de la famille apportent leur contribution à sa bonne marche. Le Bœuf a tendance à accumuler, à ne rien jeter, mais il a beaucoup d'ordre et de système. Pour lui, la ponctualité est une vertu, et il devient exaspéré si on le fait attendre, surtout si le retard est attribuable à un manque d'organisation. À vrai dire, il y a un peu du tyran en lui!

Une fois installé quelque part, maison ou emploi, le Bœuf y demeure volontiers plusieurs années. Il n'aime pas le changement et les voyages ne l'attirent guère. Par contre, il prend plaisir aux activités de plein air et au jardinage. Il est habituellement un excellent jardinier et, dans la mesure du possible, il fait en sorte de disposer d'un bout de terrain suffisant pour laisser libre cours à ses talents. En fait, il préfère vivre à la campagne et consacrer son temps libre à des activités extérieures.

Comme il est consciencieux, le Bœuf tend à bien faire dans la carrière qu'il choisit, dans la mesure où on lui accorde la liberté d'exercer son initiative. Il peut tout autant réussir en politique et en agriculture que dans des domaines exigeant une formation de pointe. Le Bœuf est aussi très doué pour les arts, et plusieurs natifs du signe ont connu la renommée comme musiciens ou compositeurs.

Le Bœuf est moins extraverti que d'autres, et il lui faut un certain temps pour nouer une amitié ou se sentir vraiment à l'aise. C'est pourquoi, d'ordinaire, il fait longuement la cour avant de s'engager, mais, une fois qu'il a choisi, il demeure loyal à son partenaire. Pour le Bœuf, l'entente est particulièrement heureuse avec les natifs du Rat, du Lièvre, du Serpent et du Coq. La relation peut également être bonne avec le Singe, le Chien, le Cochon et un autre Bœuf. Cependant, il a peu en commun avec la Chèvre, sensible et fantaisiste, tandis que le Cheval, le Dragon et le Tigre, trop fougueux et impulsifs à son goût, dérangent l'existence calme et paisible qu'il préfère.

La femme Bœuf est d'un naturel bienveillant. Elle accorde une grande place à sa famille, se révélant une conjointe attentionnée et une mère aimante et dévouée. C'est une organisatrice-née, et comme elle est très déterminée, elle obtient généralement ce qu'elle veut dans la vie. On la voit fréquemment s'intéresser aux arts et même s'y adonner avec talent.

Toujours les deux pieds sur terre, le Bœuf est sincère, loyal et sans prétention. Il peut toutefois montrer une grande réserve que d'aucuns prendront pour de la froideur. Sous des allures tranquilles, il cache beaucoup d'ambition et une volonté de fer. Il a le courage de ses convictions ; ce qu'il croit juste, il le défendra parfois sans égards aux conséquences. Comme il inspire confiance, il trouvera presque invariablement au cours de sa vie des personnes qui admirent son esprit de décision et qui sont prêtes à le soutenir.

Les cinq types de Bœufs

Cinq éléments, soit le Métal, l'Eau, le Bois, le Feu et la Terre, viennent tempérer ou renforcer les douze signes du zodiaque chinois. Les effets apportés par ces éléments sont décrits ci-après, accompagnés des années où ils dominent. Ainsi, les Bœufs nés en 1961 sont des Bœufs de Métal, ceux de 1913 et de 1973 sont des Bœufs d'Eau, etc.

LE BŒUF DE MÉTAL (1961)

Le Bœuf de Métal est volontaire et sûr de lui. Il ne craint pas de dire ce qu'il pense, et ce, parfois de manière abrupte. Il poursuit ses objectifs avec une telle détermination qu'il lui arrive de froisser les autres sans s'en rendre compte, et cela peut jouer à son détriment. Fiable et honnête, il ne fait jamais de promesse qu'il ne peut tenir. C'est un amateur d'art, et il possède habituellement un cercle restreint de bons et fidèles amis.

Le Bœuf d'Eau (1913, 1973)

Le Bœuf d'Eau se caractérise par un esprit vif et pénétrant, un bon sens de l'organisation et de la méthode. Faisant preuve d'une plus grande ouverture d'esprit que les natifs d'autres types de Bœufs, il accepte plus volontiers l'apport de collaborateurs dans ses projets. Il a un sens moral très développé et souhaite souvent faire carrière dans le secteur public. Bon juge de caractère, affable et doté de persuasion, il éprouve rarement de la difficulté à atteindre ses buts. Il est populaire et sait s'y prendre avec les enfants.

Le Bœuf de Bois (1925, 1985)

Le Bœuf de Bois se conduit avec dignité et autorité. Il assume fréquemment un rôle de premier plan, quelle que soit l'entreprise à laquelle il participe. Plein d'assurance, il est direct dans ses relations avec autrui. Toutefois, il est souvent prompt à s'emporter et n'hésite pas à dire le fond de sa pensée. On lui reconnaît dynamisme et détermination et il jouit d'une excellente mémoire. C'est un être rempli de bienveillance, remarquablement loyal et dévoué envers sa famille.

Le Bœuf de Feu (1937, 1997)

Le Bœuf de Feu possède une forte personnalité. Il a des idées tranchées et se montre impatient quand les choses ne se déroulent pas à son goût. Se laissant entraîner par l'excitation du moment, il lui arrive de négliger le point de vue des autres. Néanmoins, grâce à ses qualités de leadership indéniables, alliées à sa grande capacité de travail, il peut fréquemment atteindre les plus hauts échelons et connaître pouvoir, renom et fortune. Il est très attaché à sa famille et peut généralement compter sur de solides amitiés.

Le Bœuf de Terre (1949, 2009)

Le Bœuf de Terre, avec son naturel posé, aborde tout ce qu'il entreprend de manière réfléchie. Tout en étant ambitieux, il demeure réaliste quant à ses objectifs et se montre prêt à fournir les efforts nécessaires pour les atteindre. Il est doté d'un très bon sens des affaires, et c'est un fin juge des caractères. Sa sincérité et son intégrité suscitent l'admiration et font qu'on recherche souvent son opinion. Sa loyauté à l'égard de sa famille et de ses amis est sans faille.

Perspectives pour 2011

Le Bœuf aura souvent eu du mal à faire face aux changements et au rythme rapide de l'année du Tigre (du 14 février 2010 au 2 février 2011). Cette période a été exigeante pour lui et plusieurs Bœufs ont dû apprendre à vivre avec une pression plus grande sur leurs épaules en plus d'être contraints de prendre des décisions difficiles. Toutefois, malgré certaines expériences récentes plutôt paradoxales, le Bœuf a raison de garder courage puisque l'année du Lièvre est plus prometteuse que celle du Tigre.

Le Bœuf devra être prudent au cours des derniers mois de l'année du Tigre. Au travail, il devra se concentrer sur des tâches spécifiques et prendre note des changements qui ont lieu tout autour de lui. Il ne faudra surtout pas être trop indépendant. Les mois de septembre et de novembre apporteront des possibilités intéressantes aux Bœufs qui voudront changer de travail ou trouver un emploi.

Dans le domaine financier, le Bœuf devra faire preuve de vigilance et bien réfléchir avant de faire des achats importants et des dépenses qui sortent de l'ordinaire. Il pourrait regretter d'avoir pris certains risques ou de s'être précipité.

Le Bœuf gagnera à rester affable et à partager ce qu'il a en tête avec ses proches même lorsqu'il est préoccupé. Ce sera plus profitable que de ressasser inlassablement les mêmes pensées ou de garder son anxiété secrète. Sa famille et ses amis seront heureux de le conseiller et de le soutenir. En plus de jouer son rôle habituel à la maison, il pourra apprécier grandement les événements qui auront lieu au sein de sa famille vers la fin de l'année. Dans sa vie sociale, s'il accepte les invitations qu'il reçoit et passe de bons moments en compagnie de ses amis, il s'amusera et en récoltera de réels bienfaits puisqu'il prendra le temps de se relaxer et de se changer les idées.

L'année du Tigre est peut-être exigeante, mais elle est aussi porteuse de plaisirs. Plus le Bœuf se liera aux autres (en prenant conscience qu'il a parfois tendance à s'isoler), plus il récoltera de bénéfices.

L'année du Lièvre commence le 3 février 2011 et elle sera plus favorable au Bœuf que ne l'aura été l'année du Tigre. Plutôt que de se sentir ballotté par les événements et le rythme accéléré de la dernière année, il sera en mesure de se concentrer sur ses objectifs et d'obtenir des résultats positifs plus satisfaisants.

Les Bœufs qui entameront la nouvelle année en étant déçus des mois qui viennent de s'écouler ou qui seront au creux de la vague devront se tourner résolument vers l'avenir. En tirant un trait sur le passé et en adoptant une attitude positive, ils s'ouvriront à de nouvelles possibilités.

Ce sera particulièrement le cas au travail où plusieurs natifs de ce signe constateront qu'il est temps d'explorer de nouveaux horizons et de parfaire leurs compétences. Pour certains, des changements favorables pourraient leur apporter exactement ce qu'ils cherchent. En étant vigilants et en parlant ouvertement de leur désir d'aller de l'avant, ils pourront faire des progrès importants parfois bien mérités. Leurs nouvelles tâches et leurs nouveaux rôles exigeront qu'ils développent d'autres compétences et une véritable souplesse envers des façons de travailler plus innovatrices. Grâce à leur engagement et à leur détermination, ils se créeront une bonne réputation auprès d'un plus grand nombre de gens.

Les Bœufs qui souhaitent une nouvelle orientation professionnelle ou qui veulent trouver un emploi ne seront pas déçus par la nouvelle année. Ils devront toutefois être proactifs et s'informer de la façon dont ils pourraient utiliser leur plein potentiel. Le destin sera de leur côté et une offre pourrait leur être faite, ce qui serait une excellente occasion pour affronter des défis à la fois excitants et inspirants. De la mi-mars au début de juin et au cours du mois d'octobre, les Bœufs devront agir avec vivacité en mettant l'accent sur leurs qualités et leur expérience.

Les progrès que le Bœuf accomplira dans le monde du travail lui permettront d'accroître ses revenus, mais il devra tout de même agir avec prudence. Il gagnera à faire un budget et à tenter de réduire ses emprunts. Il devra être vigilant s'il est tenté par une affaire qui sort de l'ordinaire, y compris un prêt à une autre personne, puisque des problèmes et des mésententes pourraient surgir de cette situation. En matière d'argent, il devra faire attention et procéder avec soin.

Sur le plan personnel, l'année du Lièvre lui apportera toutefois plusieurs satisfactions. Pour les Bœufs qui vivent une histoire d'amour, l'année sera propice au renforcement de leur relation. Ceux qui sont libres sur le plan sentimental pourront faire une rencontre significative et ce nouvel amour apportera de l'excitation à la nouvelle année. Ceux qui souhaitent être moins seuls devraient s'ouvrir aux nouvelles rencontres. En suivant un cours ou en s'associant à un groupe, ils pourraient trouver ce qu'ils cherchent. Leur esprit d'initiative les récompensera souvent. Les mois de mars, avril, juillet et septembre leur permettront de rencontrer plus de gens et d'avoir une vie sociale plus dynamique.

À la maison, le Bœuf sera bien occupé pendant toute l'année. Grâce à sa nature pragmatique, il voudra peut-être faire quelques améliorations à sa demeure, redécorer certaines pièces ou mieux arranger certains coins en particulier. Les amateurs de jardinage sauront bien profiter de leur passe-temps. Les activités pratiques, surtout celles qui peuvent être partagées avec d'autres, leur procureront beaucoup de plaisir cette année.

Le Bœuf apportera beaucoup de soutien à ses proches. Une personne de son entourage pourrait vivre une expérience difficile. Grâce à ses encouragements, il lui viendra en aide encore plus efficacement qu'il ne saurait l'imaginer. Si un problème surgit et qu'il ne se sent pas apte à y faire face, il ne devrait toutefois pas hésiter à demander de l'aide. Même s'il entend faire tout son possible pour régler la situation, il ne devrait pas craindre de demander conseil. Natifs du signe du Bœuf, prenez-en note ! L'année sera satisfaisante sur le plan personnel, mais soyez prêts à profiter de l'aide d'autrui au besoin.

En résumé, l'année du Lièvre est prometteuse pour le Bœuf. En voulant faire des progrès, en utilisant son temps de manière efficace et en saisissant la chance au vol, il pourra faire de grands pas en avant tout en vivant des changements agréables sur le plan personnel.

Le Bœuf de Métal

Il s'agira d'une année importante pour le Bœuf de Métal qui célébrera son cinquantième anniversaire de naissance et qui sera heureux d'entamer une nouvelle décennie de manière positive. Comme il l'a souvent démontré, lorsqu'il se fixe des objectifs précis, son labeur et sa concentration lui procurent un agréable sentiment de sécurité et ce sera le cas cette année encore. Il ne devrait pas se laisser emporter par ses déceptions récentes (l'année du Tigre aura peut-être été particulièrement difficile), mais se concentrer plutôt sur le moment présent *et* regarder vers l'avenir avec détermination.

Au début de 2011, le Bœuf de Métal trouvera utile de faire des plans pour l'année qui vient. Cette attitude positive lui donnera la stabilité nécessaire pour s'ouvrir à de nouvelles possibilités, ce qui le récompensera de façon toute spéciale. L'année du Lièvre pourrait être très intéressante puisqu'elle a plusieurs surprises dans son sac.

Les relations du Bœuf de Métal seront particulièrement importantes cette année. Ses proches voudront souligner son cinquantième anniversaire avec élégance. En plus d'être le centre d'attention de son entourage, il sera souvent touché par l'affection dont il sera l'objet. Son anniversaire et d'autres moments spéciaux prendront une grande signification, mais le soutien et l'aide qu'il recevra tout au long de l'année lui feront aussi beaucoup de bien. En retour, il devrait parler ouvertement de ses projets et de ses activités en écoutant avec soin les conseils des autres. De nouvelles possibilités pourront parfois en surgir. L'année du Lièvre favorise la collaboration plutôt que l'esprit d'indépendance.

À la maison, le Bœuf de Métal appréciera plusieurs activités, dont des passe-temps et des projets d'ordre pratique qu'il partagera avec ses proches. Il s'intéressera aussi aux activités de son entourage. Des personnes plus jeunes et plus âgées profiteront de ses conseils et de son soutien concret, et ce, particulièrement celles qui font face à des problèmes ou qui vivent de l'anxiété. Le Bœuf de Métal possède des qualités redoutables et il saura les utiliser avec brio.

Sa vie sociale sera aussi intéressante puisqu'il aura la chance de rencontrer des personnes avec qui il nouera des liens d'amitié. S'il est libre sur le plan sentimental, il aura la chance de trouver l'amour. Cette année favorisera l'action et le Bœuf de Métal aimera et savourera sa chance de pouvoir rencontrer d'autres personnes. Mars, avril, juillet et septembre seront les mois les plus remplis dans ce domaine.

Le Bœuf de Métal devrait prendre le temps de veiller à ses propres intérêts et maintenir un style de vie équilibré. Pour souligner son cinquantième anniversaire, il sera tenté par la nouveauté. En évaluant les idées qui lui trottent en tête et en agissant concrètement, il profitera de moments constructifs et bénéfiques. De plus, s'il souhaite voyager et s'il a une destination précise en tête, il pourrait vivre une aventure excitante en prenant toutefois le temps de bien planifier son voyage.

Dans le domaine du travail, l'année du Lièvre lui réserve des possibilités intéressantes. Même si ses progrès ne seront pas nécessairement rapides et que les bonnes occasions ne seront pas toujours nombreuses, il pourra tout de même progresser. Ce sera peut-être dans le cadre de son travail actuel où il aura une promotion ou il se verra offrir des responsabilités soudainement disponibles. Le Bœuf de Métal sera souvent en bonne posture pour profiter des occasions favorables. Grâce à son action déterminée et à sa volonté de se mettre de l'avant, il pourra faire une percée remarquable.

Certains Bœufs de Métal trouveront toutefois qu'ils ont donné tout ce qu'ils ont pu dans leurs fonctions actuelles et ils auront envie de nouveauté. Pour ceux-là, ainsi que pour les autres qui cherchent un emploi, l'année du Lièvre réserve des changements encourageants. Il ne sera pas facile d'avoir un nouveau poste, mais en restant vigilants et en pensant aux différentes manières dont ils pourraient dorénavant utiliser leur expérience, ils pourraient se voir proposer un défi intéressant. En consultant des agences spécialisées dans le domaine de l'emploi, ils pourront considérer des idées toutes nouvelles. Il leur faudra être prêt à faire face à toutes les possibilités. De la mi-mars au début de juin ainsi qu'au mois d'octobre, ils pourront jongler avec tout ce qui se présente à eux sur le plan du travail.

Afin de pouvoir aller de l'avant avec ses projets, le Bœuf de Métal devra être discipliné en matière d'argent et surveiller ses dépenses de près. Au moment de prendre un engagement, il devra bien s'informer de tous les tenants et aboutissants. Prudence également s'il accepte de prêter de l'argent : des problèmes pourraient surgir. Bœufs de Métal, prenez-en note. Il faudra être minutieux et prudent dans le domaine financier.

En résumé, l'année du Lièvre pourra être importante pour le Bœuf de Métal. De beaux moments en perspective, mais aussi de bonnes occasions pour aller de l'avant. Dans les domaines du travail et de ses loisirs, il trouvera l'énergie et la concentration nécessaires à ce genre d'activités. Il devra penser à long terme et essayer de concrétiser ses projets.

Conseil pour l'année

Choisissez vos buts pour l'année. Lorsque votre attention sera concentrée sur ceux-ci, des changements intéressants surviendront. Accordez de la valeur à vos relations afin que la nouvelle année soit placée sous le signe du succès.

LE BŒUF D'EAU

Un proverbe chinois dit : « Nous pouvons aller n'importe où grâce à nos rêves ; sans rêves, nous ne pouvons aller nulle part. » Déterminé, le Bœuf d'Eau nourrit assurément plusieurs aspirations et l'année du Lièvre l'encouragera et le récompensera de belle façon.

Au travail, il s'agira d'une année importante. Les Bœufs d'Eau qui en ont assez de leur situation actuelle ou qui sont déçus des progrès qui tardent à venir verront renaître l'espoir. Il s'agira parfois de collègues qui quitteront l'entreprise, ce qui créera de nouveaux postes, ou encore de moments rêvés pour obtenir une promotion. Ils devront rechercher principalement les emplois qui sont différents de ce qu'ils ont fait jusqu'à maintenant et qui leur conviennent. Les bonnes occasions pourront se présenter très rapidement cette année et le Bœuf d'Eau gagnera à suivre les cours qui lui seront proposés et à se tenir à l'affût de l'évolution qui bouleverse son domaine. En 2011, il devra se rappeler que « nous pouvons aller n'importe où grâce à nos rêves » et garder sa flamme allumée en ayant un esprit d'initiative et d'entreprise.

Les Bœufs d'Eau qui cherchent du travail auront des possibilités intéressantes cette année. Pour en profiter convenablement, ils ne devraient pas limiter leurs ambitions et faire plutôt preuve d'ouverture quant au travail qu'ils sont prêts à accepter. En prenant en considération les différentes possibilités et en évaluant bien leurs forces, ils pourraient entendre parler d'occasions idéales pour eux. Certains voudront se recycler tandis que les autres auront plusieurs chances très intéressantes qui donneront un élan considérable à leur carrière et à leur estime de soi. De la mi-mars au début de juin et au cours du mois d'octobre, ils pourraient voir apparaître des changements significatifs dans leur vie.

Grâce à tous ces progrès dans le cadre de son travail, le Bœuf d'Eau aura la chance de gagner plus d'argent, mais il devra tout de même faire preuve de prudence. Il aura de nombreuses obligations et il ne devra pas laisser tomber sa discipline naturelle dans le domaine financier. Il devra être très vigilant s'il décide de consentir un prêt à une autre personne ou s'il a des soucis liés à l'argent. Les conseils d'un spécialiste pourront alors lui être utiles.

Ses relations avec les autres seront importantes et souvent spéciales. À la maison, il sera très occupé et il aidera activement des membres de son entourage qui s'apprêtent à prendre des décisions cruciales. Il aidera et encouragera des proches dans le domaine de l'éducation et supportera peut-être une personne dans le besoin. Son aide sera souvent d'une valeur inestimable au cours de l'année.

Il consacrera aussi du temps à des projets bien concrets. Plusieurs Bœufs d'Eau redécoreront certaines pièces ou feront des rénovations dans leur maison. Ces projets seront parfois plus longs que prévu, mais ils seront satisfaits des résultats. Même s'ils aiment se débrouiller seuls, il est important qu'ils fassent appel aux autres au besoin et qu'ils parlent ouvertement de leurs activités et de leurs préoccupations. Ils feront beaucoup pour leurs proches cette année et ils devraient leur donner la chance de les aider en retour.

Même si le Bœuf d'Eau est engagé dans plusieurs projets, il devra prendre le temps de se reposer et de se relaxer. Ses loisirs lui feront un bien immense en lui permettant de se changer les idées. S'il est sédentaire pendant une grande partie de la journée, il aurait intérêt à faire des exercices ou des activités qui lui conviennent afin d'être mieux dans sa peau. Pour être à son meilleur, il devrait adopter un style de vie, une alimentation et des exercices bons pour lui.

Il ne devrait pas négliger sa vie sociale. En rencontrant ses amis et en assistant aux événements qui le tentent, il pourra profiter du soutien de ses proches de manière parfois inattendue. Cela lui fera beaucoup de bien.

Ce sera aussi une année spéciale pour les affaires de cœur. Pour les Bœufs d'Eau qui sont seuls et qui souhaitent vivre une histoire d'amour, une heureuse rencontre pourra ajouter du zeste à leur vie. La chance jouera un grand rôle dans leur existence cette année. Leur vie sociale sera particulièrement bénie des dieux en mars, avril et juillet ainsi que de septembre à la mi-octobre.

Le Bœuf d'Eau aura plusieurs atouts en main cette année. Grâce à sa manière d'être directe et amicale, à sa détermination et à son bon jugement, il saura mettre ses forces en valeur et bénéficier des aspects favorables qui prévalent. Cette année sera placée sous le signe du progrès et de l'action. Il devra rester à l'affût des grands moments de chance souvent fortuits que l'année du Lièvre mettra sur sa route.

Conseil pour l'année

Portez attention à vos relations avec les autres. Certaines personnes que vous connaissez pourraient jouer un rôle déterminant qui vous permettra de faire des progrès. Soyez attentif lorsqu'elles vous donneront des suggestions, des conseils, du soutien ou qu'elles vous mettront la puce à l'oreille quant aux possibilités qui pourraient vous intéresser. Les activités et les loisirs partagés avec des proches vous procureront beaucoup de plaisir.

Le Bœuf de Bois

Voici une année très fructueuse pour le Bœuf de Bois : de nombreuses possibilités intéressantes et du bon temps en perspective ! Mais ce sera aussi une année pour agir. Afin de vraiment faire bouger les choses, il devra prendre d'importantes décisions et être prêt à aller de l'avant. Heureusement, il est doté d'une détermination naturelle. Grâce à sa foi et à son esprit d'initiative, il pourra récolter de belles choses cette année.

La vie personnelle des Bœufs de Bois sera particulièrement comblée. Ceux qui sont en couple partageront de merveilleux projets avec leur conjoint. Ils s'aideront et s'encourageront mutuellement. Ceux qui ont des enfants ou qui deviendront parents cette année seront comblés par les moments passés avec les bébés et les jeunes enfants. Plusieurs se tiendront occupés en faisant des rénovations à la maison et ils seront heureux de voir que leurs projets prennent forme. Ils vivront de nombreux moments à la fois satisfaisants et excitants.

Le Bœuf de Bois profitera aussi de l'aide de membres de sa famille et d'amis intimes. En plus de le soutenir et de le conseiller, ils lui apporteront une aide considérable (surtout s'il est un jeune parent) ou un soutien concret dans toute entreprise où le temps et une collaboration chaleureuse pourront faire une différence appréciable. Dès qu'il se sentira stressé ou qu'il aura besoin d'aide, il ne devra pas hésiter à demander du soutien.

Même si tout ira plutôt bien dans sa vie personnelle, il pourrait être préoccupé par un proche qui éprouve des difficultés. S'il est prêt à l'écouter et à lui offrir son aide, ses soins et son bon sens seront plus utiles qu'il ne pourrait l'imaginer.

Le Bœuf de Bois appréciera sa vie sociale tout au long de l'année. Ceux qui ont dû déménager à cause de leur travail ou de changements dans leur vie auront la chance de se créer un nouveau réseau social. Encore une fois, ce sera une période significative sur le plan personnel et, en demeurant actif, le Bœuf d'Eau pourra bien profiter de tout ce qui arrivera.

Pour ceux qui sont seuls, l'année du Lièvre sera particulièrement prometteuse puisque plusieurs Bœufs de Bois feront la connaissance de leur futur partenaire. La rencontre se fera souvent de façon inattendue et la chance jouera un rôle important. Les mois de mars, avril, juillet et septembre seront les plus bourdonnants sur le plan social, mais tout au long de l'année le Bœuf de Bois devrait en profiter pour sortir et rencontrer des gens.

Il devrait aussi se réserver du temps pour vaquer à des occupations plus ludiques afin de s'amuser un peu. Comme il est très occupé, il a parfois tendance à négliger cet aspect alors que cela lui permettrait d'avoir une vie plus équilibrée tout en mettant en valeur ses compétences et ses activités préférées. Ces moments de détente lui donneront la chance de communiquer avec d'autres personnes et de faire plus d'exercice. S'il se sent attiré par un champ d'intérêt en particulier, il devrait faire l'effort nécessaire pour l'explorer plus à fond. Certaines possibilités qui se présenteront cette année lui profiteront à long terme.

Dans le domaine du travail, l'année pourrait aussi être intéressante. Les Bœufs de Bois qui font le même travail depuis longtemps se verront offrir de nouvelles possibilités et des responsabilités souvent plus satisfaisantes. S'ils sont vigilants, leur expérience et leur formation seront des atouts de taille. Cette année favorisera les actions fermes qui seront entreprises avec détermination.

Le Bœuf de Bois mettra toutes les chances de son côté en étant un membre actif au sein de son équipe de travail et en profitant des cours de perfectionnement qui lui seront proposés. En faisant preuve d'engagement et en utilisant ses compétences humaines, il pourra mettre davantage son potentiel en lumière.

L'année du Lièvre sera intéressante pour les Bœufs de Bois qui cherchent du travail. En ouvrant leurs horizons et en faisant un effort particulier au moment de faire leur demande d'emploi, leur persévérance sera souvent couronnée de succès. Certains pourront profiter d'offres gouvernementales. De la mi-mars au début de juin, à la fin de septembre ainsi qu'en octobre, ils seront très occupés sur le plan professionnel.

Les progrès que le Bœuf de Bois fera dans le cadre de son emploi lui permettront d'augmenter ses revenus, mais il devra tout de même être prudent cette année. Il aura intérêt à contrôler ses dépenses et à faire des économies pour ses projets, incluant certains dépôts qu'il devra nécessairement accepter de faire. Sa nature disciplinée lui sera d'un grand secours, mais il devra demander conseil chaque fois qu'il sera préoccupé par ses finances.

Même s'il doit surveiller ses dépenses, il devra prendre congé à un moment donné et jouir d'un repos bien mérité. Même s'il n'a pas envie d'aller très loin, un changement de paysage lui fera beaucoup de bien et lui procurera du plaisir.

L'année du Lièvre est riche en possibilités. En étant actif et rempli de bonne volonté, le Bœuf de Bois aura la chance de progresser et de profiter de moments spéciaux fort agréables. La nouvelle année lui sera généralement favorable et il n'en tiendra qu'à lui d'utiliser efficacement ses talents.

Conseil pour l'année

Croyez en vous. Agissez de manière positive et construisez votre avenir en sachant utiliser judicieusement vos forces. Vous pourrez accomplir plusieurs choses cette année. Aussi, prenez le temps de chérir les relations spéciales que vous entretenez avec vos proches. Vous vivrez alors des moments significatifs et satisfaisants.

LE BŒUF DE FEU

Ce sera une année satisfaisante pour le Bœuf de Feu puisqu'il aura la chance de faire progresser ses idées et ses projets. Grâce à sa bonne volonté, il pourra faire de grandes choses.

Les Bœufs de Feu nés en 1997 connaîtront une année importante dans le domaine de l'éducation. Cette période de transition exigera de la discipline dans leurs études et ils devraient profiter au maximum des bonnes occasions qui se présenteront sur leur route. Ce qu'ils feront cette année pourra se transformer en une fondation solide pour le futur. Ils n'ont pas de temps à perdre.

Le Bœuf de Feu constatera qu'en faisant les efforts nécessaires, il tirera une plus grande satisfaction de ses activités. Cela inclut les progrès qu'il fera dans ses études ainsi que les compétences qu'il est en train d'acquérir. Dans certains cas, il sera particulièrement inspiré par ce qu'il doit apprendre et cela l'encouragera à approfondir le sujet qui le passionne. Qu'il s'agisse de connaissances dans le domaine informatique, de sport ou d'activités plus créatives, il aura la chance de faire des progrès. Plus il sera réceptif aux enseignements qu'il recevra, mieux il pourra profiter du moment présent.

Il éprouvera aussi beaucoup de plaisir grâce à ses divers champs d'intérêt et aux buts qu'il s'est fixés. S'il souhaite s'adonner plus sérieusement à un hobby, il gagnera à mieux discerner ses objectifs afin de pouvoir aller plus loin; cette attitude lui ouvrira de nouvelles possibilités. L'année du Lièvre est encourageante; en demeurant actif, le Bœuf de Feu récoltera plusieurs bienfaits de ses activités.

Il appréciera aussi les bonnes amitiés qu'il chérit. En partageant ses passions avec ses amis, il s'amusera beaucoup tout en troquant avec eux des idées et des manières de s'aider mutuellement. Le jeune Bœuf peut parfois être lent à créer des liens amicaux, mais une fois qu'il a accordé sa confiance, il entretient des relations très fortes avec les autres. Cette année, son réseau social s'élargira et il se fera de nouveaux amis.

Le Bœuf de Feu devra être affable au cours de l'année et parler ouvertement avec ses proches et ses professeurs, surtout s'il est préoccupé par certaines choses. En étant ouvert avec eux, il leur permettra de l'aider et de le conseiller davantage. À la maison, il pourra continuer à améliorer les relations et la bonne entente en collaborant à certaines tâches. S'il vit une difficulté avec un proche ou s'il subit beaucoup de stress, tout ce qu'il fera pour améliorer la situation sera très utile.

Plusieurs Bœufs de Feu auront la chance de voyager cette année dans le cadre de leurs études ou de leurs centres d'intérêt personnels. Ils auront souvent l'occasion de découvrir de nouveaux lieux.

L'année du Lièvre est remplie de promesses pour le jeune Bœuf de Feu, mais il n'en tient qu'à lui d'en tirer le meilleur. En s'engageant sérieusement et en étant prêt à apprendre, il pourra profiter grandement de tout ce qu'il entreprendra et des progrès qui en découleront. Ambitieux, il sait qu'il est en train de préparer son avenir et que les fruits de ses actions présentes pourront être récoltés en abondance dans le futur.

L'année pourrait aussi être intéressante pour les Bœufs de Feu nés en 1937. Pour bien en profiter, ils devront mieux clarifier quels sont leurs buts et leurs projets pour les mois à venir, ce qui leur permettra de mieux utiliser leur temps et leur énergie. Cela pourrait concerner des changements qu'ils aimeraient faire dans leur maison, des projets à propos de l'aménagement de leur jardin ou de manières de développer leurs centres d'intérêt et d'approfondir leurs connaissances. Quels que soient leurs rêves, une fois qu'ils se mettront à l'œuvre, ils seront complètement absorbés par leurs tâches. Leur esprit curieux les poussera aussi à approfondir des sujets qui les intriguent. En utilisant judicieusement leur temps, ils pourront faire de cette année un temps agréable et constructif.

Le Bœuf de Feu sera aussi préoccupé par des questions d'ordre familial. Comme d'habitude, il s'intéressera avec sincérité aux activités de personnes plus jeunes à qui il offrira son soutien et ses conseils. Ses relations avec des proches avec qui il a une différence d'âge notable pourront revêtir un caractère très spécial. Même s'il aime donner un coup de main aux autres, il apprécie également le soutien et l'aide qu'il reçoit en retour. Si quelque chose le trouble ou s'il a besoin d'aide à n'importe quel moment, il devra être capable de communiquer clairement ses besoins. De plus, si un sujet complexe le préoccupe pendant l'année, il devrait demander conseil à une personne qualifiée au lieu de garder cela pour lui. Même si l'année lui sera favorable, le Bœuf de Feu ne devra jamais oublier qu'il peut bénéficier en tout temps de l'aide de ses proches.

Dans le domaine financier, il devra demeurer prudent et vigilant. Il gagnera à surveiller ses dépenses et à économiser pour ses projets et ses engagements. Nous lui recommandons de bien s'informer de tous les tenants et aboutissants s'il souhaite faire des affaires. Il doit être discipliné et alerte en matière d'argent et poser des questions s'il juge que certains faits ne sont pas suffisamment clairs.

Plusieurs Bœufs de Feu auront la chance de voyager cette année et ils devraient en profiter, surtout s'il s'agit de visiter des amis ou des connaissances ou encore de prendre des vacances ou un petit congé.

Qu'il soit né en 1937 ou en 1997, le Bœuf de Feu aura plusieurs possibilités au cours de l'année du Lièvre. En s'organisant avec détermination et bonne volonté, il sera fier de ce qu'il pourra accomplir. Il devra aussi accueillir les occasions qui se présenteront et qui pourront lui apporter de bonnes choses. En résumé, ce sera une année à la fois satisfaisante et constructive.

Conseil pour l'année

Sachez clairement quels sont vos rêves et vos espoirs. Au moment d'entreprendre une nouvelle chose, profitez-en dans le moment présent tout en sachant que vous êtes en train de bâtir votre avenir. Trouvez-vous de nouvelles passions, développez d'autres compétences et savourez vos relations avec ceux qui vous entourent.

Le Bœuf de Terre

L'année du Lièvre sera propice aux décisions importantes pour le Bœuf de Terre. Même s'il est senti bousculé par des événements récents, il aura la chance de reprendre les rênes et de choisir son chemin préféré pour l'avenir. Plusieurs natifs de ce signe auront le soutien de leurs proches et profiteront de certains moments de bonne fortune. Pour plusieurs, il s'agira d'une année remplie de promesses considérables.

Les Bœufs de Terre qui ont un emploi peuvent retenir deux mots-clefs : chance et choix. À cause du départ de certains membres du personnel et de l'évolution rapide dans plusieurs domaines, plusieurs Bœufs de Terre auront la chance de travailler davantage et/ ou de changer de poste. Ce revirement pourrait provoquer un déchirement, surtout s'ils occupent cet emploi depuis longtemps. Ceux qui auront l'audace d'accepter de nouveaux défis et d'utiliser leurs talents différemment se verront offrir des défis intéressants. Pour plusieurs, il s'agira d'une année de décisions importantes.

Qu'il choisisse de déménager ou de rester, le Bœuf de Terre devra être alerte et suivre de près tous les changements qui auront lieu autour de lui. Ce n'est pas le temps de s'isoler en se consacrant exclusivement à ses propres activités puisqu'il pourrait passer à côté de propositions intéressantes. En 2011, tous les Bœufs de Terre devront être bien informés et prendre le temps de s'engager sérieusement.

Ceux qui se sentent paralysés ou malheureux dans leurs fonctions actuelles pourront profiter de l'année du Lièvre pour faire des choix judicieux. Ceux qui sont tentés de prendre leur retraite devront bien évaluer les conséquences et consulter des spécialistes. Ceux qui souhaitent vivre du changement dans leur carrière ou utiliser leurs compétences différemment auront eux aussi l'occasion d'aller de l'avant. Ce changement ne sera peut-être pas facile, mais certaines de leurs idées trouveront leur accomplissement de façon excitante. De la mi-mars au début de juin ainsi qu'en octobre, ils verront plusieurs possibilités s'ouvrir à eux.

Cette année, le Bœuf de Terre appréciera l'aide et les conseils qu'on lui prodiguera. Il devra parler à son entourage afin d'évaluer toutes les options en étant bien informé. Le Bœuf de Terre est un esprit libre, mais il ne devra pas faire cavalier seul ni être trop réservé cette année. Bœufs de Terre, prenez-en note.

Le Bœuf de Terre devra être minutieux en matière financière, surtout s'il doit traiter de la paperasse importante ou signer une entente. En cas de doute, il devra éviter de se hâter afin de demander conseil et de mieux comprendre les tenants et les aboutissants. Il ne doit pas prendre de risques inconsidérés ni agir contre son bon jugement.

Même s'il sera appelé à mettre l'accent sur sa croissance personnelle, le Bœuf de Terre ne devra pas hésiter à prendre le temps de se relaxer et de s'adonner à ses loisirs préférés. Il pourra également approfondir ses connaissances dans un domaine et assister à des événements spéciaux. Certains voudront suivre des cours donnés dans leur région ou par Internet. Ils trouveront satisfaction en faisant des choses positives et en se consacrant à des activités qu'ils aiment vraiment.

Le Bœuf de Terre ne fréquente pas n'importe qui et il est plutôt discret en société. S'il reçoit des invitations ou s'il est tenté de participer à certains événements, il devrait faire l'effort d'y aller. Cela apportera de la variété et un bon équilibre à son mode de vie tout en lui faisant un bien fou. Ceux qui sont seuls et qui veulent se faire de nouveaux amis devraient se forcer pour sortir plus souvent et peut-être considérer l'idée de participer à des groupes qui se rencontrent près de chez eux. Leurs relations seront positives. Si le Bœuf de Terre est célibataire, il aura la chance de se faire de nouveaux amis et de vivre une histoire d'amour. Mars, avril, juillet et septembre seront des mois très animés sur le plan social.

La vie à la maison sera aussi très intense puisque les activités et les succès d'une jeune personne créeront beaucoup d'excitation. Le Bœuf de Terre sait démontrer des compétences très appréciables pour organiser des événements spéciaux. Ses proches sauront profiter de sa prévoyance et de l'attention qu'il porte naturellement aux autres. Il sera un souffle d'inspiration qui permettra la réalisation de certains projets et la prise de décisions dans le domaine des voyages, des rénovations et des achats importants. Son leadership pourra faire bouger les choses.

Toutefois, même si l'année sera généralement favorable, des problèmes et des difficultés pourraient surgir. Le Bœuf de Terre devra alors démontrer son esprit d'équipe et aider ses proches en leur accordant du temps et de l'attention. L'année favorisera les efforts qui seront mis en commun avec son entourage.

L'année du Lièvre pourrait être importante pour le Bœuf de Terre, particulièrement à propos de certains choix qui lui seront offerts. En demandant conseil, en sollicitant l'aide de personnes avisées et en faisant confiance à son intuition, il sera étonné de voir à quel point il se sentira bien.

Conseil pour l'année

Vous pouvez faire de bien belles choses cette année, mais ne vous hâtez pas pour prendre des décisions. Fiez-vous à votre instinct. Profitez des conseils et de l'aide de vos proches. Vous serez récompensé en prenant le temps de vous adonner à vos passions.

Des Bœufs célèbres

Robert Altman, Gabriel Arcand, Daniel Auteuil, Jean-Sébastien Bach, Warren Beatty, Daniel Bélanger, Janette Bertrand, Napoléon Bonaparte, Richard Burton, Albert Camus, Jim Carrey, Barbara Cartland, Charlie Chaplin, Melanie Chisholm (Sporty Spice), George Clooney, Jean Cocteau, Patrice Coquereau, Dante, Josée Deschênes, Alexandre Despatie, Lady Di, Marlene Dietrich, Walt Disney, Jane Fonda, Michael J. Fox, Peter Gabriel, Richard Gere, Bianca Gervais, Élise Guilbeault, Haendel, Adolf Hitler, Dustin Hoffman, Anthony Hopkins, Saddam Hussein, Billy Joel, Lionel Jospin, Juan Carlos, B. B. King, Alexei Kovalev, Burt Lancaster, Bernard Landry, K. D. Lang, Jessica Lange, Laurence Lebœuf, Jean Leloup, Jack Lemmon, Jean Marais, Pauline Marois, Melina Mercouri, Julian Moore, Kate Moss, Alison Moyet, Eddie Murphy, Paul Newman, Jack Nicholson, Barack Obama, Billy Ocean, Annie Pelletier, Oscar Peterson, Luc Picard, Colin Powell, Rufus Rainwright, Robert Redford, Joanie Rochette, Rubens, Meg Ryan, Monica Seles, Jean Sibelius, Sissy Spacek, Bruce Springsteen, Meryl Streep, Margaret Thatcher, Vincent van Gogh.

Le Tigre

26 JANVIER 1914 – 13 FÉVRIER 1915	Tigre de Bois
13 FÉVRIER 1926 – 1er FÉVRIER 1927	Tigre de Feu
31 JANVIER 1938 – 18 FÉVRIER 1939	Tigre de Terre
17 FÉVRIER 1950 – 5 FÉVRIER 1951	Tigre de Métal
5 FÉVRIER 1962 – 24 JANVIER 1963	Tigre d'Eau
23 JANVIER 1974 – 10 FÉVRIER 1975	Tigre de Bois
9 FÉVRIER 1986 – 28 JANVIER 1987	Tigre de Feu
28 JANVIER 1998 – 15 FÉVRIER 1999	Tigre de Terre
14 FÉVRIER 2010 – 2 FÉVRIER 2011	Tigre de Métal

La personnalité du Tigre

C'est l'engouement,
l'enthousiasme,
c'est consentir à ce petit plus
qui fait toute la différence,
c'est pour cela que tout éclôt.

Le Tigre est né sous le signe du courage. Figure charismatique s'il en est une, il ne craint pas d'exprimer ses vues avec aplomb. Sa volonté et sa détermination insufflent une énergie fabuleuse à tout ce qu'il entreprend. On reconnaît le Tigre à son insatiable curiosité ainsi qu'à son esprit vif et pénétrant. Ce ne sont ni les idées ni les projets qui lui manquent ! À vrai dire, ce penseur original déborde presque toujours d'enthousiasme pour quelque chose.

Rien ne fait davantage plaisir au Tigre qu'un défi, et l'occasion de prendre part à une initiative prometteuse excite son imagination. Toujours prêt à jouer le tout pour le tout, il ne voit pas d'un bon œil qu'on essaie de l'enfermer dans des conventions ou des diktats. C'est à la liberté qu'il aspire : un jour ou l'autre, il larguera les amarres, indifférent aux dangers, pour faire ce qui lui plaît.

Malheureusement, la nature quelque peu agitée du Tigre le dessert quelquefois. Même s'il n'hésite pas à se consacrer corps et âme à un projet, son ardeur des premiers jours risque de ne pas faire long feu si une autre affaire capte son attention. De plus, sa tendance à agir de manière impulsive lui fait à l'occasion regretter sa conduite. Le Tigre devra s'accorder le temps d'une mûre réflexion, faire preuve de persévérance dans ses projets, et ses chances de succès s'en trouveront accrues.

Comme il bénéficie d'une bonne étoile, le Tigre connaît souvent la réussite. Toutefois, lorsque la tournure des événements n'est pas à la hauteur de ses espérances, il est susceptible de traverser des périodes de dépression dont il se remet avec peine. Bien souvent, sa vie est faite de hauts et de bas.

Le Tigre sait néanmoins s'adapter. Heureusement, d'ailleurs ! Car il s'attarde rarement où que ce soit, son goût de l'aventure le poussant toujours vers de nouveaux horizons. C'est ainsi qu'aussitôt parvenu à l'âge adulte, il occupera différents types d'emplois et changera de domicile à plusieurs reprises.

Honnêteté et franchise prédominent dans les relations que le Tigre entretient avec ses semblables. Aussi a-t-il naturellement en horreur toute forme de mensonge ou d'hypocrisie. Et attention ! Il n'a pas l'habitude de mâcher ses mots ; s'il a quelque chose à dire, il le fera sans ambages. Sa nature rebelle est prompte à se manifester, particulièrement lorsqu'il est témoin d'un comportement autoritaire ou mesquin, ce qui le mène parfois à entrer en conflit avec d'autres. Ne redoutant pas la polémique, c'est avec passion qu'il défend ses convictions.

Le Tigre a un tempérament de chef et a donc toutes les chances d'accéder aux plus hauts échelons de sa profession. À noter toutefois qu'il n'affectionne ni la paperasse ni les tâches exigeant de la minutie. Obéir aux ordres ne lui plaît pas davantage et il lui arrive d'être têtu comme une mule. Quand il a les coudées franches et ne doit rendre de comptes à personne, alors le Tigre file le parfait bonheur. Il prend plaisir à imaginer que ses réussites sont le fruit de ses seuls efforts et, à moins de n'avoir pas le choix, il sollicite rarement l'aide des autres.

Paradoxalement, malgré sa confiance en lui et ses aptitudes au leadership, le natif de ce signe est parfois en proie à l'indécision et, lorsque l'enjeu est de taille, il attend souvent à la dernière minute pour trancher. Par ailleurs, il n'est pas insensible à la critique.

La capacité de gagner largement sa vie va de pair, chez le Tigre, avec un net penchant pour les dépenses, dont certaines ne sont pas des plus avisées. En accord avec sa nature généreuse, il se montre prodigue avec ses amis, qu'il comble de cadeaux.

Le Tigre a sa réputation à cœur et se préoccupe de l'image qu'il projette. Sa contenance fière et assurée ne manque pas d'attirer l'attention, ce qui n'est pas pour lui déplaire. D'ailleurs, il est versé dans l'art de la promotion, non seulement de sa propre personne, mais également des causes auxquelles il adhère.

Il est fréquent que le Tigre se marie jeune. C'est avec les natifs du Cochon, du Chien, du Cheval et de la Chèvre qu'il s'accorde le mieux. Le Tigre fait également bon ménage avec le Rat, le Lièvre et le Coq, tandis qu'il apprécie dans une moindre mesure le calme et le sérieux du Bœuf ou du Serpent. Quant au Singe, sa curiosité et son esprit taquin irritent le Tigre au plus haut point. De même, le Tigre s'entend difficilement avec un autre Tigre ou avec un Dragon, car leurs échanges sont une constante lutte de pouvoir ; en effet, aucun de ces natifs ne se prête aisément aux compromis, même pour des questions sans grande importance.

La femme Tigre, spirituelle et pleine d'entrain, n'a pas son pareil pour recevoir. Toujours soucieuse de son apparence, elle sait se mettre en valeur et séduire son entourage. Elle est aimante avec ses enfants et, si elle leur laisse la bride sur le cou, cette excellente éducatrice s'assure néanmoins qu'ils sont bien élevés et ne manquent de rien. Comme son partenaire masculin, la femme Tigre est curieuse de tout, aussi aime-t-elle avoir le champ libre pour explorer ses centres d'intérêt. Elle est également de nature tendre et généreuse.

Les splendides qualités du Tigre – son honnêteté et son courage, entre autres – font de lui une source d'inspiration pour les autres. S'il parvient à tempérer les excès de sa nature agitée, il sera promis à une vie aussi agréable qu'enrichissante.

Les cinq types de Tigres

Aux douze signes de l'astrologie chinoise sont associés cinq éléments dont l'influence vient tempérer ou renforcer le signe. Sont décrits ci-après leurs effets sur le Tigre, de même que les années au cours desquelles ces éléments exercent leur influence. Ainsi, les

Tigres nés en 1950 sont des Tigres de Métal; ceux qui sont nés en 1962 sont des Tigres d'Eau, etc.

LE TIGRE DE MÉTAL (1950, 2010)

Le Tigre de Métal se distingue par son assurance et sa nature extravertie. Bien qu'il soit occasionnellement versatile, ce natif nourrit de hautes ambitions et travaillera sans relâche pour obtenir ce qu'il désire. Il lui arrive toutefois de se montrer impatient et irritable lorsque les résultats se font attendre ou que les événements prennent une tournure qui lui déplaît. Sa prestance lui vaut l'admiration et le respect de tous.

LE TIGRE D'EAU (1962)

Mille et une choses suscitent l'intérêt du Tigre d'Eau, qui ne se fera pas prier pour mettre à l'essai des idées novatrices ou explorer de lointaines contrées. Polyvalence et perspicacité s'allient chez lui à une gentillesse innée. Le Tigre d'Eau reste calme dans les moments critiques, mais son indécision s'avère parfois fort ennuyeuse. Habile communicateur, bourré de talents et de charme, il parviendra le plus souvent à ses fins. Son imagination fertile fait de lui un excellent orateur ou écrivain.

LE TIGRE DE BOIS (1914, 1974)

Le Tigre de Bois se démarque par sa personnalité sympathique et attachante. Moins farouchement indépendant que les autres Tigres, il sera davantage porté à la collaboration pour atteindre ses objectifs. Sa tendance à l'éparpillement, toutefois, n'est pas à son avantage. En règle générale, le Tigre de Bois jouit d'une grande popularité et compte de nombreux amis. Il mène une vie sociale bien remplie et des plus agréables. Le Tigre de Bois est également doué d'un excellent sens de l'humour.

LE TIGRE DE FEU (1926, 1986)

C'est avec entrain et brio que le Tigre de Feu aborde la vie. Aimant par-dessus tout l'action, il plonge de tout cœur dans les projets qui frappent son imagination. Ses remarquables qualités de leadership lui permettent de communiquer aux autres ses idées et son enthousiasme. De nature optimiste et généreuse, le Tigre de Feu a une personnalité fort attachante. C'est également un orateur habile et plein d'esprit.

LE TIGRE DE TERRE (1938, 1998)

Voilà un Tigre qui a une bonne tête sur les épaules, et le sens des responsabilités ! Il examine les choses de manière objective, se faisant un point d'honneur d'être juste et intègre dans ses rapports avec les autres. Ce qui différencie le Tigre de Terre, c'est qu'il est prêt à se spécialiser au lieu de se laisser distraire par des centres d'intérêt secondaires. Toutefois, il lui arrive d'être absorbé au point de ne faire aucun cas des opinions de ceux qui l'entourent. Il jouit d'un excellent sens des affaires et connaît généralement une prospérité enviable lorsqu'il atteint l'âge mûr. Le Tigre de Terre est bien entouré et s'attache à soigner autant son apparence que sa réputation.

Perspectives pour 2011

Grâce à son énergie, à sa personnalité et à ses idées, le Tigre a su bien profiter de son année (du 14 février 2010 au 2 février 2011) et des changements intéressants ont marqué plusieurs sphères de sa vie. Les derniers mois de l'année seront aussi bien remplis et le Tigre se porte plutôt bien.

Ses relations avec les autres seront particulièrement favorables et plusieurs natifs de ce signe seront très en demande en fin d'année. Ils devront peut-être faire des arrangements au sein de leur famille, rencontrer des proches ou participer à des fêtes et à d'autres événements sociaux. Les célibataires vivront des affaires de cœur qui ajouteront de l'excitation à leur vie. Décembre et janvier seront des mois spéciaux et particulièrement animés.

Plusieurs Tigres ont connu des changements dans le monde du travail et les derniers mois de l'année leur donneront la chance de se familiariser avec leur nouveau rôle. Ceux qui cherchent du travail ou qui espèrent déménager devront surveiller avec vigilance les bonnes occasions qui les inspirent.

Plutôt actif de nature, le Tigre devra surveiller ses dépenses au cours de cette période. Il aura surtout tendance à ne pas respecter son budget lorsqu'il fera du lèche-vitrine ou qu'il s'amusera en société. Afin de pouvoir réaliser certains projets, il lui sera utile d'établir un budget équilibré. Plusieurs Tigres auront la chance de voyager à la fin de l'année et leurs économies leur permettront de profiter davantage de leur petite escapade.

L'année du Tigre aura été bien remplie et riches en événements de toutes sortes pour le Tigre. En saisissant au vol les bonnes occasions, il en récoltera encore de belles choses. Sur le plan personnel, son année lui offrira des occasions vraiment splendides.

L'année du Lièvre commence le 3 février 2011. Ce sera une excellente période pour faire des progrès puisqu'elle favorise les changements et les grands pas en avant. Le Tigre pourra accomplir des projets magnifiques.

Au travail, le Tigre se verra encouragé à maximiser davantage ses forces et ses compétences. On lui confiera peut-être un travail plus spécialisé ou de nouveaux buts sur lesquels il devra se concentrer. Il pourra aussi profiter d'une formation intéressante. Même s'il subira une pression plus intense, il fera des progrès qui lui ouvriront un chemin important pour le futur. Plusieurs Tigres atteindront un nouveau sommet dans leur vie professionnelle et leurs réalisations passées seront à la fois reconnues et récompensées.

La plupart des natifs de ce signe auront la chance de faire des progrès au sein de leur entreprise et de profiter de leur bonne connaissance de la gestion interne et de leur bonne réputation. Ceux qui pensent qu'ils sont limités là où ils sont ou qui cherchent un emploi devraient avoir confiance en la nouvelle année. Pour en profiter pleinement, ils devraient évaluer comment ils pourraient utiliser leurs talents différemment. En adoptant une manière de penser innovatrice (et le Tigre a en effet plusieurs idées remarquables), en consultant des services de placement et en utilisant bien leurs relations professionnelles, ils seront en mesure d'identifier les secteurs les plus intéressants pour eux. Au moment de postuler un poste, ils devraient considérer les responsabilités qu'ils s'apprêtent à accepter ainsi que le stress qui découlera de leurs nouvelles fonctions. L'année du Lièvre leur apportera un vent de fraîcheur et il n'en tient qu'à eux d'agir rapidement et efficacement. Du mois d'avril au début de juin et pendant le mois de septembre, le Tigre entendra parler d'occasions particulièrement intéressantes, mais tout au long de l'année il devra demeurer vigilant, s'informer régulièrement et prendre les devants. Pour les Tigres bien déterminés, l'année du Lièvre sera décisive et porteuse de succès.

Plusieurs occasions se présenteront aussi dans le monde des loisirs. En s'adonnant à ses activités préférées, il pourra profiter de l'aspect favorable du moment présent. Les passe-temps lui permettant de sortir à l'extérieur et de faire plus d'exercice l'attireront tout spécialement. De nouvelles idées et des activités créatrices apporteront un changement favorable dans sa vie. Quels que soient ses choix, sa nature inventive et aventureuse le servira de manière positive tout au long de l'année.

Sur le plan financier, il connaîtra une amélioration appréciable. Plusieurs profiteront de revenus plus élevés ou recevront des fonds d'une autre source. Pour mieux profiter de cette remontée, il devra veiller à ses affaires en réduisant ses emprunts et en établissant un budget pour les mois à venir. En faisant ses achats avec soin et ordre, il sera plus satisfait et moins stressé. Le Tigre gagnera à être discipliné, prudent et vigilant tout au long de l'année.

De nature active et extravertie, le Tigre s'entendra bien avec plusieurs personnes et il vivra de grands plaisirs en société tout au long de l'année. Il aura plusieurs occasions pour faire des rencontres et nouer de nouvelles amitiés. Certaines histoires de cœur, surtout celles qui ont vu le jour pendant l'année du Tigre, deviendront souvent plus significatives. Plusieurs Tigres qui n'ont pas de liens amoureux auront d'excellentes chances de rencontrer des personnes intéressantes. L'année pourrait être très spéciale sur le plan sentimental et plusieurs Tigres partageront leur vie avec un nouveau partenaire ou choisiront de se marier. De mai à août ainsi qu'en novembre, ils auront une vie sociale très active, mais ils auront de quoi se tenir très occupés tout au long de l'année.

À la maison, le Tigre aura aussi de quoi se contenter. Puisqu'il sera souvent très occupé, tout comme les autres membres de sa famille, il devra veiller à passer du temps de qualité en leur compagnie en favorisant la bonne communication et la collaboration entre tous. Plusieurs de ses suggestions seront particulièrement appréciées, qu'il s'agisse d'améliorer certaines choses dans la maison ou d'organiser des loisirs que tous pourront partager et aimer. Sa participation à la vie familiale procurera de la joie à ses proches tout au long de l'année. L'accent sera mis sur la croissance personnelle et plusieurs Tigres voudront trouver de nouveaux centres d'intérêt ou une activité qu'ils partageront avec un être cher. Ce sera une année favorable pour poursuivre des buts communs, s'encourager et s'aider mutuellement.

Les aspects sont donc favorables, mais il est normal que des difficultés ou des pressions surgissent de temps à autre. Le Tigre devra alors agir avec circonspection et éviter de se hâter. En prenant le temps de bien réfléchir avant d'agir, en évaluant toutes les possibilités et en demandant conseil, il allégera les tensions et trouvera les meilleures solutions. L'année du Lièvre exigera des réactions mesurées de sa part; le temps et la patience lui permettront de mieux traverser les moments plus compliqués.

En général, l'année du Lièvre sera positive pour le Tigre puisqu'elle lui permettra d'aller de l'avant. Il aurait avantage à concrétiser ses plans et à saisir les bonnes occasions. Il sera bien soutenu la plupart du temps et sa vie familiale et sociale sera particulièrement importante pour lui. Donc, une année satisfaisante et décidément favorable sur le plan de la croissance personnelle.

LE TIGRE DE MÉTAL

Il pourrait s'agir d'une année constructive pour le Tigre de Métal, mais il devra bien planifier ses activités. Avec les idées et les espoirs qu'il a en tête, il saura tirer profit des douze prochains mois. S'il agit de manière improvisée, il pourrait perdre son temps ainsi que de bonnes occasions. Au début de l'année, il devrait déjà établir clairement ses objectifs.

L'année sera favorable sur le plan personnel et il pourrait en profiter pour étudier, s'améliorer ou approfondir un sujet qui l'intrigue. Les activités qui visent à s'améliorer seront particulièrement satisfaisantes et il voudra utiliser ses nouvelles connaissances en explorant d'autres champs d'activité. Certains Tigres de Métal porteront une attention accrue à leur bien-être et, avec l'aide de personnes bien informées, ils seront heureux des résultats dus aux changements qu'ils accepteront de faire dans leur quotidien.

Pour les Tigres de Métal qui se plaisent à rencontrer les autres, ce sera un temps idéal pour joindre des groupes, s'inscrire à des cours et assister à des événements intéressants. Avec sa nature audacieuse et passionnée, le Tigre de Métal aura toujours de quoi se tenir occupé, mais du mois de mai au début de septembre, ainsi qu'en novembre, il n'aura pas une minute pour s'ennuyer. Il aura aussi l'occasion d'aider un ami très cher et ce soutien sera très significatif pour ce dernier. Ses proches apprécient son bon jugement et au cours de l'année il saura démontrer de quoi est fait un ami véritable.

L'année du Lièvre apportera aussi son lot de surprises dont certaines seront liées aux voyages. Une offre de dernière minute sera particulièrement tentante sinon il aura peut-être envie de voyager pour assister à un événement spécial. Dans ce cas, il ne devrait pas hésiter à dire oui. De plus, s'il souhaite visiter un lieu en particulier ou faire quelque chose de précis, il pourra bénéficier d'offres idéales s'il sait être vigilant et bien informé.

L'année sera aussi agréable à la maison où les activités faites en commun lui procureront beaucoup de plaisir. S'il est fidèle à ses idées, il vivra des moments positifs et satisfaisants. Des événements de haute importance souligneront aussi un anniversaire ou la réussite d'un membre de la famille.

Le Tigre de Métal aura une année plutôt agréable, mais il ne doit pas s'étonner si, comme tout le monde, il subit du stress et vit quelques difficultés. Au lieu de garder cela pour lui, il devrait en parler à ses proches et solliciter une aide professionnelle. Il devra aussi faire preuve de circonspection au lieu de tenter de régler des problèmes plus compliqués trop rapidement. Il doit d'abord être mieux informé des faits, des conséquences et parfois des obligations requises. Lorsqu'un problème surgit, le Tigre de Métal se doit d'être minutieux et éviter de se hâter.

Ces conseils concernent également le domaine financier. Le Tigre de Métal devra lire avec soin tous les formulaires liés au domaine de l'argent et s'informer convenablement s'il considère que certains points ne sont pas suffisamment clairs. Cette année, il doit retenir deux mots d'ordre : soin et vigilance. De plus, s'il met de l'argent de côté pour ses projets et évite de dépenser inutilement, il pourra aller de l'avant en toute confiance et profiter d'occasions d'achats favorables.

Sur le plan du travail, l'année sera bien remplie et il devra faire face à des tâches plus lourdes et à de nouvelles contraintes. Cette situation ne lui fera pas peur et lui offrira la chance d'acquérir de nouvelles expériences. Plusieurs Tigres de Métal verront leurs connaissances particulièrement appréciées au moment où des collègues les consulteront ou lorsqu'ils seront appelés à guider des membres du personnel beaucoup plus jeunes. L'année du Lièvre sera peut-être exigeante, mais elle leur donnera le privilège de renforcer et de démontrer leurs compétences.

L'année du Lièvre ouvrira plusieurs portes à ceux qui cherchent du travail. Cela leur demandera toutefois une grande facilité d'adaptation et ils devront parfois accepter un emploi temporaire afin de voir s'il leur convient vraiment. En étant ouverts à toutes les possibilités, plusieurs hériteront d'un nouveau rôle intéressant. Du mois d'avril au début de juillet, ainsi qu'en septembre, des changements importants pourront surgir dans le monde du travail.

Les Tigres de Métal qui prendront leur retraite pourront en faire une étape constructive de leur vie. En payant attention à ce qu'ils ont vraiment envie de faire, en mettant leurs projets en chantier et en profitant de leur bonne fortune, ils tireront satisfaction de ce qu'ils sont capables d'accomplir et bénéficieront de ce qui en découlera. Ce sera une année passionnante et positive.

Conseil pour l'année

Décidez clairement de ce que vous voulez faire et partagez vos idées avec vos proches. En ayant les idées bien nettes et en profitant du soutien de votre entourage, vous pourrez accomplir de belles choses cette année tout en profitant des occasions favorables qui se présenteront sur votre route.

LE TIGRE D'EAU

Ce sera une année positive pour le Tigre d'Eau. Même si certains d'entre eux se sentiront parfois désœuvrés, ils seront souvent heureux d'observer les progrès qu'ils seront en mesure d'accomplir. Il pourrait s'agir d'une période satisfaisante et encourageante sur le plan personnel.

L'accent sera mis sur la croissance personnelle. Si le Tigre d'Eau sent qu'il devrait étudier dans un domaine particulier, il devrait s'informer et aller de l'avant. En veillant à faire des progrès *et* à prendre les décisions nécessaires pour y arriver, il sera comblé par les nouvelles connaissances qu'il acquerra. Ces compétences pourraient être le plus bel héritage que lui léguera l'année du Lièvre.

Le Tigre d'Eau devrait se renseigner à propos des cours, des groupes et des installations qui touchent de près ses centres d'intérêt. En agissant avec enthousiasme, il pourra tirer profit de la nouvelle année. Grâce à ses talents de communicateur, le Tigre d'Eau qui aime s'adonner à l'écriture devrait prendre le temps de le faire et il vivra alors de beaux moments de créativité. Cette année, il devra utiliser ses forces et sa bonne fortune de manière judicieuse.

L'année favorisera sa croissance personnelle. S'il manque d'exercice ou si sa façon de se nourrir comporte des lacunes, il devrait demander l'avis de personnes compétentes. Les changements appropriés feront une différence notable dans sa vie et il aura certainement plus d'énergie.

Le Tigre d'Eau appréciera l'aide et le soutien qu'on lui accordera tout au long de l'année, particulièrement s'il a un nouveau projet ou une nouvelle activité dans sa mire. Il ne devrait pas hésiter à en parler avec ses proches. En leur confiant sans réserve ses préoccupations, il permettra aux membres de son entourage de mieux le comprendre et de mieux le conseiller.

À la maison, à cause des horaires différents et du mode de vie effréné de chacun, il devra s'assurer de la collaboration de chaque personne afin que les tâches soient bien réparties. Même si l'année sera plutôt chargée, il devra prendre le temps de partager quelques activités avec ses proches afin d'améliorer les relations, la compréhension mutuelle et l'esprit de famille.

Cette année, le Tigre d'Eau sera appelé à apporter son aide à des personnes de son entourage plus jeunes ou plus âgées que lui. Même s'il ne veut surtout pas se mêler des affaires des autres, son soutien sera très apprécié. Ses compétences en matière de relations humaines seront mises en évidence cette année.

Sur le plan social, ce sera une année active et agréable. L'accent sera mis sur la croissance personnelle et il pourra faire de nouvelles rencontres avec des gens qui ont entrepris une démarche de travail sur soi ou avec qui il partage des centres d'intérêt (et parfois des difficultés). Ce sera une belle occasion pour nouer de nouvelles amitiés. Les affaires de cœur seront favorables aux célibataires. De la fin d'avril au mois d'août, ainsi qu'en novembre, ils auront une vie sociale très active.

Au travail, le Tigre d'Eau aura la chance de développer davantage ses compétences. Ce sera probablement auprès de son employeur actuel qui l'encouragera à se spécialiser et à se préparer à occuper des tâches plus importantes. Il faut convenir que ces changements seront plutôt modestes, mais il s'agit d'une préparation qui portera certainement fruit à long terme.

Ceux qui cherchent du travail ou qui aimeraient changer d'emploi auront l'occasion de voir leur souhait se réaliser. Ce sera une excellente année pour évaluer leur poste et tenir compte des différentes possibilités qui s'offrent à eux. Certains décideront de prendre leur retraite. Plusieurs Tigres d'Eau profiteront de cette année pour faire le point, réfléchir à ce qu'ils veulent faire de leur avenir, s'adapter aux changements et parfaire leurs connaissances. Les bonnes occasions pourront se pointer à n'importe quel moment, mais surtout entre le mois d'avril et le début de juillet, ainsi qu'en septembre.

Plusieurs Tigres d'Eau auront des revenus plus élevés cette année. Ils devront faire preuve de discipline dans leurs dépenses et mettre de l'argent de côté pour leurs projets et leurs engagements. S'ils ne sont pas suffisamment prudents, leurs revenus excédentaires pourraient disparaître dans le temps de le dire et pas toujours de la meilleure façon. Cette année doit être placée sous le signe du contrôle judicieux et de la planification minutieuse.

L'année du Lièvre saura être intéressante, mais le Tigre d'Eau devra faire le nécessaire. Grâce à sa bonne volonté et à son enthousiasme, il pourra faire des progrès importants. S'il est trop décontracté, il pourrait perdre un temps précieux et rater d'excellentes occasions. Prenez-en note, chers Tigres d'Eau, et profitez intelligemment de ce que l'année a à vous offrir.

Conseil pour l'année

Soyez prêt à apprendre et à vous aventurer dans de nouvelles avenues. Vous avez beaucoup à offrir et les actions positives que vous accepterez de faire cette année vous ouvriront de nouveaux horizons pour l'avenir. Vivez l'année du Lièvre avec sagesse ; les leçons et les bienfaits qu'elle vous procurera vous seront utiles pendant plusieurs années.

LE TIGRE DE BOIS

Un proverbe chinois qui saura être très utile au cours de l'année du Lièvre dit ceci : « Il n'y a aucun truc particulier pour obtenir une récolte abondante ; il suffit simplement de sarcler le sol avec attention. » Pendant l'année du Lièvre, le Tigre de Bois pourra accomplir de grandes choses, mais il devra faire preuve de discipline *et* d'attention.

Dans le monde du travail, il connaîtra des changements importants. Pour ceux qui œuvrent au sein d'une grande entreprise, des places se libéreront dans d'autres secteurs. Ce sera une excellente occasion pour postuler un poste en mentionnant leur désir de progresser : une chance inouïe pour aller de l'avant et prendre de l'expérience.

Ceux qui sentent qu'ils plafonnent là où ils sont ou qui rêvent d'embrasser de nouveaux défis seront appelés à évaluer d'autres possibilités et à faire des recherches intensives. Lorsque la roue sera enfin mise en mouvement, ils ne pourront plus l'arrêter. Plusieurs Tigres de Bois devront s'adapter à de nouvelles situations et acquérir de nouvelles compétences. Cela pourrait leur sembler intimidant, mais ils devraient profiter de cette chance pour s'améliorer dans d'autres domaines. Deux mots-clés à retenir cette année : détermination et bonne volonté.

Le Tigre de Bois maintient de bonnes relations avec ses collègues et cela jouera en sa faveur. Des camarades de travail plus âgés l'aideront en parlant de ses compétences aux membres de la direction, ce qui favorisera des progrès notables dans sa carrière ou lui permettra d'avoir des lettres de référence positives. Cette année, le Tigre de Bois devra continuer à faire fructifier ses compétences dans le domaine des relations humaines. Dans certains cas, il pourrait même se joindre à un groupe professionnel lié à son domaine. En se mettant en valeur, il nouera de nouveaux liens et favorisera ses chances à long terme. Ce qu'il accomplira cette année pourra être très significatif pour l'avenir.

Ceux qui cherchent du travail seront informés de possibilités intéressantes. Cela pourrait être différent de ce à quoi ils étaient habitués, mais ils pourront profiter de la situation afin d'élargir leur expérience. L'un des aspects les plus importants de l'année du Lièvre est de favoriser la croissance personnelle. Toutes les compétences que le Tigre de Bois pourra acquérir seront pour lui un héritage de grande valeur. Du mois d'avril au début de juillet, ainsi qu'en septembre, il pourra profiter de bonnes occasions, mais il devrait rester vigilant tout au long de l'année. Un temps significatif pour prendre des décisions sans avoir froid aux yeux.

Les progrès que les Tigres de Bois feront au travail pourront leur apporter des rentrées supplémentaires. Plusieurs auront la chance de recevoir une somme additionnelle cette année. Toutefois, tandis que certains verront leur situation financière s'améliorer, tous les Tigres de Bois devront faire preuve de discipline et de prudence au moment de dépenser leur argent. S'ils agissent avec soin en démontrant leur bon sens de la gestion, ils seront en mesure d'améliorer leur situation au cours de l'année sans quoi ils gaspilleront inutilement leurs avoirs.

L'année du Lièvre leur apportera aussi de belles occasions de voyages. Même s'ils ne vont pas très loin, un changement d'air et de routine leur fera le plus grand bien. Une offre pourrait se présenter à la dernière minute et ils devraient en profiter.

L'année du Lièvre sera extrêmement satisfaisante sur le plan personnel. Même si le Tigre jouira de peu de temps libres, il pourra développer certaines idées et connaissances en s'adonnant aux activités qui lui plaisent. Ce sera une année riche en possibilités et ses centres d'intérêt seront un exutoire favorable pour mettre ses talents et sa créativité en valeur.

Plusieurs Tigres de Bois verront leur travail et leurs loisirs leur apporter de nouvelles satisfactions sur le plan social ; ce sera une belle occasion pour rencontrer d'autres personnes. Avec de tels atouts en main, ils pourront bien profiter de l'année. Les célibataires auront la chance de faire des rencontres de choix sur le plan sentimental.

À la maison, la vie sera très animée et riche en événements. Cela exigera du temps de la part du Tigre de Bois et il sera parfois découragé d'être autant sollicité. En étant bien organisé, en faisant la liste de ses priorités et en usant sagement de son temps, il pourra aider son entourage et accomplir de belles choses. Il devra parler ouvertement de ses projets et de ses préoccupations puisque cette nouvelle année favorisera les moments de partage.

L'année du Lièvre lui permettra de bâtir son avenir à partir de ses forces et de ses compétences tout en allant de l'avant. Grâce à sa détermination et à sa bonne volonté, il connaîtra une année intéressante et satisfaisante. Il profitera de l'aide et de la bonne volonté de ses proches, et ses relations avec les autres contribueront positivement à ses progrès.

Conseil pour l'année

Vous avez de grandes compétences sur le plan social – utilisez-les bien. Grâce à l'aide que vous recevrez, vos chances – et votre année – seront bien meilleures.

Le Tigre de Feu

Le Tigre de Feu a connu plusieurs rebondissements au cours des dernières années. Il aura récolté des succès sur le plan personnel tout en prenant de l'expérience. Cela ne lui aura toutefois pas épargné son lot de déceptions et de regrets. En 2011, il aura tous les atouts en main pour vivre une année gratifiante qui lui donnera la chance de mettre ses compétences en valeur et de vivre des changements favorables dans plusieurs sphères de sa vie.

Sa vie personnelle sera particulièrement spéciale cette année puisqu'elle sera marquée par des changements excitants. Certains Tigres de Feu deviendront parents ou verront enfin la concrétisation de projets qu'ils chérissent depuis longtemps : mariage, déménagement dans un lieu plus convenable ou accomplissement personnel. L'année pourrait être riche sur plusieurs plans, mais ils devront faire montre de détermination. Ils devront avoir un bon esprit d'initiative et savoir mettre leurs projets en marche. Comme l'écrivait Virgile : « La chance sourit aux audacieux. » Pour bien profiter de l'année, ils devront être à la fois audacieux *et* confiants.

Le Tigre de Feu sera soutenu par son entourage et constatera que tout est plus rapide et efficace lorsqu'il prend le temps de partager ses idées, ses activités et ses énergies avec les autres. S'il a des doutes ou des préoccupations, il devrait en parler et demander conseil afin que tout soit plus clair. Des personnes plus âgées se feront une joie de lui apporter leur soutien au cours de l'année.

En plus des changements positifs qui marqueront sa vie personnelle, sa vie sociale lui procurera beaucoup de plaisir. Une fois encore, il saura apprécier l'esprit de camaraderie de ses bons amis avec qui il aimera discuter de l'actualité et de ses idées personnelles. Certains de ses centres d'intérêt comporteront un aspect social très important et il se plaira avec enthousiasme à assister à des événements et à des rencontres. Ce sera une année propice à l'action.

L'année du Lièvre favorisera également les affaires de cœur. Les célibataires et ceux qui ont récemment vécu des expériences difficiles sur le plan personnel vivront des changements excitants et plusieurs auront la chance de rencontrer une personne très spéciale. L'amour ajoutera des étincelles à leur vie, qu'il s'agisse d'une relation qui dure depuis longtemps ou d'une nouvelle affaire de cœur. De la mi-avril à août, ainsi qu'au mois de novembre, il sera très actif sur le plan social.

Cette année lui permettra aussi de voyager. Qu'il s'agisse d'une petite pause ou de longues vacances, il appréciera les nouveaux endroits qu'il découvrira. S'il a le temps et l'argent nécessaires, il devrait profiter de ces occasions sans hésiter.

L'année du Lièvre connaîtra aussi des changements importants au travail. Ceux qui ont déjà une carrière bien établie auront d'excellentes chances d'avoir de plus grandes responsabilités et de mettre leurs compétences en valeur. Des collègues plus âgés pourraient les aider à progresser. Cette année leur donnera la chance de faire leurs preuves de nouvelles façons, de faire fructifier leur expérience et de voir croître leur bonne réputation. Une étape décisive pour leur croissance personnelle.

L'année du Lièvre saura aussi apporter de belles occasions à ceux qui souhaitent quitter leur emploi. Ils devront parfois adapter leurs compétences à de nouvelles réalités, mais en faisant preuve de bonne volonté et d'ouverture d'esprit, ils pourront améliorer leur situation tout en se préparant pour des occasions qui se présenteront dans le futur. L'effort et la souplesse, secondés par leur nature passionnée et enthousiaste, formeront une combinaison gagnante cette année. Du mois d'avril au début de juillet, et de septembre au début d'octobre, ils se verront offrir de belles choses au travail. Même si tout ne correspond pas à leurs attentes, ils devront user de détermination et de persévérance. Ils ont beaucoup à offrir et cette année sera idéale pour croire davantage en eux-mêmes tout en se mettant de l'avant.

À cause des changements et de son style de vie actif, le Tigre de Feu devra veiller scrupuleusement à ses finances. On le sollicitera de toutes parts et il devra gérer ses affaires avec soin. Il ne faut surtout pas qu'il se hâte ni qu'il succombe à des achats impulsifs. Il devra dépenser beaucoup d'argent pour son logement, surtout s'il souhaite déménager. Le Tigre de Feu a le don de savoir profiter de son argent, mais il devra être prudent et discipliné cette année. L'année du Lièvre sera spéciale et agréable pour lui. Ses relations avec les autres seront très favorables. Plusieurs vivront une histoire d'amour, trouveront l'âme sœur et verront leurs espoirs personnels comblés. Ce sera aussi une excellente année pour la croissance personnelle, acquérir de nouvelles compétences et s'intéresser à un nouveau champ de connaissances. Il en tirera de grands bienfaits dès maintenant *et* dans le futur. Grâce à son audace, à sa détermination et au soutien des autres, il pourra transformer cette année en une étape importante souvent très excitante.

Conseil pour l'année

Soyez prêt à apprendre de nouvelles choses et à grandir sur le plan personnel. Tout ce que vous apprendrez cette année sera un bon investissement pour votre avenir. Accordez de la valeur à ceux qui vous entourent. Ils sauront vous aider et devenir très chers à vos yeux. Écoutez-les.

Le Tigre de Terre

L'année sera agréable et gratifiante pour le Tigre de Terre. Mais pour bien profiter de ce qui se présentera dans sa vie, il devra être bien concentré. S'il souhaite faire trop de choses en même temps, les bienfaits seront moins satisfaisants. L'année du Lièvre devra être soutenue par ses efforts réguliers et sincères.

Les Tigres de Terre nés en 1998 connaîtront une année importante dans le domaine de l'éducation. Ils sauront bâtir leur avenir sur leurs connaissances actuelles et approfondir certains sujets en particulier. Ce qu'ils apprendront cette année leur ouvrira des possibilités rafraîchissantes tout en leur permettant de se découvrir de nouvelles aptitudes. Les Tigres de Terre qui sont plus créatifs se plairont à faire croître leurs talents tandis que ceux qui préfèrent s'adonner à des activités plus physiques ou pratiques auront d'excellentes chances de construire leur avenir à partir de leurs compétences actuelles. Voilà une année idéale pour tirer profit des bonnes occasions qui se pointeront.

D'importants progrès pourront être accomplis cette année, mais l'effort et la discipline devront être au rendez-vous. Le Tigre de Terre devra bien user de son temps. À cause de distractions trop nombreuses (incluant Internet et/ou certains jeux), il devra accepter de réserver de longues périodes ininterrompues à ses études afin de mieux se concentrer. L'année du Lièvre favorisera la concentration et l'assiduité.

Le Tigre de Terre appréciera le soutien de son entourage. S'il éprouve des difficultés ou s'il doit se débattre avec certaines difficultés, il devrait en faire part à ses proches. En étant affable et réceptif, il saura mieux profiter de leur aide.

Grâce à sa nature active et extravertie, il pourra passer de bons moments en compagnie de ses amis. Leurs centres d'intérêt communs apporteront leur lot de plaisir, mais le Tigre de Terre devra parfois restreindre son exubérance. Il pourrait le regretter s'il avait le malheur d'être trop audacieux, de prendre des risques inappropriés ou de se laisser emporter par l'excitation du moment. Tigres de Terre, évitez d'être imprudents.

Le Tigre de Terre verra son cercle d'amis s'agrandir grâce à ses nombreuses activités ; certains noueront même des liens avec une personne qui deviendra un ami sincère pour la vie. Ses relations pourraient lui procurer beaucoup de plaisir cette année.

À cause de son amour pour l'action, le Tigre de Terre aura tendance à acheter des objets et à dépenser son argent. Les tentations seront nombreuses, mais la discipline donnera de bons résultats. Le Tigre de Terre ne devrait pas flamber son argent sans réfléchir et chaque achat devrait être bien pensé.

L'année pourrait être agréable pour le jeune Tigre de Terre qui gagnera à user sagement du temps dont il dispose. Comme nous le rappelle ce proverbe chinois : « L'assiduité mène à l'accomplissement et on ne gagne rien en faisant l'idiot. » Le Tigre de Terre s'amusera cette année, mais il gagnera à se concentrer quand il le faut.

Les Tigres de Terre nés en 1938 devraient en profiter pour faire des activités et des projets importants cette année. Si leurs buts sont louables, ils pourront accomplir de belles choses.

Cette année, plusieurs Tigres de Terre porteront une attention particulière à leur demeure. Ils pourront la rendre plus confortable, remplacer certains accessoires ou améliorer certaines pièces. D'autres se concentreront surtout sur le remisage. Même s'ils sont enthousiastes à l'idée de s'adonner à de tels projets, ceux-ci pourraient prendre plus de temps que prévu et perturber leur vie normale. Ils devront accepter le fait que ces travaux exigent du temps et de la patience.

Le natif de ce signe devra aussi faire des choix et décider judicieusement des achats qu'il pourrait faire. Il ne faudra pas se précipiter. S'il prend son temps pour bien évaluer la situation ainsi que ses besoins réels, il fera des choix plus sensés tout en profitant d'occasions plus intéressantes. Malgré son enthousiasme, il devra accepter de mettre un frein à sa hâte.

Le Tigre de Terre devra aussi veiller à sa situation financière. Au moment de signer une entente ou de s'occuper de ses impôts, de bénéfices ou d'avantages liés à une pension, il devrait prendre le temps de décrypter les textes rédigés en petits caractères ou demander que l'on clarifie tout ce qui n'est pas suffisamment précis. Une erreur pourrait le désavantager. Tigres de Terre, prenez-en note.

Dans toutes ses activités, le natif de ce signe devra collaborer pleinement avec les autres. Il sait ce qu'il veut, mais il gagnera davantage en travaillant en équipe plutôt qu'en faisant cavalier seul. Il obtiendra de meilleurs résultats s'il prend le temps de consulter ses proches.

L'année du Lièvre favorise la croissance personnelle et le Tigre de Terre aura du plaisir à s'adonner à ses activités préférées et à utiliser ses connaissances. S'il veut mettre un projet en œuvre, cette activité lui permettra de se concentrer sur un but positif qui le gardera occupé de manière fort agréable.

Il sera très sollicité cette année. Il s'intéressera aux activités des membres de sa famille avec sincérité et ses proches apprécieront son soutien et ses bons conseils. Il profitera également de loisirs partagés avec eux dans des domaines bien concrets comme les voyages et les loisirs.

Les célibataires qui aimeraient jouir d'une meilleure compagnie auront de quoi être heureux. Pour mettre toutes les chances de leur côté, ils devraient s'adonner à une nouvelle activité ou se joindre à un groupe. En profitant de ces rencontres, ils auront la chance d'élargir leur réseau social et de nouer de nouvelles amitiés. Les voyages pourront aussi leur apporter beaucoup sur le plan humain.

Qu'ils soient nés en 1938 ou en 1998, les Tigres de Terre pourront vivre une année agréable et gratifiante en se concentrant sur leurs buts et en saisissant la chance au vol. Ils profiteront beaucoup de l'aide et de la bonne volonté de leurs proches.

Conseil pour l'année

Concentrez-vous sur vos buts. En déployant les efforts nécessaires, vous pourrez accomplir plusieurs choses et récolter des bénéfices personnels intéressants.

Des Tigres célèbres

Kofi Annan, Josianne Balasko, Ludwig van Beethoven, Maurice Béjart, Tony Bennett, Biz (Sébastien Fréchette), James Blunt, Jon Bon Jovi, Lucien Bouchard, Hélène Bourgeois-Leclerc, Emily Brontë, Mel Brooks, Agatha Christie, André Citroën, Véronique Cloutier, Phil Collins, Bob Coltrane, Michel Côté, Tom Cruise, Penélope Cruz, Normand D'amour, Mireille Darc, Marie-Michèle Desrosiers, Leonardo DiCaprio, Emily Dickinson, Sylvie Drapeau, Isadora Duncan, la reine Elizabeth II, Thomas Fersen, Roberta Flack, Dédé Fortin, Kathleen Fortin, Jodie Foster, Lady Gaga, Charles de Gaulle, Rémy Girard, Elliott Gould, Francisco de Goya, Sir Alec Guinness, Marjolaine Hébert, William Hurt, Bianca Jagger, Saku Koivu, Félix Leclerc, Alain Lefèvre, Jerry Lewis, Marie-France Marcotte, Karl Marx, Miou-Miou, Marilyn Monroe, Demi Moore, Alanis Morissette, Bruno Pelletier, Pierre Auguste Renoir, Zachary Richard, Patrice Robitaille, Kenny Rogers, Chloé Sainte-Marie Dame Joan Sutherland, Dylan Thomas, Liv Ullman, Jon Voight, H. G. Wells, Oscar Wilde, Tennessee Williams.

Le Lièvre

14 FÉVRIER 1915 – 2 FÉVRIER 1916	Lièvre de Bois
2 FÉVRIER 1927 – 22 JANVIER 1928	Lièvre de Feu
19 FÉVRIER 1939 – 7 FÉVRIER 1940	Lièvre de Terre
6 FÉVRIER 1951 – 26 JANVIER 1952	Lièvre de Métal
25 JANVIER 1963 – 12 FÉVRIER 1964	Lièvre d'Eau
11 FÉVRIER 1975 – 30 JANVIER 1976	Lièvre de Bois
29 JANVIER 1987 – 16 FÉVRIER 1988	Lièvre de Feu
16 FÉVRIER 1999 – 4 FÉVRIER 2000	Lièvre de Terre
3 FÉVRIER 2011 – 22 JANVIER 2012	Lièvre de Métal

La personnalité du Lièvre

En tout temps
En tout lieu
Avec qui que ce soit
Toujours je cherche à comprendre.
Sinon, je stagne.
Comprendre
Me donne une chance.
Une bonne chance.

Le Lièvre naît sous le double signe de la vertu et de la prudence. C'est un être doté d'une bonne intelligence, qui préfère mener une vie calme et paisible. Il déteste la discorde et tente à tout prix d'éviter les frictions et les conflits. C'est un pacificateur : il aime faire régner l'harmonie et a généralement une influence lénifiante sur son entourage.

Ses champs d'intérêt sont très variés et s'étendent souvent aux arts. Il a le goût du raffinement et des belles manières. Mais il sait également fort bien s'amuser, et on le retrouve fréquemment dans les restaurants et les boîtes à la mode.

Spirituel et vif d'esprit, le Lièvre raffole des discussions entre amis. Son opinion et ses conseils sont prisés, d'autant plus qu'on le sait discret et plein de tact. Rarement élève-t-il la voix lorsqu'il sent monter sa colère et, pour préserver la paix, il est prêt à ignorer des choses qui lui déplaisent ; il aime demeurer en bons termes avec tout le monde. Ce qui ne veut pas dire qu'il est insensible ; au contraire, toute critique le hérisse intérieurement. Et dès qu'une situation risque de s'envenimer, il est le premier à tourner les talons.

Doué d'une mémoire remarquable, le Lièvre accomplit les tâches qu'on lui confie avec efficacité, sans faire de bruit. En affaires, il fait preuve d'une grande astuce. Cependant, le contexte dans lequel il se trouve tend à nuire à sa performance. Ainsi, un climat de tension ou l'obligation de prendre des décisions rapides le font réagir négativement. Autant que faire se peut, il prépare soigneusement son plan d'action, quelle que soit l'activité envisagée, et essaie de prévoir… même les imprévus. Il déteste prendre des risques et n'accepte pas de bon cœur le changement. En fait, ce qu'il recherche, c'est un environnement stable, paisible et sans surprises. Une fois qu'il l'a trouvé, il est plus qu'heureux si les choses restent telles quelles.

Consciencieux dans tout ce qu'il fait, méthodique, vigilant, le Lièvre a toutes les chances de réussir dans sa profession. On peut le retrouver dans la carrière diplomatique, comme avocat, commerçant, administrateur ou homme du culte ; il excelle partout où ses talents de communicateur peuvent être mis à profit. On le respecte tant pour sa loyauté que pour son intégrité ; par ailleurs, si jamais il accède à un poste de pouvoir, il risque de se montrer parfois autoritaire et intransigeant.

Le Lièvre accorde une grande importance à son milieu de vie. Il est donc tout à fait disposé à consacrer temps et argent pour aménager son intérieur et le doter des derniers conforts, car jamais il ne néglige son bien-être ! Il a fréquemment une âme de collectionneur ; nombreux sont en effet les natifs du signe qui se passionnent pour les meubles anciens, les objets d'art, les timbres, les pièces de monnaie, etc.

La femme Lièvre, bienveillante et d'une grande délicatesse, s'exerce toujours à créer un foyer chaleureux. Comme elle est très sociable, elle adore recevoir. Et elle a un rare talent pour organiser son temps, de sorte que, même très sollicitée, elle arrive toujours à trouver des moments pour se délasser, lire ou voir des amis. Elle possède un sens de l'humour hors pair, est douée pour les arts, et le jardinage est souvent l'un de ses violons d'Ingres.

Le Lièvre, soucieux de son apparence, apporte un grand soin à sa tenue et il est généralement très bien mis. C'est un être pour qui les relations humaines ont une grande importance ; il ne manque pas d'admirateurs et vit fréquemment plusieurs aventures amou-reuses avant de s'établir. Le Lièvre n'est pas le plus fidèle des signes, mais, pour une relation durable, il est susceptible de s'entendre particulièrement bien avec les natifs de la Chèvre, du Serpent, du Cochon et du Bœuf. Vu son affabilité, il peut également faire bon ménage avec le Tigre, le Dragon, le Cheval, le Singe, le Chien et un autre Lièvre. Cependant, les relations sont beaucoup moins harmo-nieuses avec le Rat et le Coq à cause de leur franc-parler et de leurs jugements sévères. Or, nous le savons, le Lièvre déteste toute forme de critique ou d'affrontement.

Il semble né sous une bonne étoile et la chance veut qu'il se trouve souvent « où il faut, quand il faut ». Ses talents sont multiples et le Lièvre a le don de les exploiter. Cependant, à l'occasion, il ne répugne pas à faire passer le plaisir avant le travail ; il préfère de beaucoup la vie facile ! Il affiche parfois de la réserve, et même une certaine méfiance à l'égard des motifs d'autrui, mais possède tout ce qu'il faut pour connaître une existence heureuse, relativement exempte de discorde et de mésentente.

Les cinq types de Lièvres

S'ajoute aux caractéristiques qui marquent les douze signes du zodiaque chinois l'influence de cinq éléments qui viennent les ren-forcer ou les tempérer. On retrouve ci-après les effets qu'ils exer-cent sur le Lièvre et les années au cours desquelles chaque élément prédomine. Ainsi, les Lièvres nés en 1951 sont des Lièvres de Métal, ceux qui sont nés en 1963, des Lièvres d'Eau, etc.

LE LIÈVRE DE MÉTAL (1951, 2011)

Le Lièvre de Métal, pourvu de nombreux talents, est ambitieux, sait ce qu'il veut et a des buts précis. Si on le dit parfois réservé et même distant, c'est qu'il partage peu ses opinions. Bien servi par un esprit vif et alerte, il a un sens aigu des affaires : c'est un fin stratège. Il s'intéresse aux arts et aime évoluer dans le beau monde. Le plus souvent, il n'a pas un très grand cercle d'amis, mais plutôt un cercle de très bons amis.

Le Lièvre d'Eau (1963)

Le Lièvre d'Eau est doué d'intuition et de perspicacité, qualités qui accompagnent une grande sensibilité. Cela l'amène quelquefois à prendre les choses trop à cœur. D'une extrême minutie, il s'applique à tout ce qu'il fait. Il possède une mémoire remarquable ainsi que le don d'exprimer ses idées, et ce, même s'il est d'un naturel réservé. Il jouit de l'estime de ses proches et de ses collègues, et sa présence est recherchée.

Le Lièvre de Bois (1915, 1975)

Le Lièvre de Bois est généreux, facile à vivre et fait preuve d'une grande adaptation. Au travail solitaire il préfère le travail de groupe, car il aime se sentir entouré et soutenu.

Il manifeste toutefois une certaine réticence à exprimer ses vues ; il serait donc dans son intérêt d'apprendre à communiquer plus ouvertement et, surtout, plus directement. Il adore sortir et compte généralement de nombreux amis.

Le Lièvre de Feu (1927, 1987)

Le Lièvre de Feu a un tempérament chaleureux et extraverti. Il aime se retrouver entre amis et s'efforce d'être en bons termes avec tous. Discret et diplomate, il comprend bien la nature humaine. Doté d'une volonté de fer, il a un excellent potentiel et peut aller loin dans la vie, d'autant plus s'il reçoit l'appui de son entourage. En effet, il supporte mal que les choses ne tournent pas rond, et les déceptions entraînent souvent des sautes d'humeur ou de la déprime.

Le Lièvre de Terre (1939, 1999)

Le Lièvre de Terre est du type tranquille. Réaliste quant à ses buts, il est prêt à fournir l'effort nécessaire pour les atteindre. Il a le sens des affaires et, en matière de finances, la chance joue souvent en sa faveur. Clairvoyance et finesse le caractérisent. Il sait être très persuasif et arrive la plupart du temps à rallier les autres à ses idées. Ses amis et collègues le tiennent en haute estime et sollicitent fréquemment son opinion.

Perspectives pour 2011

L'année du Tigre (du 14 février 2010 au 2 février 2011) aura été mémorable à cause de son rythme rapide et mouvementé. Le Lièvre aura parfois été découragé par cette cadence ainsi que par les exigences que les autres auront eues envers lui au cours des derniers mois. Toutefois, puisqu'il est à la fois futé et sensible, il trouvera son compte en demeurant attentif et flexible au cours de la dernière partie de l'année du Tigre. Son année approchant à grands pas, tout ce qu'il sera capable d'accomplir maintenant lui servira souvent pour plus tard.

Au travail, il devra peut-être faire face à une pression additionnelle. Même si les derniers mois de l'année du Tigre peuvent sembler exigeants, il obtiendra des résultats impressionnants et contribuera à solidifier son statut et à élargir ses perspectives d'avenir à la condition d'utiliser son jugement et ses compétences à son avantage. Il vaudra la peine qu'il s'engage à fond au cours des trois derniers mois de l'année du Tigre puisque d'intéressantes possibilités pourraient lui être offertes dans le domaine du travail.

Le Lièvre sera très occupé à la maison et dans sa vie sociale au cours de cette même période. Chez lui, il aura beaucoup à faire et à penser, dont l'organisation d'une rencontre familiale, des visites à des proches et des projets concrets ayant souvent un lien avec l'entretien de la maison. Grâce à son sens de l'organisation, il sera au centre de cette ruche bourdonnante, mais il devra demander l'aide des autres au besoin afin que toutes les responsabilités ne reposent pas uniquement sur ses épaules. Sur le plan social, il aura plusieurs occasions de sorties et les mois de novembre à janvier le tiendront fort occupé.

En général, l'année du Tigre sera très exigeante pour le Lièvre, mais elle le préparera à mieux profiter de certaines occasions à venir ainsi qu'à saisir la chance favorable qui sera sienne au cours de sa propre année.

L'année du Lièvre commence le 3 février 2011 et elle sera excellente et de bon augure pour le Lièvre. De nature habituellement prudente, lui qui n'aime pas beaucoup le changement sera plus sûr de lui et mieux préparé à saisir la chance au vol. Grâce à l'ambiance favorable qui règne, son année a de bonnes choses en réserve pour lui.

Ses attentes dans le domaine du travail ne seront pas déçues et plusieurs Lièvres récolteront enfin les fruits du travail ardu qu'ils ont fait jusqu'à maintenant. Leurs perspectives d'avenir seront soutenues par leurs qualités personnelles, dont leur capacité de se lier facilement aux autres. En 2011, plusieurs choses tourneront en leur faveur.

Plusieurs Lièvres réaliseront que le temps est venu pour eux d'aller de l'avant. La chance étant de leur côté, ils devront surveiller les occasions de promotion à leur travail et voir si de meilleures possibilités n'existeraient pas ailleurs. Ils devraient trouver très rapidement ce qu'ils cherchent et agir avec enthousiasme afin que leurs rêves se concrétisent sans plus attendre. Il n'en tient qu'à eux d'avoir un bon esprit d'initiative. Une fois que leur décision sera prise, ils verront que plusieurs portes s'ouvriront spontanément sur leur route. La chance leur sourira particulièrement de février à avril, ainsi qu'en octobre, mais tout au long de l'année ils devront se rappeler que c'est *leur* année et que rien ne saurait les arrêter lorsqu'ils se concentrent sur leurs objectifs.

Cela concerne aussi les Lièvres qui souhaitent des changements importants au travail. En demandant conseil et en considérant différentes possibilités, ils pourraient découvrir de nouveaux genres d'emplois représentant un défi intéressant et de bonnes chances de croissance pour le futur. Dans certains cas, la pente sera raide et le changement de routine sera exigeant, mais ils se sentiront plus énergiques et plus motivés qu'ils ne l'ont jamais été.

Les Lièvres qui cherchent un emploi devraient aussi être vigilants et éviter de rejeter les offres qui leur sont proposées. Les conseils qu'ils recevront de la part de services de placement, d'amis et de relations leur permettront d'être mieux informés au sujet des différentes possibilités qui pourraient les intéresser. Puisque leur quête sera parfois parsemée de déceptions, ils devront faire preuve de persévérance, ce qui les aidera souvent à raffermir leur position et à mieux préparer leur avenir. Ce sera certainement une année marquée par le progrès sur le plan professionnel.

Les perspectives financières sont aussi encourageantes. En plus d'avoir des revenus additionnels, certains Lièvres pourront gagner de l'argent grâce à une idée audacieuse, à l'un de leurs centres d'intérêt ou à un don qui leur sera fait. Afin de profiter au maximum de cette bonne fortune, le Lièvre devra penser à diminuer ses emprunts et, si possible, économiser pour le futur. En gardant le contrôle, il parviendra à améliorer son statut tout en profitant des achats plus importants qu'il fera avec circonspection. Puisque c'est son année, il aura de la chance et il ne devrait pas hésiter à s'inscrire à une compétition requérant à la fois de l'adresse et un bon jugement.

Il pourra aussi tirer satisfaction de ses loisirs et de ses centres d'intérêt au cours de l'année et s'accorder le temps nécessaire pour s'y adonner et prendre de l'expérience. Certains Lièvres se fixeront des objectifs bien précis : études, épanouissement de leurs talents ou découverte d'un nouveau champ d'intérêt. En prenant le temps de s'amuser, ils se plairont surtout à observer de quelle manière certains de leurs projets et de leurs idées arriveront à progresser au fil du temps.

Le Lièvre aime les bonnes relations et il sera très en demande cette année. Mai, août, septembre et décembre seront des mois particulièrement bourdonnants sur le plan social. Ceux qui vivent une histoire d'amour la verront éclore davantage tandis que les célibataires pourront faire une rencontre qui se transformera rapidement en un lien plus significatif. Les histoires d'amour et les relations sérieuses lui permettront de passer une année encore plus intéressante.

À la maison, le Lièvre sera aussi très occupé. Il aura peut-être l'occasion de célébrer un événement familial : mariage, naissance, succès scolaire ou promotion. Plusieurs Lièvres seront comblés par de bonnes nouvelles tout au long de l'année. Cela occasionnera souvent une grande rencontre au cours de laquelle ils seront heureux de retrouver des personnes qu'ils n'ont pas vues depuis longtemps. Ils tireront une grande fierté de ces journées hors de l'ordinaire.

Ces événements et ces horaires très chargés exigeront du Lièvre d'être un bon communicateur. S'il se sent stressé ou s'il vit de l'incertitude, il ne devrait pas hésiter à en faire part à ses proches qui seront heureux de le soutenir. Ses problèmes et ses préoccupations pourront souvent être réglés rapidement.

L'année du Lièvre promet de belles choses au natif de ce signe, mais il devra accepter de suivre le courant et ne jamais hésiter à saisir la chance au vol. Au travail, il sera appelé à accepter une promotion ou de nouvelles tâches tandis que dans les domaines familial et social il aura un grand succès personnel. En consacrant du temps à ses objectifs et à ses aspirations, il vivra l'une des meilleures, sinon *la* meilleure année qu'il aura connue depuis longtemps.

LE LIÈVRE DE MÉTAL

Ce sera son année et elle sera significative. Pour profiter au maximum de cette période favorable, il devra rester actif et déterminer sérieusement quels sont ses plans et ses espoirs. Il s'agira d'une année rêvée pour passer à l'action.

L'un des aspects les plus plaisants de l'année concernera ses relations. Il partagera plusieurs activités avec d'autres et sera reconnaissant pour l'affection et le soutien que ces personnes lui offriront. Ses proches s'empresseront de souligner cette nouvelle décennie de façon originale et auront de nombreuses surprises en réserve. Plusieurs Lièvres de Métal auront la chance de voyager. Qu'ils optent pour un grand voyage ou pour un temps de repos plus court, ils apprécieront les endroits qu'ils visiteront et le temps qu'ils passeront avec les autres. La nouvelle année sera particulièrement riche sur les plans familial et social.

En plus des célébrations qui souligneront son soixantième anniversaire de naissance, le Lièvre de Métal participera à d'autres événements : un anniversaire, la naissance d'un petit-enfant, le succès d'un proche ou une autre occasion qui mérite d'être célébrée. Quelle que soit la raison, il aura de quoi fêter cette année.

Tout au long de l'année, le Lièvre de Métal aura avantage à parler de ses projets, de ses espoirs et de ses préoccupations. En s'ouvrant aux autres, il fera en sorte de clarifier certaines choses, ce qui entraînera naturellement des conséquences positives. Cela peut concerner des améliorations qu'il rêve d'apporter à sa maison, des achats qu'il souhaite faire ou encore des décisions qui pourraient affecter son emploi. En discutant des différents choix qui s'offrent à lui, il pourra mieux discerner ce qu'il devrait faire. La bonne communication et le soutien des autres seront à la fois utiles et significatifs cette année.

Le Lièvre de Métal observera un revirement de taille dans sa vie sociale. En plus de s'amuser avec ses amis, il découvrira de nouveaux centres d'intérêt qui le mettront en contact avec d'autres personnes. Les célibataires qui souhaitent être mieux entourés pourraient voir un changement majeur transformer leur existence. Ils devront rester vigilants afin de ne pas rater des événements ou des endroits qui pourraient les intéresser. Il peut s'agir d'expositions, de journées portes ouvertes, de spectacles ou d'autres formes de divertissements. S'ils font l'effort de s'y rendre, ils ne le regretteront pas. Mai, août, septembre, décembre, ainsi que le début de janvier 2012, seront bien remplis sur le plan social.

Plusieurs Lièvres de Métal consacreront du temps à leur croissance personnelle et se fixeront un nouveau défi ou un nouvel objectif. S'ils souhaitent développer leurs compétences ou explorer un nouveau domaine qui pourrait leur être utile, ils devraient plonger sans hésiter. C'est le temps d'agir. Ceux qui aimeraient améliorer leur régime alimentaire ou leur forme physique devraient faire appel à un spécialiste. En suivant leurs recommandations, ils seront heureux d'intégrer dans leur vie des activités bien concrètes qui leur seront bénéfiques.

L'aspect financier sera aussi encourageant pour les Lièvres de Métal. Certains pourront profiter d'une police qui arrive à échéance, d'un cadeau ou d'une prime. Pour en jouir pleinement, ils devront mettre de l'argent de côté pour certains projets bien précis ou pour un placement à long terme.

L'année sera dynamique pour le Lièvre de Métal qui pourrait être tenté de négliger sa correspondance, surtout s'il s'agit de pape-rasse bureaucratique. Dans certains cas, un retard ou un manque d'attention de sa part pourrait le désavantager. Pendant toute l'an-née, il devra traiter toutes ses affaires d'impôts, de finances et de correspondance avec soin en respectant scrupuleusement les délais.

Au travail, il vivra des changements intéressants. Même s'il pourrait être tenté de continuer à faire un travail qu'il maîtrise bien, il y a du changement dans l'air, car plusieurs Lièvres de Métal se-ront appelés à se consacrer à de nouveaux défis et objectifs. Cela sera exigeant mais lui donnera la chance d'utiliser ses talents par-ticuliers, d'apporter une contribution plus significative à son do-maine et de mettre ses idées en application. Il trouvera que certains aspects de son travail sont particulièrement satisfaisants et il récol-tera un succès remarquable.

Plusieurs occasions intéressantes se présenteront aux Lièvres de Métal qui cherchent un emploi ou qui souhaitent un change-ment, y compris ceux qui veulent travailler moins ou faire un trajet plus court pour se rendre à leur travail. Ils devraient ouvrir leurs horizons et considérer les possibilités qui s'offrent à eux. Ils pour-raient avoir des surprises en voyant une annonce par hasard, en entendant quelqu'un parler, en tenant compte d'une idée soudaine ou en prenant conseil auprès d'un ami. Le Lièvre de Métal devra être réceptif et agir rapidement. Cette chance pourrait se présenter à n'importe quel moment, mais les mois de février à avril, ainsi que le mois d'octobre, seront davantage propices à ce genre d'événe-ments intéressants.

L'année sera riche en possibilités de toutes sortes pour le Lièvre de Métal. Il devra toutefois saisir la chance au vol et faire en sorte que ses idées prennent forme. En adoptant une attitude positive et confiante, il pourra accomplir de belles choses. De plus, il sera en-couragé et aimé par ses proches. Cette année spéciale sera porteuse de plusieurs choses positives et de moments de bonne fortune.

Conseil pour l'année

Profitez de vos relations avec votre entourage. Partagez des activités avec vos proches et mettez vos projets en marche. Si vous souhaitez élargir votre réseau social, faites des activités que vous pourrez partager avec d'autres. Soyez à l'affût des occasions soudaines qui se pointeront. Votre année pourrait être fructueuse et vous apporter des changements spéciaux et importants. Sachez en profiter.

Le Lièvre d'Eau

Le Lièvre d'Eau aime agir lentement mais sûrement. Plusieurs choses se sont produites au cours des dernières années et il ne s'est pas toujours senti au contrôle de la situation. Des événements et une certaine pression l'ont préoccupé et ses projets n'ont pas toujours porté les fruits espérés. Toutefois, la nouvelle année est prometteuse et lui donnera la chance d'aller de l'avant et d'obtenir le succès mérité (parfois depuis longtemps).

Dans le domaine du travail, il pourra profiter de bonnes occasions. Il récoltera les fruits d'une activité récente, se verra offrir de plus lourdes responsabilités ou sera susceptible d'obtenir une promotion de son employeur actuel. Sa réputation, son engagement et sa bonne connaissance de la gestion interne de l'entreprise seront des valeurs sûres pour son employeur. Ceux qui veulent progresser d'une manière différente auront en main des atouts de choix : leur expérience et leurs talents. En demeurant vigilants et en postulant pour un nouvel emploi avec soin, ils se verront proposer une offre vraiment intéressante. Le Lièvre d'Eau sentira cette année qu'il est en mesure d'orienter sa carrière là où *il* le souhaite. Ses compétences et sa réputation le serviront bien.

Au cours de l'année, plusieurs éléments joueront en sa faveur. Grâce à sa nature consciencieuse et au fait qu'il se présente toujours bien, il profitera de ses bonnes relations professionnelles. Les personnes qu'il rencontrera cette année seront impressionnées par lui et l'encourageront à se dépasser, ce qui pourra lui être très utile. L'année sera favorable pour renforcer son réseau de contacts, créer de nouveaux liens et occuper le devant de la scène.

Les Lièvres d'Eau qui commencent l'année en étant insatisfaits devraient tirer un trait sur le passé et se concentrer exclusivement sur le présent et les mois à venir. C'est *leur* année et de nouvelles occasions se pointeront et leur donneront la chance de faire leurs preuves. Ceux qui rêvent d'un poste stable auront la chance d'avoir une offre intéressante et les compétences qu'ils acquerront au cours de cette période leur ouvriront des portes pour l'avenir. De février à avril, ainsi qu'en octobre, ils pourront voir émerger des changements particulièrement encourageants, mais l'année sera généralement bonne. Si le Lièvre d'Eau croit en lui et s'il fait preuve de détermination, il pourra profiter des excellentes occasions qui se présenteront dans sa vie.

Un autre aspect favorable de cette année touchera les centres d'intérêt du Lièvre d'Eau. Ceux qui ont des connaissances ou des talents particuliers pourront les mettre davantage en valeur. Les Lièvres ont la réputation d'être créatifs et plusieurs seront comblés par leurs réalisations. S'ils peuvent faire connaître leur travail aux autres et faire montre de leurs compétences, ils seront chaudement accueillis. Ceux qui préfèrent les activités extérieures ou qui ont d'autres centres d'intérêt pourront en profiter agréablement et cela les aidera à maintenir un style de vie équilibré.

Les progrès que le Lièvre d'Eau fera au travail pourront lui apporter des revenus supplémentaires, mais il devra veiller à ne pas tout dilapider avec imprudence. Lorsqu'il songe à faire un achat important, il devrait prendre le temps de comparer les prix, d'évaluer les choix et les différents produits ou objets qui l'intéressent. En plus d'opter pour ce qui lui convient le mieux, il évitera ainsi les dépenses farfelues. Lièvres d'Eau, prenez-en bien note.

À la maison, sa vie sera agréable et plusieurs Lièvres d'Eau auront la chance d'apprendre de bonnes nouvelles dans le cadre de leur vie familiale. Deviendront-ils grands-parents ? Célébreront-ils une remise des diplômes ou un autre succès d'un membre de leur clan ? Des membres de la famille leur demanderont conseil et assistance en se fiant à leur bon jugement. Au cours de l'année, le Lièvre d'Eau se retrouvera au cœur de la famille et il trouvera cette situation à la fois prenante et satisfaisante.

Sa vie sociale sera aussi positive et il aura plusieurs occasions de sortir. Une autre année agréable qui sera particulièrement animée en mai, août, septembre, décembre, ainsi qu'au début de janvier. Ceux qui sont seuls se feront de nouveaux amis et une histoire d'amour pourrait voir le jour. Plusieurs éléments joueront en sa faveur cette année. En demeurant actif et en s'ouvrant à tout ce qui s'offre à lui, il connaîtra des changements bienvenus sur le plan personnel.

L'année du Lièvre sera encourageante pour le Lièvre d'Eau et il se sentira plus sûr de lui, inspiré et prêt à passer à l'action. Ses talents et sa détermination le récompenseront. Ce sera une année idéale pour faire des progrès et récolter des succès bien mérités.

Conseil pour l'année

Soyez déterminé et utilisez vos talents de manière judicieuse. La clé du succès est en vous et cette année vous apportera d'excellentes occasions pour réussir. Faites en sorte que vos rêves se concrétisent. Bonne chance !

LE LIÈVRE DE BOIS

Ce sera une année encourageante pour le Lièvre de Bois qui aura la chance de faire de véritables progrès. Il devra toutefois bien saisir le sens profond de ce proverbe chinois : « Fixe-toi des projets à long terme, mais travaille sur des tâches à court terme. » C'est une bonne année pour penser à l'avenir, mais aussi pour profiter du moment présent.

Au travail, le Lièvre de Bois vivra des changements importants. Ceux qui sont bien établis dans leur routine seront encouragés à développer davantage leurs compétences. Cela exigera parfois une grande souplesse de leur part, mais en saisissant cette chance ils contribueront à promouvoir leur carrière et à acquérir l'expérience dont ils auront besoin plus tard. Ce qu'ils accompliront cette année leur permettra d'atteindre un autre niveau tout en leur donnant l'occasion de faire leurs preuves d'une nouvelle façon. Les progrès qui seront faits maintenant auront des conséquences considérables à long terme.

Les Lièvres de Bois qui se sentent coincés ou qui sont insatisfaits de leur emploi pourront profiter de l'année pour aller de l'avant. Au lieu de voguer à la dérive ou de ruminer leurs frustrations, ils devraient réfléchir à ce qu'ils ont véritablement envie de faire et identifier clairement leurs talents et leurs centres d'intérêt. Ils devraient aussi demander conseil et ne pas hésiter à consulter des services de placement compétents. En usant d'un bon esprit d'initiative, ils pourront être informés rapidement des possibilités qui pourraient leur convenir.

Cela concerne aussi les Lièvres de Bois qui cherchent un emploi. En demeurant actifs et en faisant connaître leur sens de l'engagement et leur détermination à des employeurs éventuels, ils se verront offrir un poste différent de tout ce qu'ils avaient fait jusque-là, ce qui leur permettra de bâtir leur avenir sur de meilleures fondations. Ils ne devront pas craindre les actions qui porteront fruit à long terme, mais il ne faudra pas qu'ils négligent non plus de se concentrer sur le moment présent.

Cette année favorisera le travail sur soi. Tous les Lièvres de Bois devraient en profiter pour prendre les cours de formation qui leur sont offerts. En cette ère où tout se déroule à la vitesse de l'éclair, ils devront obligatoirement veiller à ce que leurs connaissances soient toujours à la fine pointe de ce qui se passe dans leur domaine. Ceux qui souhaitent faire un changement de cap professionnel auront raison d'acquérir des compétences additionnelles. De février à avril, ainsi qu'en octobre, ils auront de bonnes occasions en ce sens. Mais, tout au long de l'année, ils devront demeurer actifs, vigilants et profiter de la chance quand elle passe.

Les progrès que le Lièvre de Bois fera au travail pourront lui faire gagner de meilleurs revenus et il pourrait connaître une bonne année sur le plan financier. Il devra toutefois rester discipliné et faire des économies en prévision de ses projets et de ses achats futurs. S'il fait preuve de minutie et de bonne gestion, il saura se tirer d'affaire convenablement.

À la maison, plusieurs activités le tiendront fort occupé et quelques membres de sa famille vivront des changements notables. Certains ajustements devront être faits ; la collaboration et le soutien mutuel seront essentiels. Lorsqu'il vit de la pression et des changements, le Lièvre de Bois doit rester ouvert et communiquer facilement avec les autres afin de bénéficier de leur aide. Ces périodes chargées nécessiteront que les uns veillent sur les autres à tout moment.

L'année du Lièvre connaîtra des jours heureux et le Lièvre de Bois appréciera les moments partagés à l'occasion d'événements soulignant une réussite personnelle ou favorisant les activités mises en commun. Des proches plus jeunes et plus âgés que lui bénéficieront de son soutien et lui feront montre de leur reconnaissance.

La vie sociale du Lièvre de Bois sera très agréable. En plus de rencontrer ses amis, il sera encouragé par leur soutien et leurs encouragements. Un ami de longue date lui rendra un grand service cette année. Ses activités et ses loisirs lui feront le plus grand bien s'il les partage avec d'autres. Les Lièvres de Bois qui souhaitent avoir une vie sociale plus active et qui sont prêts à s'adonner à un nouveau passe-temps devraient aller de l'avant. Ils seront toujours récompensés par les loisirs qu'ils feront à l'extérieur. Les célibataires pourront vivre une nouvelle aventure amoureuse et les mois de mai, août, septembre et décembre seront très positifs sur le plan social.

L'année du Lièvre est remplie de promesses pour le Lièvre de Bois et elle répondra favorablement à sa nature à la fois ambitieuse et prudente. Son champ d'action sera vaste. S'il ne craint pas d'aller de l'avant, ses accomplissements porteront fruit immédiatement et lui serviront dans le futur. Il devra penser aux décisions qui pourraient le servir à long terme. En maintenant de bonnes relations et en acceptant les nombreuses invitations et les activités qui se présenteront dans sa vie, il connaîtra une année agréable et satisfaisante sur le plan personnel.

Conseil pour l'année

N'ayez pas peur de faire des progrès et de nourrir votre croissance personnelle. Cette année sera encourageante si vous savez miser sur vous et investir dans votre avenir. Utilisez votre temps judicieusement et les bénéfices seront alors considérables. Appréciez et valorisez le soutien que vos proches vous accordent.

Le Lièvre de Feu

De nature intuitive, le Lièvre de Feu sait évaluer rapidement les gens et les situations. Cette qualité le servira grandement cette année en lui permettant de faire d'immenses progrès et de vivre des changements importants sur le plan personnel.

Les Lièvres de Feu qui entament l'année en étant mécontents de leur sort devraient tirer un trait sur le passé et regarder résolument vers l'avenir. Les dés joueront en leur faveur cette année et ils devraient en profiter pour se concentrer sur le présent et aller de l'avant. Il ne faudrait surtout pas qu'ils se laissent happer par les désagréments du passé.

Dans le domaine du travail, les Lièvres de Feu qui sont insatisfaits, déçus de leur état de stagnation actuel ou convaincus d'avoir été injustement traités devront saisir la chance au vol et profiter du vent de changement qui règne. S'ils optent pour l'immobilisme, ils ne feront que prolonger leur misère et leur insatisfaction. Ils devraient s'informer des meilleurs contacts qu'ils pourraient créer au sein de certaines entreprises, agences et organisations. Grâce à leurs efforts et à leur détermination, ils pourront trouver un job idéal qui leur permettra d'embrasser de nouveaux défis. Il faudra parfois qu'ils fassent preuve de grande souplesse puisque leur routine sera chambardée et certains devront déménager ou suivre une nouvelle formation. Mais, au bout du compte, le jeu en vaudra la chandelle.

Cette situation concerne également les Lièvres de Feu qui cherchent un emploi. Même si certains d'entre eux n'ont pas le cœur à l'ouvrage, d'autres savent que c'est *leur* année et qu'il s'agit du moment rêvé pour montrer aux autres de quoi ils sont capables. Grâce à leur détermination et à leur bonne volonté, ils accepteront de s'adapter à la nouvelle réalité et d'acquérir les compétences qui leur font défaut. Leur nouveau poste, même s'il est temporaire, pourra les mener à d'autres fonctions plus satisfaisantes plus tard. De février à avril et de la mi-septembre à la fin d'octobre, ils connaîtront d'importants changements au boulot, mais la chance pourra leur sourire à n'importe quel moment de l'année. Ils devront alors agir prestement et sans délai.

Les Lièvres de Feu qui sont bien établis dans leur carrière vivront une année stimulante. Ils devront être vigilants afin de connaître les possibilités qui pourront leur permettre de parfaire leurs connaissances et de se mettre en valeur. Leur réputation et leurs perspectives d'avenir croîtront s'ils se joignent à un réseau, suivent des cours ou s'associent à une organisation professionnelle. L'année du Lièvre leur offrira un vaste éventail de possibilités. L'expérience qu'ils prendront et leurs actions seront des atouts de choix pour le présent ainsi que pour le futur.

Les progrès que le Lièvre de Feu fera au travail auront des répercussions financières positives. Il devra faire preuve de soin et de discipline même s'il doit dépenser beaucoup d'argent à cause de ses nombreuses activités et de ses centres d'intérêt variés. S'il dépense plus qu'il ne faut, il devra renoncer à certains projets. Il pourra accomplir plusieurs choses cette année, mais il devra éviter d'être trop prodigue. S'il veut faire un achat important, il devra bien s'informer de tous les tenants et aboutissants et, au besoin, solliciter l'aide de bons conseillers. L'année sera fructueuse sur le plan financier, mais il ne faudra pas qu'il dilapide ses avoirs.

Le Lièvre de Feu profitera beaucoup de ses loisirs cette année. Les plus créatifs profiteront des conseils et des encouragements de plusieurs personnes, ce qui les aidera à développer davantage leurs compétences et leurs idées. D'autres rencontreront des gens intéressants qui se passionnent pour les mêmes choses qu'eux. La nouvelle année favorisant la croissance personnelle, plusieurs Lièvres de Feu voudront plonger dans une nouvelle activité et se délecter des défis qu'elle leur imposera.

Le Lièvre de Feu sera très en demande en société et il sera invité à des événements, des fêtes et des célébrations de toutes sortes. Ceux qui souhaitent élargir leur cercle social, parfois parce qu'ils habitent un nouvel endroit, verront d'heureuses transformations dans leur vie. Une rencontre fortuite, souvent dans le cadre de leurs loisirs, pourrait être à l'origine d'une grande amitié et, pour certains, d'une véritable histoire d'amour. Les affaires de cœur seront grandement favorisées et l'année sera très spéciale sur le plan personnel.

À la maison, l'année sera aussi riche en événements. Le Lièvre de Feu sera appelé à faire des changements et des progrès dans l'organisation de son foyer et il devrait parler de ce qui l'intéresse et le préoccupe avec ses proches. Même s'il a déjà des idées toutes faites, les suggestions et les encouragements de son entourage (surtout ceux qui ont de l'expérience) le rassureront et l'aideront.

L'année sera plutôt bien remplie et plusieurs Lièvres de Feu seront concernés par plusieurs bouleversements. Il pourrait s'agir d'un déménagement ou de rénovations qui seront faites dans la maison qu'il habite présentement. Cela apportera son lot de perturbations et exigera beaucoup de son temps, mais le jeu en vaut la chandelle puisqu'il en récoltera des bienfaits considérables à long terme. Ce sera une année de choix pour entreprendre des projets et travailler en collaboration avec d'autres. Les résultats seront plus satisfaisants que s'il fait cavalier seul. L'année sera propice au progrès et à la croissance personnelle sur les plans domestique, social, personnel et professionnel. Le Lièvre de Feu aura la chance d'aller de l'avant et de récolter des succès bien mérités tout en augmentant son expérience et ses compétences. Il aura de belles occasions qu'il devra mettre à profit et il saura jouir du bon temps.

Conseil pour l'année

Croyez en vos possibilités. Développez vos compétences et surveillez les occasions qui s'offrent à vous. Vous pourrez faire des progrès importants et acquérir beaucoup d'expérience. Profitez aussi de votre vie personnelle. Vous avez beaucoup à offrir et ce sera une période favorable pour vous.

LE LIÈVRE DE TERRE

L'année sera satisfaisante pour le Lièvre de Terre et plusieurs de ses activités porteront fruit. Pour bien en profiter, il devra identifier clairement ses projets. Grâce au soutien de ses proches et à ses idées bien nettes, il pourra vivre de belles choses.

Les Lièvres de Terre nés en 1939 recevront beaucoup d'aide de leur famille et de leurs meilleurs amis. Au moment de mettre en œuvre certains projets, ils devraient leur demander leur opinion et évaluer les coûts avec eux. Grâce à la mise en commun de toutes ces idées, certains projets pourront être mis en œuvre.

Le Lièvre de Terre devra bien évaluer les achats importants qu'il entend faire. Cela pourrait concerner de l'équipement qui pourrait l'aider dans ses tâches (un ordinateur, par exemple) ou des rénovations à sa demeure. Il sera souvent étonné de voir combien ces achats peuvent lui rendre la vie plus facile. S'il fait des plans pour·des travaux qui transformeront sa maison, il devrait bien planifier les choses afin de ne pas être trop perturbé par ce remue-ménage : les résultats n'en seront que meilleurs. L'année du Lièvre sera idéale pour qu'il aille de l'avant avec ses idées, mais il devra toutefois prendre le temps nécessaire pour réfléchir et bien planifier les choses.

Le Lièvre de Terre peut s'attendre à vivre des événements familiaux agréables et il se sentira fier lors d'une célébration spéciale. Malgré sa grande différence d'âge avec des personnes plus jeunes, celles-ci lui seront très reconnaissantes pour tout le temps et tout le soutien qu'il leur accorde.

Le Lièvre de Terre saura profiter de sa nature portée vers l'action. Il aura le loisir de voyager, de visiter des proches et de faire des excursions et de petits voyages. Certains Lièvres de Terre voudront profiter davantage de certaines commodités près de chez eux. Ils seront étonnés de voir que les expositions, les musées, les événements spéciaux, les cours et les groupes sociaux qui sont dans leur propre ville peuvent leur apporter beaucoup plus qu'ils ne l'avaient imaginé jusqu'à maintenant.

Le Lièvre de Terre devra saisir la chance au vol pour approfondir ses centres d'intérêt. En partageant ses connaissances, en rencontrant les autres avec enthousiasme et en se consacrant à un projet qui lui est cher, il recevra de bons commentaires qui le gratifieront grandement sur le plan personnel.

Grâce à sa nature chaleureuse et sincère, le Lièvre de Terre est très estimé par plusieurs personnes. Il sera heureux de rencontrer ses amis et de participer à des événements mondains. Ses loisirs seront une façon agréable de passer du temps avec les autres. Les solitaires et ceux qui aimeraient être mieux entourés pourront trouver la bonne compagnie qu'ils recherchent dans leur voisinage. Ces Lièvres de Terre devraient s'informer auprès de leur librairie locale ou de leur centre communautaire au sujet des activités qui sont organisées dans le quartier ou la région. Les actions positives du Lièvre de Terre seront récompensées cette année. Il ne doit pas oublier que c'est *son* année et que c'est le temps d'en profiter.

Lorsqu'il aura à s'occuper de ses finances ou de paperasse administrative, il devra être attentif et prudent. Même si l'année sera encourageante, il ne doit pas prendre de risques inutiles. Il ne faut pas se hâter ni manquer d'attention. S'il est préoccupé, surtout à propos de formulaires ou de correspondance, il devra demander conseil. Dans certains cas, un service d'assistance téléphonique ou un centre de renseignements pourra l'orienter efficacement.

L'année sera constructive pour les Lièvre de Terre nés en 1999. Plusieurs d'entre eux ont changé d'école récemment ou s'apprêtent à le faire. Cette année, ils jouiront d'une stabilité plus grande et pourront mieux se familiariser avec les ressources et les services qui sont à leur disposition. Ce sera un bon temps pour nouer de nouvelles amitiés. Plusieurs auront davantage confiance en eux et commenceront à s'intéresser à des sujets et à des domaines qui mettront progressivement leurs talents en valeur.

Le jeune Lièvre de Terre gagnera à adopter une attitude positive. Sa nature curieuse, enthousiaste et intéressée l'aidera à apprendre et à se perfectionner. S'il est tenté par de nouvelles activités, il devrait en parler aux autres. Il gagnera à écouter leurs conseils et à accepter leur aide. Cela concerne également toutes les préoccupations qu'il pourrait avoir sur les plans personnel et scolaire. Ses proches seront ravis de pouvoir lui donner un coup de main, mais le Lièvre de Terre devra faire montre d'affabilité.

Qu'ils soient nés en 1939 ou en 1999, les Lièvres de Terre pourront vivre une année constructive grâce à leur volonté d'aller de l'avant et de passer à l'action. Grâce au soutien des autres, à leurs idées et aux centres d'intérêt qu'ils souhaitent développer, ils sont bien placés pour accomplir de belles choses. Ce sera une année positive dans plusieurs domaines et ils en récolteront beaucoup de plaisir et de satisfaction.

Conseil pour l'année

Concrétisez vos idées. Qui ne fait rien n'a rien. En mettant vos projets en œuvre, l'année du Lièvre sera spéciale *et* significative pour vous. Profitez-en judicieusement et sachez apprécier les récompenses qui découleront naturellement de vos actions et de votre esprit d'initiative.

Des Lièvres célèbres

Pedro Almodovar, Susie Arioli, Drew Barrymore, Christian Bégin, Sylvie Bernier, Stephan Bourguignon, Anne-Marie Cadieux, Nicolas Cage, Lewis Carroll, Fidel Castro, Marion Cotillard, Johnny Depp, Roy Dupuis, Monique Giroux, Angelina Jolie, Rita Lafontaine, Carole Laure, Marc Laurendeau, Claude Legault, Fanny Mallette, Claude Meunier, Arthur Miller, Gaston Miron, Roger Moore, Kent Nagano, Émile Nelligan, Julie Payette, Lorraine Pintal, Brad Pitt, Léa Pool, Michel Rivard, Yannick Nézet-Séguin, Frank Sinatra, Staline, Sting, J. R. R. Tolkien, Catherine Trudeau, Jacques Villeret, Walt Whitman, Robin Williams, Kate Winslet, Tiger Woods, Karen Young.

Le Dragon

3 FÉVRIER 1916 – 22 JANVIER 1917	Dragon de Feu
23 JANVIER 1928 – 9 FÉVRIER 1929	Dragon de Terre
8 FÉVRIER 1940 – 26 JANVIER 1941	Dragon de Métal
27 JANVIER 1952 – 13 FÉVRIER 1953	Dragon d'Eau
13 FÉVRIER 1964 – 1er FÉVRIER 1965	Dragon de Bois
31 JANVIER 1976 – 17 FÉVRIER 1977	Dragon de Feu
17 FÉVRIER 1988 – 5 FÉVRIER 1989	Dragon de Terre
5 FÉVRIER 2000 – 23 JANVIER 2001	Dragon de Métal

La personnalité du Dragon

J'aime passer à l'action.
Parfois je réussis,
parfois j'échoue,
parfois l'inattendu survient.
Mais c'est l'action
et le fait d'avancer
qui rendent la vie si intéressante.

Le Dragon est né sous le signe de la chance. Il a une personnalité fière, pétulante, un aplomb imperturbable. Également doué d'une vive intelligence, il tire promptement parti des occasions qui lui sont avantageuses. À peu près tout ce qu'il entreprend lui réussit, son ambition et sa détermination y étant d'ailleurs pour beaucoup. De nature perfectionniste, le natif de ce signe se fait toujours un point d'honneur de viser l'excellence.

Cependant, le Dragon supporte difficilement les imbéciles et critique volontiers ce qui lui déplaît. Ses opinions souvent tranchées, il les exprime sans ménagement et, pour tout dire, tact et diplomatie ne sont pas au nombre de ses qualités. Il lui arrive de prendre ce qu'on lui dit au pied de la lettre, aussi se révèle-t-il parfois crédule. Lorsque le Dragon se sent trahi, ou blessé dans son amour-propre, il est plein d'amertume et ne pardonne pas de sitôt.

D'un naturel extraverti, le Dragon n'a pas son pareil pour attirer l'attention et faire parler de lui. Il aime par-dessus tout être en vedette, et c'est lorsqu'il fait face à un problème délicat ou à une situation tendue qu'il se montre sous son meilleur angle. À bien des égards, on pourrait dire que le Dragon est né pour les feux de la rampe ; il est bien rare, d'ailleurs, qu'il soit en manque d'auditeurs. Ses idées invariablement intéressantes, et à l'occasion controversées, lui valent l'estime de tous.

Le Dragon est toujours prêt à déployer une énergie fabuleuse pour arriver à ses fins et n'a pas l'habitude de se confiner aux horaires de travail standards. Néanmoins, son côté impulsif peut parfois lui nuire, par exemple lorsque ses actes entraînent des conséquences auxquelles il n'avait pas songé. Son tempérament le porte également à vivre avec intensité le moment présent ; aussi, rien ne l'exaspère davantage que de devoir attendre. En fait, le Dragon a horreur des retards ; aussi minimes soient-ils, ils l'irritent au plus haut point.

Le Dragon sait fort bien de quoi il est capable ; mais attention, car toute médaille a son revers : la confiance peut frôler la présomption et, s'il ne prend pas garde, il risque de commettre de graves erreurs de jugement. Heureusement, le Dragon est tenace, et nul n'est mieux apte à rattraper les situations qui semblent pourtant mener tout droit à la catastrophe.

Sa confiance, sa volonté et son désir de réussir sont tels qu'il parviendra souvent au sommet de la profession qu'il a élue. Étant donné ses qualités de meneur, il réussira plus particulièrement dans les postes lui permettant de donner corps aux idées qui lui sont chères ou de mettre en place des directives qu'il a lui-même conçues. Ainsi, il aura du succès en politique, dans le monde du spectacle, à la tête d'une équipe ou d'une entreprise, et dans tout emploi le mettant en relation avec les médias.

Le Dragon a l'habitude de s'en remettre à son propre jugement et dédaigne parfois celui des autres. Il aime être autonome, et bien des natifs de ce signe poussent cette soif d'indépendance au point d'opter pour le célibat à vie. Les admirateurs du Dragon sont pourtant nombreux à être attirés par sa fougueuse personnalité et sa beauté singulière. Le Dragon qui choisit de se marier le fait tôt. Il s'accorde à merveille avec le Serpent, le Rat, le Singe et le Coq. Les natifs du Lièvre, du Cochon, du Cheval et de la Chèvre sont également pour lui d'excellents compagnons, qui seront prêts à le suivre dans ses escapades. Si la compréhension mutuelle entre deux Dragons rend l'entente possible, les choses sont toutefois plus malaisées avec le Bœuf et le Chien, qui tous deux reprocheront au

Dragon sa nature impulsive et extravertie. De même, l'alliance avec le Tigre risque d'être ardue, car, tout comme le Dragon, le Tigre est direct, très volontaire et il aime mener.

La femme Dragon est une femme décidée, qui sait ce qu'elle veut faire de sa vie. Tout ce qu'elle entreprend, elle l'aborde avec optimisme et détermination. Aucune tâche n'est jugée trop insignifiante pour qu'elle s'en acquitte, et elle peut travailler infatigablement jusqu'à ce que la réussite lui soit assurée. Elle est bénie, de surcroît, d'un remarquable sens pratique. La femme Dragon est une femme émancipée, qui déteste être enfermée dans la routine ou se voir imposer des contraintes arbitraires. Elle préfère, et de loin, jouir d'une marge de manœuvre suffisante pour aller où elle veut et faire à sa guise. Sa maison est bien tenue, mais les tâches ménagères sont vite expédiées, car d'autres occupations jugées plus importantes et plus agréables emportent la faveur de cette native. Tout comme son homologue masculin, elle a tendance à dire le fond de sa pensée.

Le Dragon cultive une foule de champs d'intérêt et apprécie particulièrement les activités sportives et de plein air. C'est avec un vif plaisir qu'il voyage, mais il préfère généralement sortir des sentiers battus plutôt que de s'en tenir aux lieux touristiques. Étant donné son goût marqué pour l'aventure, il n'est pas rare qu'il parcoure de grandes distances au cours de sa vie, du moins si l'état de ses finances le lui permet, et c'est souvent le cas, puisque ce natif est doué de bon sens sur ce plan.

Le Dragon exige beaucoup des autres – déjà, enfant, sa précocité sollicitait l'attention –, mais son caractère original et plein d'exubérance fait qu'il compte de nombreux amis et qu'il est presque toujours le point de mire. Son charisme et son assurance en font souvent une source d'inspiration pour ses semblables. En Chine, le Dragon mène le carnaval et on le considère comme doté d'une chance extraordinaire.

Les cinq types de Dragons

Cinq éléments, soit le Métal, l'Eau, le Bois, le Feu et la Terre, viennent tempérer ou renforcer les douze signes du zodiaque chinois. Les effets apportés par ces éléments sont décrits ci-après, accompagnés des années où ils dominent. Ainsi, les Dragons nés en 1940 et en 2000 sont des Dragons de Métal, ceux de 1952, des Dragons d'Eau, etc.

LE DRAGON DE MÉTAL (1940, 2000)

Le Dragon de Métal se distingue par sa volonté de fer et sa forte personnalité. Énergique et plein d'ambition, il s'attache néanmoins à être scrupuleux dans ses rapports avec autrui. Cela ne l'empêche pas pour autant de s'exprimer franchement et sans détour lorsqu'il a quelque chose à dire. Le Dragon de Métal ne se laisse pas davantage arrêter s'il se heurte au désaccord de ses interlocuteurs ou s'il n'obtient pas leur coopération. Reconnu pour sa grande exigence morale, il jouit de la considération de ses amis et collègues.

LE DRAGON D'EAU (1952)

En plus d'être sympathique et facile à vivre, le Dragon d'Eau est doué d'une vive intelligence et laisse rarement une bonne occasion lui échapper. Contrairement aux autres types de Dragons, il ne s'attend pas à ce que ses démarches obtiennent un succès immédiat, mais sait patienter. Il se montre compréhensif, enclin à partager ses idées et ouvert à la collaboration. Son principal point faible, c'est sa tendance à papillonner au lieu de concentrer ses efforts sur la tâche qu'il doit accomplir. Doué d'un excellent sens de l'humour, il est également bon orateur.

LE DRAGON DE BOIS (1964)

Le Dragon de Bois se fait remarquer par son esprit pragmatique, son imagination sans bornes et sa vive curiosité. Les sujets les plus divers excitent son esprit et il lui vient parfois des idées fort originales. Ce penseur toujours prêt à l'action dispose de tout le dynamisme et de toute la persévérance nécessaires pour concrétiser ses idées. Plus diplomate que les autres types de Dragons, le Dragon de Bois jouit également d'un excellent sens de l'humour. Il a un sens aigu des affaires et sait se montrer généreux.

LE DRAGON DE FEU (1916, 1976)

Le Dragon de Feu a l'esprit clair et désire passionnément réussir. C'est un travailleur acharné et consciencieux, dont l'intégrité et la franchise suscitent l'admiration. Son tempérament volontaire en fait un excellent meneur d'hommes. Il lui arrive toutefois de se fier à son jugement d'une manière par trop exclusive, sans tenir compte de l'opinion ou des sentiments d'autrui. Il peut également se montrer distant et gagnerait à inviter ses pairs à se joindre à lui dans la poursuite de certaines activités. La musique, la littérature et les arts lui sont généralement très agréables.

LE DRAGON DE TERRE (1928, 1988)

Le Dragon de Terre se révèle souvent plus calme et réfléchi que les autres types de Dragons. Ses centres d'intérêt sont multiples, son esprit éveillé et curieux lui fait observer avec acuité tout ce qui se déroule autour de lui. Il sait se fixer des objectifs clairs et n'éprouve généralement aucune difficulté à faire appuyer ses projets. Habile en matière de finances, le Dragon de Terre est susceptible d'accumuler une grande fortune au cours de sa vie. C'est un bon organisateur, quoiqu'il lui arrive de se montrer tatillon et procédurier. Il se mêle aux autres avec aisance et compte de nombreux amis.

Perspectives pour 2011

Le Dragon adore se tenir occupé et l'année du Tigre (du 14 février 2010 au 2 février 2011) a su répondre à ses attentes puisqu'elle favorise l'action. Ses derniers mois seront fort intéressants et prenants pour les natifs de ce signe.

Dans le cadre de son travail, le Dragon devra faire face à un stress plus intense qui pourrait être causé par une suppression de postes ou un surplus de travail saisonnier. Les derniers mois de l'année du Tigre seront certainement très animés. En sachant quelles sont ses priorités, en utilisant bien ses compétences et en travaillant en étroite collaboration avec ses collègues, il sera en mesure d'accomplir de belles choses et il gagnera ainsi en expérience et en bonne réputation. Pour les Dragons qui cherchent un emploi ou qui souhaitent faire des progrès, août et novembre seront des mois propices au changement, mais les derniers mois de l'année du Tigre leur donneront aussi la chance d'aller de l'avant.

Le Dragon verra aussi ses dépenses augmenter au cours de cette période. Il devrait songer à étaler ses achats et demeurer à l'affût des meilleures aubaines. Plusieurs Dragons auront la chance de faire un voyage à la fin de 2010 et ils devraient bien le planifier et économiser suffisamment d'argent en prévision de cette activité afin de pouvoir en profiter pleinement. Ils devront assurément exercer un bon contrôle sur leurs finances.

Malgré la nature très prenante de l'année du Tigre, le Dragon devra réserver du temps de qualité à sa famille et à ses amis. À la maison, s'il discute de ses projets à l'avance, il pourra faire de nombreuses activités en leur compagnie, dont un voyage qu'il organisera. Il appréciera également les rencontres qu'il fera avec ses amis ainsi que sa participation à un large éventail d'événements sociaux. Toutefois, il devra tenir compte minutieusement des points de vue des autres afin d'éviter les mésententes.

L'année du Tigre aura été pour lui une année bien remplie et constructive sur plusieurs plans.

L'année du Lièvre commencera le 3 février 2011 et comportera moins de montagnes russes pour le Dragon. Cette période plus calme lui permettra de se concentrer sur ses priorités. Il ne faut pas oublier que l'année prochaine sera *son* année et que les percées qu'il fait maintenant pourraient le préparer à mieux profiter de l'année favorable et de bon augure qui l'attend. Ce sera donc une année valorisante pour lui et les fruits qu'il récoltera au cours de cette période lui seront utiles à long terme.

Certains Dragons ont récemment connu des changements dans le domaine du travail, mais l'année du Lièvre leur donnera la chance de mieux se familiariser avec leurs nouvelles tâches. Ils seront plus heureux de leur situation qu'ils ne l'ont été depuis bien longtemps. L'un des aspects positifs de l'année est que plusieurs Dragons feront désormais partie intégrante de l'équipe et que cela contribuera à établir leur bonne réputation et à faire croître leurs chances pour l'avenir.

L'année du Lièvre sera excellente pour les Dragons qui sont en train d'évaluer leur situation. S'ils déterminent avec précision le genre de travail qu'ils aimeraient faire et demandent conseil à des personnes compétentes, de nouveaux débouchés pourraient leur être offerts. On pourrait exiger qu'ils suivent une formation ou qu'ils aient une plus vaste expérience, mais la situation leur permettra d'adopter de nouveaux défis qui visent un plus grand dépassement de soi. D'ici là, ils devraient agir avec diligence dès qu'une bonne occasion leur sera présentée. Ce sera là un excellent tremplin pour leur avenir et cela leur permettra de stabiliser leur situation professionnelle. Mars, juin, septembre et décembre seront marqués par des changements utiles, mais l'essentiel est que le Dragon profite de l'ensemble de l'année pour faire avancer sa cause et acquérir de nouvelles connaissances. Certaines idées qui naîtront en 2011 façonneront l'orientation de sa carrière au cours des prochaines années.

L'année du Lièvre étant plus stable, le Dragon pourra enfin se consacrer davantage à ses passe-temps. Ceux qui ont laissé tomber certaines activités ou qui aimeraient embrasser de nouveaux défis pourraient désormais se dire que le moment est venu de consacrer une partie de leur temps « juste pour eux ». De nombreux bienfaits en découleront puisqu'ils accorderont enfin du temps à leur croissance personnelle. L'année du Lièvre sera idéale pour réévaluer plusieurs sphères de leur vie.

Ce sera aussi une période intéressante pour voyager. Le Dragon appréciera particulièrement les moments de repos et les vacances qu'il prendra en compagnie de ses proches.

Sa situation financière devrait aussi s'améliorer cette année. Afin de mieux en profiter, il devra surveiller ses dépenses et faire des économies pour des achats plus importants. En exerçant un bon contrôle sur ses avoirs, il récoltera les fruits positifs de sa prudence. En demeurant vigilant, il pourra profiter des bonnes occasions et trouver ce qu'il cherche à bon prix, parfois dans un lieu plutôt inhabituel. Son bon goût et son flair pour les bons achats joueront en sa faveur cette année.

De nature vive, le Dragon connaît beaucoup de monde et il aura la chance de sortir régulièrement et d'avoir une vie sociale active. Cela lui permettra d'avoir un style de vie équilibré, de se relaxer et de s'aérer l'esprit. Avril, mai, août et décembre devraient le tenir très occupé.

Les Dragons célibataires auront d'excellentes chances de rencontrer d'autres personnes et plusieurs vivront la naissance d'une nouvelle histoire d'amour. L'année sera positive et agréable sur le plan personnel.

À la maison, le Dragon vivra aussi de beaux moments. Il sera encouragé par le soutien et l'affection des siens et il aimera les activités qui tiendront la maisonnée dans la joie. L'année pourrait être constructive et significative à plusieurs égards. Toutefois, malgré ces aspects favorables, le Dragon devra consulter les autres et considérer leurs opinions avec attention. À cause de sa personnalité très forte, il aime dominer, mais il devra apprendre à être attentionné envers autrui et faire preuve d'une plus grande souplesse dans certains domaines. Chers Dragons, prenez-en note. Malgré votre volonté de vouloir bien faire les choses, il faudra veiller à ne pas être inflexibles ou distraits. Cela pourrait être à l'origine de difficultés qu'il serait pourtant possible d'éviter. L'avertissement ayant été fait, soulignons que l'année sera généralement positive en famille et à la maison.

Même si l'année du Lièvre sera plus calme que les années précédentes, elle donnera la chance au Dragon d'avoir une meilleure qualité de vie et un régime plus sain. Ce sera donc une excellente période pour faire le point et s'ouvrir à de nouveaux horizons. Il aura la chance de penser davantage à son bien-être et connaîtra une année plutôt satisfaisante et agréable.

Le Dragon de Métal

Le Dragon de Métal est déterminé et, lorsqu'il se donne un but précis, il y consacre toutes ses forces. Cette année, sa ténacité le récompensera comme il se doit.

Les Dragons de Métal nés en 1940 pourront mettre de l'avant des idées qu'ils mijotent depuis longtemps et qui pourraient concerner leur logement, leurs centres d'intérêt ou leur croissance personnelle. L'année 2011 sera idéale pour explorer différentes options et agir sans plus attendre. S'ils s'associent à d'autres personnes, de nouvelles possibilités pourraient naître. Ce sera le bon temps pour aller de l'avant *et* vivre des expériences excitantes.

Plusieurs Dragons de Métal voudront concrétiser leurs projets liés à leur habitation. Certains déménageront et les différentes phases pourraient être plus longues que prévu, mais ils ne regretteront pas leur choix et savoureront les bonnes choses qui en découleront. Les autres voudront faire des progrès et des améliorations à leur maison, soit en remplaçant des installations trop vieilles ou inefficaces, soit en ajoutant à leur confort. Même si certains projets prendront plus de temps qu'ils ne l'auraient souhaité (l'année du Lièvre ne favorise pas la hâte), les Dragons de Métal seront heureux des résultats.

L'une des autres sphères positives concernera la croissance personnelle du Dragon de Métal. Au fil des années, il a acquis d'immenses connaissances dans certains domaines et il pourra enfin les mettre à profit en les partageant avec d'autres, en participant à des événements spéciaux ou en élaborant lui-même des projets stimulants. Ce ne seront toutefois pas uniquement ses projets qui agrémenteront son année. S'il souhaite approfondir un sujet qui l'intrigue depuis longtemps, il devrait le faire sans réserve. Plusieurs Dragons de Métal auraient intérêt à suivre des cours, à s'inscrire à des classes ou à entamer une nouvelle activité. Il se pourrait même qu'ils se découvrent un talent insoupçonné.

Cette année, l'accent sera mis sur la culture et ils auront envie d'explorer de nouveaux endroits liés à cet univers passionnant. Il pourrait s'agir de musées, de galeries d'art, d'expositions ou d'événements spéciaux. Certains voudront fréquenter des lieux agréables de leur région, dont des jardins et des installations récréatives. En suivant leurs idées et en se tenant bien informés, ils sauront y trouver leur compte. Il n'y a rien de plus précieux que le moment présent et, grâce à leur esprit philosophique, les Dragons de Métal récolteront de belles choses tout au long de l'année.

Ils devront bien régir leurs finances s'ils veulent pouvoir faire toutes les activités dont ils rêvent. S'ils songent à faire des achats plus importants ou à donner le feu vert à des travaux de longue durée, ils devront prendre le temps de comparer les coûts et, s'il y a lieu, exiger des estimations. S'ils sont préoccupés, ils devraient demander conseil plutôt que de s'imaginer toutes sortes de choses ou de régler seuls des situations qui pourraient être compliquées. La nouvelle année exigera de la vigilance et une bonne gestion de leurs avoirs.

À la maison, les Dragons de Métal auraient intérêt à partager la prise de décisions avec les membres de leur famille. En mariant leurs idées et leurs efforts, ils en arriveront à de meilleurs résultats. Ceux qui doivent déménager auront souvent des idées très excitantes. Les choses ne se dérouleront pas toujours aussi vite qu'ils le souhaiteraient, mais elles évolueront progressivement tout au long de l'année.

Le Dragon de Métal suivra également les diverses activités des membres de famille avec un intérêt réel et il sera particulièrement heureux de rendre visite à des parents qui vivent loin de chez lui. Avril, mai, août, décembre et janvier pourraient être des mois très chargés sur le plan social.

L'année sera très réjouissante pour les Dragons de Métal nés en 2000. Les années du Lièvre favorisant les études et l'exploitation des talents personnels, le jeune Dragon de Métal devrait essayer de s'adonner à de nouvelles activités et parfaire ses connaissances. Grâce à sa bonne volonté, il trouvera beaucoup de plaisir dans tout ce qu'il fera. Plusieurs entreprendront de nouveaux projets qui prendront de l'importance avec les années. L'année du Lièvre commencera à révéler les talents de plusieurs jeunes Dragons au cours des prochains mois.

Qu'ils soient nés en 1940 ou en 2000, les Dragons de Métal trouveront l'année du Lièvre plutôt satisfaisante. Ce sera un temps idéal pour se concentrer sur leurs buts et saisir la chance au vol. En adoptant une attitude sérieuse et en acceptant le soutien et l'affection de leur entourage, ils pourront bien profiter de l'année.

Conseil pour l'année

Prenez le temps de mettre à profit vos talents et vos centres d'intérêt personnels. Vos connaissances et vos capacités vous procureront beaucoup de plaisir et vous ouvriront à d'autres possibilités. Utilisez judicieusement vos idées et vos dons.

Le Dragon d'Eau

L'année du Tigre aura été mouvementée tandis que l'année du Dragon, en 2012, sera des plus excitantes. Entre les deux, l'année du Lièvre sera plus calme et plus stable pour le Dragon d'Eau. Il aura enfin le temps de s'intéresser aux choses qu'il aura négligées en période de grande activité. Cela pourrait être une année intéressante et bien remplie sur le plan personnel.

Au travail, le Dragon d'Eau aura souvent la joie de se plonger dans des activités stimulantes et de bien se concentrer sur ses objectifs. Certains natifs de ce signe devront s'adapter à de nouvelles méthodes de travail ou modifier leur horaire. En étant flexibles et en tirant le meilleur parti de leur expérience, plusieurs seront satisfaits de leurs performances.

L'année du Lièvre sera très propice à la croissance personnelle et tous les Dragons d'Eau devraient s'assurer que leurs compétences sont à la fine pointe de ce qui se passe dans leur domaine d'expertise. Ils devraient suivre une formation et se renseigner sur les changements qui sont en train de bouleverser leur univers professionnel. Leur expérience, leur perspicacité et leur détermination seront très utiles tout au long de l'année. Le Dragon d'Eau apprécie ses bonnes relations avec plusieurs de ses collègues et il pourrait devenir un mentor pour certains d'entre eux ou, du moins, les guider de temps à autre.

La plupart des Dragons d'Eau seront fidèles à leur employeur actuel, mais ceux qui cherchent du travail ou qui souhaitent respirer un nouvel air devraient ouvrir leurs horizons et déterminer ce qui les intéresserait le plus s'ils décidaient de changer d'emploi au cours de l'année. S'ils usent de détermination et de souplesse, ils trouveront comment tirer le meilleur parti de leur vaste expérience. Plusieurs opteront pour un emploi temporaire et profiteront de leur chance de pouvoir faire un travail différent. Mars, juin, septembre et décembre leur offriront de bonnes occasions en ce sens. Leur flexibilité et leurs talents les récompenseront bien cette année.

Plusieurs natifs de ce signe voudront adopter un style de vie plus équilibré au cours des prochains mois. Plutôt que de se laisser griser par tout ce qui s'offre à eux, ils feront des efforts concrets pour consacrer du temps à leurs proches et à leurs loisirs. Cette attitude leur permettra de mieux profiter de l'année. S'ils ont négligé certaines choses, ils pourront les reprendre là où ils les avaient laissées, se fixer de nouveaux objectifs ou entreprendre une nouvelle activité. L'année du Lièvre aura une intense saveur culturelle et le Dragon d'Eau pourrait être tenté de s'inscrire à un cours ou d'explorer plus en profondeur un de ses talents. Quel que soit son choix, il se sentira enivré au moment d'entreprendre une action positive. Les Dragons d'Eau qui ont le moral à plat ou qui se sentent insatisfaits gagneront à s'adonner à un nouveau loisir ou à une nouvelle activité.

L'eau étant l'élément dominant de son signe, le Dragon d'Eau est un excellent communicateur. Si ses centres d'intérêt le poussent à communiquer avec les autres ou lui permettent de s'exprimer d'une manière ou d'une autre, il se sentira enrichi par ce plaisir très spécial.

Cette année, il aura intérêt à s'occuper de son mieux-être. S'il manque d'exercice ou considère qu'il devrait changer son alimentation, il gagnera à se faire guider par un spécialiste. L'année sera idéale pour réévaluer son style de vie.

S'il sait discerner clairement ses engagements et ses projets, incluant les voyages qu'il rêve de faire, il verra qu'il doit absolument surveiller ses dépenses et économiser pour ses besoins spécifiques. Il devra avoir une saine gestion financière cette année. S'il doit remplir des formulaires ou signer des ententes, il devra bien s'informer de tous les tenants et aboutissants et demander que l'on clarifie tout ce qui pourrait être embrouillé. Ce n'est surtout pas le moment de se laisser aller.

À la maison, les succès d'une jeune personne lui procureront une joie immense ; son soutien et son intérêt seront alors très appréciés de tous. Il sera aussi satisfait des projets qu'il décidera de réaliser et il sera comblé de voir que ses idées prennent forme et que ses plans se concrétisent, même si ce n'est pas toujours aussi vite qu'il le souhaiterait. Son attention envers les autres et les soins qu'il leur prodiguera feront sa joie au foyer et renforceront ses liens avec les membres de sa famille. L'un des bonheurs que lui procurera l'année du Lièvre est le temps qu'il pourra passer avec ses êtres chers.

Le Dragon d'Eau vivra aussi des moments très spéciaux cette année. Il devrait sortir plus souvent pour parler, se relaxer et s'amuser. Il veillera aussi à mieux équilibrer son mode de vie. Avril, mai, août et décembre seront très prenants sur le plan social. Les natifs de ce signe qui veulent nouer de nouvelles amitiés devraient se renseigner sur les groupes et les événements qui sont organisés dans leur quartier; cela constituera un ingrédient de choix qui assaisonnera joyeusement les mois à venir.

L'année du Lièvre sera généralement satisfaisante pour le Dragon d'Eau et lui permettra particulièrement de jouir de la compagnie de ses proches et de se découvrir de nouveaux talents et champs d'intérêt. Une année stimulante sur le plan personnel.

Conseil pour l'année

Profitez de l'année pour mieux équilibrer votre style de vie. Passez du temps avec vos proches et vos amis; consacrez-vous à vos centres d'intérêt et découvrez-en aussi de nouveaux. Ces bonheurs de votre existence seront précieux et transformeront votre année en une période plus significative.

LE DRAGON DE BOIS

La nature pragmatique du Dragon de Bois est l'une de ses grandes forces. Il sait comment analyser les situations et bien orienter le cours des choses. Il est aussi réaliste lorsque vient le temps de s'organiser. Pendant l'année du Lièvre, son bon sens et sa détermination le mettront en excellente posture pour prendre toute la place qui lui revient. L'année du Lièvre sera constructive et instructive pour lui et une partie de ce qu'il entreprendra cette année prendra forme au cours des années suivantes.

Au travail, le Dragon de Bois aura la chance de faire montre de ses compétences et de ses qualités. Ses tâches pourraient augmenter et il pourrait aussi relever d'autres défis. Certaines situations (délais, lenteur bureaucratique, problèmes techniques ou divergence d'opinions) pourraient l'amener à étaler ses talents et sa vision de la situation; son point de vue sera très apprécié. Plusieurs problèmes et difficultés testeront son inventivité et lui donneront la chance de se renseigner sur différents aspects de son travail. Il pourra mettre l'épaule à la roue en suivant les formations qui lui seront offertes, en réservant une partie de son temps pour étudier ou en se renseignant sur les changements qui sont en train de transformer son milieu de travail. En investissant dans ses propres aptitudes, il se préparera à mieux accueillir les occasions qui lui seront offertes plus tard. Plusieurs Dragons de Bois feront des progrès modestes au cours de l'année et si certaines offres les intéressent, ils devraient aller de l'avant sans hésiter. Plus ils gagneront en expérience, meilleures seront leurs chances de prospérer dans l'avenir.

Les Dragons de Bois qui cherchent du travail ou qui veulent du changement peuvent considérer l'année du Lièvre comme une année pivot. En parlant ouvertement de ce qu'ils veulent et en étant à l'affût des offres intéressantes, ils pourraient trouver un nouveau poste qui leur convient et faire face à de nouveaux défis stimulants. Certains devront se recycler, mais en faisant preuve de bonne volonté ils seront en mesure de mieux profiter de la situation. Comme le dit si bien un proverbe chinois: « L'assiduité est mère de l'abondance. » Les efforts qu'ils feront cette année les récompenseront comme il se doit. Mars, juin, septembre et décembre seront des mois propices aux changements favorables dans le domaine du travail.

Le Dragon de Bois pourra aussi espérer une amélioration de sa situation financière. En plus d'avoir des revenus supplémentaires, il aura souvent la chance de gagner de l'argent grâce à ses loisirs ou à ses centres d'intérêt. Toute amélioration sera évidemment bienvenue, mais le Dragon de Bois devra être discipliné en tout temps en matière d'argent. Il devra réduire ses emprunts et faire des économies en prévision de ses achats plus importants. S'il est vigilant et soigneux, il sera en mesure d'améliorer son sort, mais il devra toujours bien évaluer la situation. Il aura tendance à vouloir dépenser rapidement tout surplus, ce qui ne sera pas nécessairement une bonne chose. L'année devra donc être placée sous le signe de la discipline sur le plan financier.

Le Dragon de Bois devrait élargir ses champs d'intérêt, ce qui lui permettra de mieux équilibrer son style de vie tout en lui donnant la chance de se relaxer, d'utiliser ses talents différemment et de profiter joyeusement de moments de détente bien mérités. Plusieurs Dragons de Bois seront tentés par la nouveauté et voudront faire de la gymnastique d'entretien. Les loisirs qu'il choisira cette année seront certainement amusants et bénéfiques.

Le Dragon de Bois devrait accorder une saine importance à sa vie sociale plutôt que de la considérer comme un simple à-côté. Le fait de rester en contact avec ses amis et d'accepter les invitations qu'on lui fera lui permettra d'échanger des idées avec des personnes qu'il connaît depuis longtemps. S'il a un projet en tête ou s'il est préoccupé par une difficulté, il ne devra pas oublier que ses amis et ses connaissances ont peut-être l'expertise ou les contacts nécessaires pour lui venir en aide. Sa vie sociale pourrait lui apporter plus d'une surprise. Avril, mai, août décembre, ainsi que le début de janvier 2012, pourraient être très prenants sur le plan des relations humaines.

Au foyer, l'année sera mouvementée et plusieurs Dragons de Bois donneront leur temps et leur soutien à des proches plus jeunes et plus âgés qu'eux. Des membres de la famille devront prendre des décisions importantes et leur seront reconnaissants de leur compréhension et de leur aptitude à résumer la situation et à identifier les problèmes potentiels. Cette année, les Dragons de Bois seront très disponibles envers leurs proches; ils sauront les influencer et les guider avec doigté.

L'année sera bien remplie pour le Dragon de Bois et ses proches qui ont également leurs propres horaires et préoccupations. Il devra régner une certaine souplesse à la maison et une bonne volonté de partager les tâches ménagères. Une bonne discussion et une planification seront nécessaires. Si le natif de ce signe souhaite entreprendre des travaux à la maison ou entamer un projet d'ordre pratique, il devra s'accorder le temps nécessaire pour les mener à terme. Même s'il est déterminé et rempli de bonne volonté, il devra accepter le fait que le rythme de l'année du Lièvre n'est pas aussi rapide qu'il le souhaiterait. L'année 2011 sera donc favorable, mais elle comportera aussi des interruptions, des délais et des tracasseries qu'il parviendra à régler au fur et à mesure.

L'année du Lièvre sera édifiante et donnera au Dragon de Bois la chance de développer ses talents. Ce qu'il entreprendra maintenant lui servira au cours des années à venir. Il devra aussi maintenir un style de vie équilibré, se consacrer davantage à ses centres d'intérêt et passer du temps avec ses amis et ses proches. Ce ne sera pas nécessairement une année dynamique, mais elle sera généralement satisfaisante et souvent agréable.

Conseil pour l'année

Considérez que l'année sera excellente pour parfaire vos connaissances et développer vos talents. Profitez des formations qui vous sont offertes si vous le pouvez. Les progrès que vous réaliserez cette année vous prépareront à assumer les changements favorables qui auront lieu dans un avenir rapproché. Profitez bien de l'année du Lièvre. N'oubliez pas ce proverbe chinois : « L'assiduité est mère de l'abondance. »

Le Dragon de Feu

De nature enthousiaste et passionnée, le Dragon de Feu aime s'engager dans de grandes aventures. Il n'est pas du genre à se contenter de regarder passer la caravane. Au cours de l'année du Lièvre, il devra faire preuve de patience et accepter le fait que ses projets ne se réaliseront pas aussi vite qu'il le souhaiterait. L'année sera plutôt calme et aura moins de zeste que ce qu'il aurait souhaité, mais elle sera toutefois agréable et, mieux encore, elle lui procurera des bénéfices à long terme.

Ce sera une période idéale pour faire le point sur sa vie et réévaluer certaines choses. Il devrait en profiter pour bien réfléchir à sa situation actuelle et considérer les possibilités qui s'offrent à lui pour les années à venir. Cela peut concerner presque tous les aspects de sa vie : centres d'intérêt, travail sur soi, habitation ou vie professionnelle. Quels que soient ses choix, il devra en discuter avec ses proches et être très attentif à leurs idées et à leurs suggestions.

Des changements importants pourront en émerger et lui permettre d'embrasser de nouveaux défis. En considérant les améliorations qu'il pourrait apporter à sa vie et les façons dont il pourrait les mettre en pratique, il sentira qu'il accomplit quelque chose de positif qui aura vraisemblablement des conséquences favorables à long terme.

Au travail, plusieurs Dragons de Feu seront heureux de rester là où ils sont en continuant d'exercer leurs talents et d'élargir leur champ d'expérience. Au cours de l'année, ils devront faire face à des problèmes complexes qui exigeront de leur part une capacité de s'adapter à de nouvelles méthodes de travail. Ce sera un véritable défi, mais leur concentration et leur engagement seront reconnus et leur rapporteront beaucoup. Ils devraient suivre les formations qui leur sont offertes et profiter de la chance de créer un réseau, ce qui les aidera dans le moment présent ainsi que dans le futur.

Les Dragons de Feu qui cherchent du travail ou qui souhaitent effectuer un virage à 180 degrés devraient profiter de l'année du Lièvre pour faire le point et évaluer les différentes manières dont ils pourraient développer leurs talents. Au cours de leur quête, ils devraient consulter un professionnel ou songer à se recycler. En pensant sérieusement aux meilleures façons d'utiliser leurs forces, ces Dragons de Feu pourraient bénéficier de suggestions utiles et découvrir de bonnes possibilités d'évolution dans le monde du travail. Les résultats ne seront pas toujours à la hauteur de leurs attentes, mais cela leur permettra d'établir une fondation solide sur laquelle ils pourront bâtir leur avenir. Il pourrait aussi s'agir d'un atout d'une valeur inestimable pour avoir leurs entrées dans une entreprise ou une industrie. Tout ce qu'ils accompliront cette année sera un prélude aux changements excitants qui les attendent en 2012.

Dans le domaine financier, le Dragon de Feu devra agir avec prudence. S'il prend de nouveaux engagements, il devra faire les économies nécessaires afin d'être en mesure de les respecter et surveiller ses dépenses les yeux grands ouverts. En faisant des économies pour ses projets et ses achats importants et en se renseignant sur les bonnes aubaines, il sera en mesure de bien profiter de l'année. Les mots-clés qu'il devra retenir au cours des prochains mois sont : bonne planification et gestion minutieuse de ses avoirs.

Au foyer, le Dragon de Feu sera très occupé et il aura la chance de vivre des moments très spéciaux. Même si ses proches seront pris par leurs propres activités, il aurait intérêt à s'intéresser à ce qu'ils font afin d'entretenir de bonnes relations avec eux en favorisant la compréhension mutuelle et en apportant son aide au besoin. Les jeunes profiteront particulièrement de ses conseils et de ses encouragements. De nature enthousiaste, il pourrait proposer des activités qui feraient le bonheur de tous, qu'il s'agisse d'un voyage ou de vacances en famille ou simplement de petites gâteries. Le temps et l'attention qu'il accordera à sa vie familiale pourront bénéficier à toutes les personnes concernées.

Le Dragon de Feu trouvera beaucoup de plaisir dans ses loisirs et sa vie sociale. En se fixant des buts personnels précis ou en choisissant de s'adonner à une nouvelle activité, il pourra passer du bon temps. Il devrait aussi rester en contacts avec ses bons amis qui peuvent lui apporter un solide coup de main par leurs conseils, leur écoute attentive et leur aptitude à se relaxer et à se changer les idées en bonne compagnie. Avril, mai, août et décembre pourraient être particulièrement animés sur le plan social et il aura l'occasion de rencontrer des gens et de mieux les connaître.

L'année du Lièvre sera agréable et satisfaisante sur le plan personnel. Les résultats et les progrès ne viendront pas nécessairement rapidement, mais le Dragon de Feu pourra en profiter pour faire le point, apprécier ce qu'il a accompli jusqu'à maintenant et consacrer du temps et de l'énergie à son mieux-être.

Conseil pour l'année

Prenez le temps d'évaluer votre situation et les manières dont vous aimeriez progresser. Que voulez-vous accomplir au cours des prochaines années ? En ayant les idées claires et en vous fixant des buts précis, vous mettrez toutes les chances de votre côté et certaines personnes seront en mesure de vous aider. Ce que vous amorcerez cette année vous aidera grandement dans l'avenir, surtout au cours de l'année prochaine qui sera celle du Dragon.

LE DRAGON DE TERRE

Ce proverbe chinois offre un excellent conseil pour l'année qui vient : « En procédant avec lenteur et régularité, on finit par gagner la course. » Au cours de l'année du Lièvre, le Dragon de Terre devra agir avec constance et assiduité. Toutefois, ce qu'il accomplira au cours des prochains mois jouera un rôle essentiel dans ses succès futurs.

L'année du Lièvre favorise l'apprentissage et la croissance personnelle. Il devrait donc en profiter pour améliorer ses compétences, ses qualifications et son expérience. Même s'il devra consacrer son temps et son argent à cette tâche, les gains à venir seront considérables. Il gagnera à miser sur lui-même *et* à investir dans son avenir.

Cette croissance personnelle affectera favorablement son travail et ses loisirs. S'il souhaite acquérir des compétences dans un nouveau domaine qu'il trouve utile ou attirant, il devrait suivre son cœur sans hésiter. Les actions faites avec assurance et détermination lui ouvriront des portes pour le futur. Les Dragons de Terre qui sont plus portés à faire des activités artistiques recevront des commentaires positifs et pourront récolter des propositions fort intéressantes. L'année du Lièvre est riche en potentiel et les Dragons de Terre qui étudient pour parfaire leurs qualifications en demeurant bien concentrés et disciplinés récolteront des bénéfices qui seront une plus-value de premier choix.

Au travail, les Dragon de Terre qui sont prêts à bâtir leur avenir sur leur expérience dans le monde du commerce ou de l'industrie devront faire montre d'engagement et d'esprit d'initiative. En se concentrant sur leurs tâches et en prouvant qu'ils sont prêts à apprendre, plusieurs élargiront leurs horizons et se verront offrir de plus grandes responsabilités ainsi qu'une formation supplémentaire.

Le bon travail du Dragon de Terre l'aidera dans un avenir rapproché puisqu'il le prépare concrètement pour les bonnes occasions qui joncheront prochainement sa route.

Les natifs de ce signe qui cherchent un emploi ou qui sont insatisfaits de leur présente situation pourront vivre des changements intéressants cette année. En évaluant un large éventail de possibilités et en demandant conseil, ils renforceront leur position actuelle même si elle est un peu différente de ce qu'ils avaient espéré. Pour certains d'entre eux, ce sera le commencement d'une nouvelle carrière qui durera longtemps et qui sera très satisfaisante. Avril, mai, août et décembre pourraient leur offrir de bonnes occasions même si les différentes phases pour trouver un emploi pourraient être longues ou exiger de leur part une grande confiance en soi et beaucoup de détermination. Au bout du compte, le Dragon de Terre en sortira vainqueur. Ce qu'il accomplira cette année le préparera sérieusement pour les changements importants qui l'attendent en 2012.

Le Dragon de Terre fera aussi des progrès dans le cadre de son emploi et il aura de meilleurs revenus. Même s'il s'agit d'une bonne nouvelle, il devra demeurer discipliné et surveiller ses dépenses. Lorsqu'il est avec ses proches ou qu'il fait du lèche-vitrine, il a tendance à dépenser plus qu'il ne l'avait prévu. Ces extravagances et ces achats non planifiés peuvent s'accumuler rapidement et il devra faire des économies tôt ou tard. Dragons de Terre, prenez-en bien note : vous devrez respecter un budget équilibré cette année.

Sur le plan social, les Dragons de Terre auront une vie très active qui nécessitera des dépenses et ils vivront des moments très agréables. Tout au long de l'année, le natif de ce signe sera très en demande : des amis à rencontrer, des choses à faire et des endroits où aller. Il voudra peut-être élargir son réseau puisqu'il sera appelé à collaborer avec de nouveaux collègues ou à s'adonner à de nouvelles activités. Pour certains, une rencontre fortuite pourrait se transformer en une sérieuse histoire d'amour. Les affaires de cœur ajouteront de l'excitation et des étincelles dans sa vie. Le meilleur temps pour rencontrer d'autres personnes et sortir plus souvent sera d'avril au début de juin, en août et en décembre. Plusieurs Dragons de Terre seront heureux de voyager cette année et ils pourront aussi faire de belles rencontres dans ce contexte de détente.

Grâce à ses nombreuses activités et aux décisions qu'il devra prendre, le Dragon de Terre devrait mettre son expérience à profit et tenir compte également des conseils de ses proches. Des personnes plus âgées pourraient lui être particulièrement utiles et lui fournir un soutien inattendu très appréciable. Même si le Dragon de Terre est de nature indépendante, il devrait faire preuve d'ouverture d'esprit et accepter de parler de ses opinions, de ses dilemmes et de ses préoccupations. Ses proches ont beaucoup de considération pour lui et il pourra profiter amplement de leur amour et de leur soutien au cours des douze prochains mois.

L'année pourrait être constructive et satisfaisante pour le Dragon de Terre. Il aura la chance de faire croître son expérience et de démontrer aux autres ses compétences et son potentiel. Ce qu'il entreprendra maintenant lui permettra de rêver d'un meilleur avenir, et ce, dès l'année prochaine qui sera *son* année. Ses loisirs et sa vie privée seront de véritables sources de plaisir et de fierté. Ses passe-temps et ses relations ajouteront une touche tout à fait spéciale à son année.

Conseil pour l'année

Soyez minutieux et déterminé. « En procédant avec lenteur et régularité, on finit par gagner la course. » Les compétences que vous étalerez cette année auront le pouvoir de renforcer votre bonne réputation, de parfaire votre expérience et d'ouvrir la voie à vos succès prochains. Aussi, prenez le temps d'apprécier vos relations avec les autres. Vos amis et vos proches pourront vous apporter une aide importante et occuper une place très précieuse dans votre cœur.

Des Dragons célèbres

Joan Baez, Monica Belluci, Emmanuel Bilodeau, Juliette Binoche, Michel Boujenah, Gilles Carles, Tracy Chapman, Michel Chartrand, Faye Dunaway, Louisette Dussault, Sigmund Freud, Serge Gainsbourg, Tom Jones, Pauline Julien, John Lennon, Sylvie Moreau, Al Pacino, Julie Perreault, Rihanna, Jean-Pierre Ronfard, René Homier-Roy, Marie-Claire Séguin, Richard Séguin, José Théodore, Guillaume Lemay-Thivierge, Agnès Varda, Gilles Vigneault.

Le Serpent

23 JANVIER 1917 – 10 FÉVRIER 1918	Serpent de Feu
10 FÉVRIER 1929 – 29 JANVIER 1930	Serpent de Terre
27 JANVIER 1941 – 14 FÉVRIER 1942	Serpent de Métal
14 FÉVRIER 1953 – 2 FÉVRIER 1954	Serpent d'Eau
2 FÉVRIER 1965 – 20 JANVIER 1966	Serpent de Bois
18 FÉVRIER 1977 – 6 FÉVRIER 1978	Serpent de Feu
6 FÉVRIER 1989 – 26 JANVIER 1990	Serpent de Terre
24 JANVIER 2001 – 11 FÉVRIER 2002	Serpent de Métal

La personnalité du Serpent

Je réfléchis,
je médite encore un peu
à ce qui est,
à ce qui est possible,
à ce qui pourrait être.
Et au moment propice,
je passe à l'action.

Le Serpent naît sous le signe de la sagesse. Doté d'une intelligence remarquable, l'esprit toujours en éveil, il est sans cesse à tirer des plans, sans cesse à se demander de quelle manière il pourrait le mieux mettre ses nombreux talents à profit.

Sans aimer le changement pour le changement, le Serpent peut se lasser de ce qu'il connaît trop bien, et on le verra à plusieurs reprises au cours de sa vie changer de centres d'intérêt ou, au travail, changer carrément d'orientation. Les défis sont pour lui un puissant stimulant et son flair indéniable lui permet d'éviter la plupart des écueils. C'est un organisateur-né ; il a le sens des affaires et généralement, comme investisseur, la chance lui sourit. Voilà pourquoi la plupart des Serpents connaissent avec les années une situation financière enviable, à condition de n'être pas pris par la passion du jeu : il n'y a en effet pas pire joueur que le Serpent dans tout le zodiaque chinois !

De tempérament flegmatique, le Serpent préfère la vie calme et fait tout pour fuir l'agitation excessive. Il n'aime pas davantage être brusqué dans ses décisions. En fait, il déteste qu'on se mêle de ses affaires et incline à être son propre juge plutôt qu'à se fier à l'opinion d'autrui. Ce qui ne veut pas dire que les vues qu'il adopte manquent de profondeur. Au contraire, il aime méditer et mûrement réfléchir avant de s'exprimer.

Il arrive que le Serpent fasse figure de solitaire, car il est tranquille et d'une grande réserve. La communication est même parfois difficile avec lui. Ajoutons que les conversations oiseuses l'ennuient au plus haut point, et qu'il tolère mal la bêtise. En revanche, il est doté d'un bon sens de l'humour, chose qui s'avère singulièrement précieuse dans les moments de tension.

Le Serpent est dur à la tâche et minutieux dans tout ce qu'il fait. D'une grande détermination, il peut se montrer impitoyable pour arriver à ses fins – ce qu'il réussit généralement, bien servi par l'assurance, la volonté et la vivacité d'esprit qui le caractérisent. Toutefois, en cas d'insuccès, il est long à se remettre. Pour tout dire, c'est un mauvais perdant : il ne supporte pas l'échec.

On dit souvent le Serpent évasif, et il est vrai qu'il se confie difficilement. Cette extrême discrétion, cette méfiance même, peut parfois lui nuire ; il fera bien d'apprendre à la tempérer le plus possible.

Invariablement, après un effort ou une activité intense, le Serpent éprouve un impérieux besoin de se reposer ; c'est que la somme d'énergie nerveuse qu'il dépense alors est considérable. Et ces ménagements lui sont réellement nécessaires. En fait, s'il ne fait pas attention, il pourrait devenir candidat aux troubles nerveux ou à l'hypertension.

Le Serpent a parfois la réputation d'être lent à démarrer dans la vie. Et c'est vrai qu'il met souvent un certain temps à dénicher le travail qui le rend heureux, mais, une fois qu'il l'a trouvé, il s'y donne complètement. Il réussit d'habitude bien dans tout emploi qui implique de la recherche ou de la rédaction, pourvu qu'il puisse articuler ses idées en toute liberté. L'enseignement, la politique et le travail social sont également des domaines qui lui conviennent, et il ferait un excellent directeur du personnel.

Le Serpent choisit ses amis avec soin et, bien que d'ordinaire il ne badine pas avec ses finances, il sait se montrer fort généreux avec ceux qu'il aime, n'hésitant pas à leur offrir des cadeaux somptueux. Mais il doit par ailleurs pouvoir compter sur leur loyauté : possessif comme il l'est, il sera facilement blessé et pourra devenir très jaloux si on abuse de sa confiance.

Il a plutôt fière allure et ne manque jamais d'admirateurs. À ce chapitre, la femme Serpent est particulièrement séduisante. Elle possède un genre bien à elle et beaucoup de goût pour s'habiller (mais pas dans le style chic pas cher!). Très sociable, elle a une foule d'amis. Notons en plus chez cette native du signe un rare talent pour impressionner les gens qui comptent. Dans sa vie de tous les jours, elle cultive des champs d'intérêt fort variés et participe à nombre d'activités, ce qui ne l'empêche pourtant pas d'être un peu secrète et de vouloir préserver sa vie privée. De nature, la femme Serpent est plutôt calme, et ses conseils sont ordinairement très appréciés de ceux qui l'entourent.

La réputation du Serpent en matière de cœur n'est plus à faire: c'est un grand amoureux. Mais il finit généralement par se ranger, et fait alors un excellent partenaire pour le natif du Bœuf, du Dragon, du Lièvre et du Coq. L'entente sera aussi bonne avec le Rat, le Cheval, la Chèvre, le Singe et le Chien, pourvu qu'ils laissent au Serpent la latitude de poursuivre ses activités personnelles. Toutefois, qu'il se tienne loin du natif de son propre signe: deux Serpents deviennent facilement jaloux l'un de l'autre! Il se trouvera par ailleurs peu d'affinités avec le Cochon, honnête et terre à terre, et encore moins avec le Tigre, trop agité et enclin à perturber sa tranquillité.

Amateur de raffinement, souvent amateur d'art, le Serpent aime la lecture, et en particulier les ouvrages traitant de philosophie, de religion, de politique ou d'occultisme. L'inconnu le fascine, et il cherche constamment des réponses aux questions que pose son esprit curieux. En fait, dans l'histoire, on remarque que plusieurs penseurs de génie étaient des Serpents. D'autre part, bien que tantôt réticent à l'admettre, le Serpent, avec son intuition peu commune, possède souvent des dons médiumniques.

Dans tout le zodiaque chinois, le Serpent n'est certes pas le plus énergique. Il préfère aller à son propre rythme et faire ce qui lui plaît; bref, être son propre maître. Au cours de sa vie, il tâtera de plusieurs choses – il y a chez certains un peu du dilettante –, mais viendra un moment où son labeur et ses efforts seront reconnus; et invariablement, il connaîtra le succès et la sécurité financière.

Les cinq types de Serpents

Outre les douze signes du zodiaque chinois, il y a cinq éléments qui renforcent ou modèrent chacun d'eux. Leurs effets sont décrits ci-après. Les années au cours desquelles chaque élément exerce son influence sont aussi notées. Ainsi, les Serpents nés en 1941 et en 2001 sont des Serpents de Métal, ceux qui sont nés en 1953, des Serpents d'Eau, etc.

LE SERPENT DE MÉTAL (1941, 2001)

Tranquille, d'une grande assurance et d'une indépendance farouche, le Serpent de Métal préfère travailler seul; dans son intimité ne sont admis que de rares élus. Il sait profiter de toutes les occasions et poursuit ses objectifs avec une stupéfiante détermination. Habile en affaires, c'est un investisseur astucieux. Il raffole des bonnes choses de la vie et s'avère souvent fin gastronome; les arts, la littérature et la musique trouvent en lui un amateur averti. Il peut compter sur quelques amitiés très sincères et se montre généreux avec les êtres chers.

LE SERPENT D'EAU (1953)

Le Serpent d'Eau cultive des champs d'intérêt variés. Il aime l'étude en général et, s'il s'adonne à la recherche, devient aisément un spécialiste dans le domaine choisi. Doué d'une grande intelligence et d'une excellente mémoire, il fait preuve de clairvoyance en matière d'argent. Sans bruit, il vaque à ses affaires; sa réserve ne l'empêche toutefois pas d'exprimer ses vues et de prendre les moyens pour réaliser ses ambitions. C'est un être d'une loyauté à toute épreuve.

Le Serpent de Bois (1965)

De tempérament chaleureux, le Serpent de Bois comprend bien la nature humaine. Avec lui, la communication est facile ; il compte d'ailleurs beaucoup d'amis et d'admirateurs. Il est spirituel, intelligent et d'une belle ambition ; ses centres d'intérêt sont nombreux. Le calme et la stabilité sont nécessaires à son bien-être, et il donne sa pleine mesure lorsqu'il peut travailler avec le minimum d'ingérence. C'est un amateur d'art qui collectionne avec plaisir tableaux et meubles anciens. Tant ses proches que ses connaissances sollicitent fréquemment son opinion, qu'on sait éclairée.

Le Serpent de Feu (1917, 1977)

Plus énergique et plus extraverti que les autres types de son signe, le Serpent de Feu fait preuve d'assurance et d'ambition. Jamais il n'hésite à dire bien haut ce qu'il pense ; c'est même d'un ton coupant qu'il peut rabrouer ceux qu'il n'aime pas. Par contre, on ne saurait nier ses qualités de chef ; ses manières fermes et résolues lui gagnent en effet le respect et l'appui de la majorité. Son sens de l'humour est réputé ; il raffole des soirées et des spectacles et compte une foule d'amis. C'est aussi un passionné des voyages.

Le Serpent de Terre (1929, 1989)

Être plein de charme et de gentillesse, le Serpent de Terre a le don de divertir son entourage. Il est fiable et consciencieux au travail et aborde tout ce qu'il fait de manière méthodique et réfléchie. Cela l'entraîne parfois à pécher par excès de prudence ; si on le presse de prendre des décisions, il peut aisément se cabrer. D'une habileté consommée pour les questions financières, c'est un investisseur avisé. Il jouit d'un large cercle d'amis à qui il apporte, comme à sa famille, un soutien précieux.

Perspectives pour 2011

L'année du Tigre (du 14 février 2010 au 2 février 2011) s'est caractérisée par un bouillonnement d'activités qui a eu pour effet de perturber le Serpent. Les natifs de ce signe aiment agir de façon mesurée et suivre avec soin les plans établis. L'idée d'être pris dans un tourbillon où tout se précipite de manière parfois frénétique ne leur plaît pas vraiment.

Cette année plutôt mouvementée ne montrera aucun signe de ralentissement au cours des derniers mois et notre ami Serpent devra accepter de faire face à la musique. Pour apaiser une certaine tension, il pourrait se concentrer sur ses priorités et demander à d'autres personnes de participer à ses diverses activités. Le temps n'est pas favorable à la solitude et il ne doit surtout pas se transformer en ermite au cours des derniers mois de l'année du Tigre.

Cela concerne tout particulièrement le monde du travail. Le Serpent obtiendra de meilleurs résultats en unissant ses efforts à ceux de ses collègues; il devrait faire en sorte de travailler en collaboration plus étroite avec eux. Même si les derniers mois de l'année du Tigre seront exigeants, il pourrait en surgir de très belles choses.

L'année du Tigre favorise la nouveauté. Le Serpent devrait donc en profiter pour se pencher vers d'autres centres d'intérêt et s'adonner à des loisirs qu'il n'a encore jamais eu la chance d'explorer. S'il se sent attiré par une chose en particulier ou s'il a une idée qui le tenaille, il devrait suivre son instinct sans hésiter. Des voyages et des activités récréatives pourraient lui procurer un immense plaisir au cours des derniers mois de l'année du Tigre.

Le Serpent vivra aussi des moments intenses à la maison et dans sa vie sociale. Septembre et décembre devraient être des mois particulièrement prenants et, s'il craint d'être déstabilisé, il devrait faire preuve de flexibilité et communiquer avec ses proches sans résistance.

L'année du Tigre aura été exigeante pour le Serpent, mais il en tirera de précieux enseignements. Il pourra aussi profiter de moments très satisfaisants à la maison et dans sa vie sociale ainsi que dans le cadre de ses diverses activités.

L'année du Lièvre commence le 3 février 2011 et elle apportera du changement favorable au Serpent. En plus de prendre le contrôle de la situation, il sera très heureux dans plusieurs domaines. Il aura aussi la chance de mieux mettre à profit ses talents spécifiques. Même si les aspects sont généralement favorables, ce sera une année bien remplie et il est important que le Serpent accorde du temps à ses propres affaires et adopte un style de vie équilibré.

Il vivra une année stimulante au travail. Les années du Lièvre favorisant la créativité et l'expression, ce contexte favorable lui permettra de mettre ses forces en valeur. Les Serpents qui ont un emploi où ils peuvent s'exprimer d'une manière ou d'une autre, de même que ceux qui ont un travail plus créatif, pourraient recevoir des commentaires fort élogieux et profiter d'occasions très favorables. L'année du Lièvre offrira à plusieurs Serpents la chance de faire ce qu'ils réussissent le mieux et d'obtenir un succès remarquable.

Ceux qui entament l'année en étant plus ou moins satisfaits de leur sort et les autres qui cherchent un emploi auront l'occasion de se rétablir et d'avoir un poste qui leur convient davantage. Ce sera une année idéale pour aller de l'avant, affirmer leurs idées et profiter des bonnes occasions. Des changements pourraient avoir lieu au cours des toutes premières semaines de l'année du Lièvre, ou juste avant, et au cours des mois d'avril, mai et septembre. Le Serpent devrait toutefois saisir au vol toutes les bonnes occasions qui se présenteront à lui tout au long de l'année.

Même si l'année offre des aspects particulièrement encourageants, le Serpent *devra* faire des efforts et s'y consacrer avec ardeur. Le jeu en vaut la chandelle, car son engagement ainsi qu'un bon usage de ses talents le récompenseront en abondance.

Les progrès que le Serpent fera cette année pourraient lui valoir des revenus plus substantiels. Pour bien en profiter, il devra prendre le temps de bien évaluer sa situation financière, dont ses dépenses, ses emprunts et ses dettes. Dans la plupart des cas, de petits ajustements pourront faire toute la différence et lui permettre d'économiser dans un but plus louable. L'année exigera qu'il respecte une bonne gestion financière.

À la maison, le Serpent connaîtra une vie plus active et aura besoin de la collaboration et de la bonne volonté de son entourage. Ce sera le temps de s'aider mutuellement, surtout lorsqu'il y aura beaucoup de choses à faire. Le Serpent et ceux qui vivent avec lui devront s'assurer que leurs activités personnelles ne les empêchent pas de passer du bon temps ensemble. Ils devront se réserver des moments de qualité. Malgré le stress que plusieurs Serpents subiront cette année, il est essentiel qu'ils prennent le loisir de partager de belles choses avec leurs êtres chers. Plusieurs natifs de ce signe connaissent déjà la valeur de tels moments, mais en cette année mouvementée il est toujours bon de le leur rappeler.

L'année sera favorable aux voyages et le Serpent devrait en profiter pour prendre des vacances ou un moment de repos avec ses proches. Le fait de se changer les idées et de passer du temps ensemble fera beaucoup de bien à tout le monde.

L'année du Lièvre sera aussi sous le signe de la beauté et, le Serpent ayant bon goût, il pourrait décider d'apporter certaines améliorations à sa demeure. Il s'amusera à faire ses choix et à observer comment ses idées prendront forme. Le résultat final sera agréable, mais il faudra qu'il accepte de prendre le temps nécessaire pour mener son projet à terme. Comme il sera très occupé dans plusieurs sphères de sa vie, il verra que ces travaux prendront un peu plus de temps que prévu.

À cause du stress qu'il devra affronter cette année, le Serpent devra nourrir convenablement sa vie sociale, ce qui lui fera le plus grand bien. Mars, avril, juillet, août et décembre seront des mois très animés tandis qu'il travaillera, voyagera et s'amusera tout en faisant des rencontres intéressantes. Cet aspect mondain lui plaira beaucoup, mais il doit tout de même tenir compte de cette mise en garde : une indiscrétion ou un relâchement de son attention pourrait créer des complications ou une situation embarrassante. Serpents, prenez-en note. L'année du Lièvre pourrait causer des problèmes aux imprudents.

L'année du Lièvre sera généralement sous le signe de la chance pour le Serpent. Il aura en outre l'occasion de faire montre de ses compétences et récoltera des succès bien mérités, mais il y aura un coût rattaché à cette situation. Le stress sera très grand et la pression tiendra le Serpent très occupé. Il devra nécessairement équilibrer son style de vie et consacrer du temps à ses loisirs. Il gagnera aussi à mieux apprécier ses amis et ses proches et à savourer fièrement le fruit de son labeur. L'année pourrait être remplie de succès, mais la clé consistera à préserver un bon équilibre.

LE SERPENT DE MÉTAL

L'année pourrait être satisfaisante pour le Serpent de Métal, car la plupart de ses activités auront du succès. Il devrait prendre le temps de partager des moments significatifs avec ses amis et ses êtres chers.

L'année du Lièvre sera particulièrement favorable sur le plan de la croissance personnelle. Un temps idéal pour les études, les activités culturelles et la réflexion. Tout au long de l'année, le Serpent de Métal devra approfondir ses connaissances et ses talents en se gardant du temps pour lire, suivre des cours ou développer de nouvelles compétences. En faisant quelque chose de constructif et en étant déterminé, il pourra profiter de ses nouvelles connaissances tout en améliorant sa qualité de vie générale.

Plusieurs Serpents de Métal qui commencent l'année en s'ennuyant ou en étant apathiques, et ceux qui ne sont inspirés par rien en particulier, devraient établir leurs priorités, prendre connaissance des changements possibles et se renseigner sur les cours et les activités qui ont lieu dans leur région. Ils seront surpris de voir qu'un nouveau défi a le pouvoir de régénérer n'importe quelle personne apathique. Ils pourront aussi se faire des amis avec qui ils aimeront partager de nouvelles activités. Mars, avril, juillet, août et décembre seront très animés sur le plan social.

En voulant s'ouvrir à de nouvelles réalités, certains Serpents de Métal décideront de suivre des cours pour se tenir en forme : taï chi,

Pilates, yoga, conditionnement physique, etc. S'ils décident de suivre leur instinct, ils en profiteront grandement puisqu'ils vivront un grand esprit de camaraderie et bénéficieront du soutien de leurs nouvelles relations.

L'année sera également favorable aux voyages et les Serpents de Métal rêveront peut-être d'une escapade spéciale à l'étranger. D'autres souligneront leur soixante-dixième anniversaire de naissance en se rendant enfin dans un pays dont ils ont rêvé pendant si longtemps. En portant un soin minutieux à leurs vacances et à leurs congés, ils seront mieux en mesure d'en savourer chaque moment. Ce sera une année parfaite pour faire des projets et les mener à terme. Certains visiteront des lieux magnifiques et passionnants de leur région et la nature spontanée de ces découvertes ajoutera à leur bon plaisir.

L'année sera aussi agréable au foyer. Des amis et des proches s'empresseront de vouloir célébrer le soixante-dixième anniversaire de naissance du Serpent de Terre en faisant les choses en grand. L'amour et l'affection qu'on lui témoignera le toucheront profondément et mettront en lumière le rôle important qu'il joue auprès des siens.

De plus, le Serpent de Métal appréciera réellement le temps qu'il passera en compagnie de ses êtres chers en partageant avec eux ses centres d'intérêt ainsi que ses projets de jardinage ou de rénovation. Il fera beaucoup de choses avec les autres et il pourrait profiter de certains aménagements près de chez lui ou assister à des événements spéciaux. Ceux qui sont grands-parents ou arrière-grands-parents s'amuseront à observer l'évolution des plus jeunes membres de la famille. Leur expérience et leurs points de vue seront particulièrement utiles à des proches qui leur demanderont conseil.

L'année 2011 sera généralement favorable, mais elle ne sera pas exempte de difficultés. Si le Serpent de Métal est troublé par quoi que ce soit, il devra absolument se confier à quelqu'un. Il est tellement attentionné envers les autres qu'il a bien le droit de recevoir leur aide en retour lorsqu'il en éprouve le besoin.

Aussi, lorsque viendra le temps de s'occuper de paperasse administrative reliée aux finances, il devra être minutieux et prudent tout en respectant les délais requis. Un manque d'attention pourrait lui causer du tort.

Il devra aussi être vigilant face à toute situation délicate. Un relâchement de son attention, un risque inutile ou une indiscrétion pourrait être source de difficultés. Cela concerne uniquement quelques Serpents de Métal, mais ceux-ci doivent tenir compte de cet avertissement.

Les Serpents de Métal nés en 2001 vivront une année prometteuse à plusieurs égards. L'accent devra être mis sur la croissance personnelle. Grâce à son attitude enthousiaste et à sa bonne volonté, le jeune natif de ce signe tirera beaucoup de plaisir de ses diverses activités scolaires et parascolaires. Il saura apprécier la compagnie et le soutien de ses proches. Il est important qu'il n'aille pas à l'encontre de son bon jugement et ne se laisse pas emporter par un relâchement de sa discipline ou par des activités douteuses. L'année du Lièvre pourrait être difficile pour les jeunes Serpents de Métal trop audacieux. Qu'ils se le tiennent pour dit, mais dans tous les autres cas l'année devrait être des plus prometteuses.

Qu'ils soient nés en 1941 ou en 2001, les Serpents de Métal auront l'occasion de profiter de leurs talents et de leurs loisirs. Leurs actions positives transformeront leur année en un temps agréable et bénéfique. L'amour et le soutien de leur entourage leur permettront d'amorcer cette nouvelle décennie de manière très significative.

Conseil pour l'année

Amusez-vous à partager des activités avec ceux qui vous entourent. Leur soutien et leurs encouragements vous aideront à mieux profiter de l'année. Pensez à élargir vos connaissances et vos centres d'intérêt ou à vous adonner à une nouvelle activité. Vous pourriez en tirer des avantages considérables.

Le Serpent d'Eau

Le Serpent d'Eau est en bonne posture pour savourer la nouvelle année au cours de laquelle il pourra profiter davantage de certains de ses talents. Il obtiendra de nombreux succès personnels bien mérités. L'année pourrait être enrichissante et remplie de promesses dans son cas.

Pour bien profiter des aspects favorables qui prévalent, il devra avoir un bon esprit d'initiative. Il contrôlera la situation et sera en mesure de décider où il souhaite aller. Grâce à sa confiance en soi et à sa bonne volonté, il saura se mettre à l'avant-scène et ses efforts seront récompensés. Il aura l'occasion de faire ses preuves et de récolter les fruits bien mérités de son labeur. Plusieurs Serpents d'Eau feront des progrès importants dans le cadre de leur emploi actuel et certains auront enfin la promotion pour laquelle ils ont travaillé pendant si longtemps.

D'autres Serpents d'Eau auront envie d'un changement important. Pour eux et pour les autres qui cherchent un emploi, l'année du Lièvre sera cruciale. En demeurant vigilants et en réfléchissant bien à ce qu'ils aimeraient faire, ils pourront saisir la chance au vol. Une occasion surprenante pourrait leur offrir des bénéfices intéressants. Cet emploi sera souvent très différent de ce qu'ils ont fait jusqu'à maintenant, mais ce défi leur permettra de parfaire leurs compétences d'une façon originale. Les années du Lièvre savent généralement récompenser les Serpents d'Eau dans la mesure où ceux-ci savent reconnaître la chance lorsqu'elle se présente dans leur vie. Février, avril, mai et septembre pourraient être particulièrement favorables à des changements intéressants.

Qu'il garde son poste actuel ou qu'il cherche du travail, le Serpent d'Eau mettra toutes les chances de son côté en travaillant en étroite collaboration avec les autres. En étant actifs et coopératifs au sein de leur équipe, ceux qui sont sur le marché du travail accompliront de plus grandes choses. Leur réputation et leur prestige y gagneront à coup sûr.

Ceux qui espèrent trouver un emploi ou qui souhaitent changer d'air auront avantage à consulter un service de placement ou des personnes compétentes. Le Serpent d'Eau n'a aucun intérêt à se montrer trop indépendant. S'il est prêt à se placer à l'avant-scène tout en faisant preuve d'une certaine flexibilité, il pourra récolter des fruits en abondance au cours de la nouvelle année.

Sur le plan personnel, le Serpent d'Eau aura de quoi être comblé. Il pourra parfaire ses connaissances, ses talents et ses idées. Ceux qui sont plus créatifs vivront des moments très satisfaisants. S'il est tenté par une nouvelle activité, il devrait suivre son instinct sans hésiter. L'année du Lièvre sera idéale pour essayer de nouveaux passe-temps.

Plusieurs Serpents d'Eau verront leurs loisirs leur rapporter de l'argent. Les progrès qu'ils feront au travail leur garantiront aussi de meilleurs revenus. Ils devront néanmoins gérer leurs finances avec soin. En prévision de certains de ses engagements – incluant une aide aux membres de sa famille – et de ses autres projets, le natif de ce signe devra surveiller ses dépenses de près et faire des économies pour des achats plus importants. Il devra aussi évaluer sa situation financière globale et régler sans tarder ses impôts et ses autres obligations financières. La nouvelle année exigera de sa part de la minutie, de l'attention et une connaissance approfondie de la situation.

À la maison, des événements spéciaux sont à prévoir. Ses proches l'encourageront dans ses projets et ses activités, et de jeunes membres de la famille arriveront avec des bonnes nouvelles que tous voudront célébrer. Sa vie au foyer sera bien remplie, intéressante et parfois égayée de surprises.

Le Serpent d'Eau pourra faire de beaux voyages cette année et il saura savourer ses congés et ses vacances. Il aura la chance de voyager tout particulièrement vers la fin de 2011 et au début de 2012.

Le Serpent d'Eau est reconnu pour sa nature attentionnée et son affabilité. Au cours de l'année, sa famille et ses amis feront souvent appel à ses conseils et à son bon jugement. Toutefois, s'il se sent préoccupé par une difficulté, il devra donner la chance aux autres de l'aider en retour. Il ne faudra pas qu'il se montre trop indépendant ni qu'il garde son anxiété secrète.

L'année sera stimulante à bien des égards, mais le Serpent d'Eau devra apprendre à mieux organiser son temps. À cause du stress et des exigences dus à ses nombreux engagements, il vivra des moments de doute et aura alors tendance à s'isoler. Cette attitude ne tournera jamais à son avantage. Il pourrait aussi être embarrassé par une situation délicate ou gênante. L'année du Lièvre étant souvent propice aux scandales et aux rumeurs, le Serpent d'Eau devra rester sur ses gardes et éviter le manque d'attention ou les indiscrétions. Serpents d'Eau, prenez-en bien note.

Grâce à ses nombreuses activités, le Serpent d'Eau sera appelé à rencontrer un grand nombre de personnes. Il devrait en profiter au maximum. En étant actif, en savourant la compagnie des autres et en usant de ses qualités de la bonne manière, il sera en mesure de bien profiter de l'année. Mars, avril, juillet, août et décembre le tiendront très occupé sur le plan social.

L'année du Lièvre sera porteuse de grand potentiel pour le Serpent d'Eau. Il n'en tient qu'à lui de se mettre à l'avant-scène tout en utilisant judicieusement ses talents et ses idées. Ceux qui sont actifs et entreprenants connaîtront du succès et apprécieront grandement le soutien et les encouragements de leur entourage.

Conseil pour l'année

Une année rêvée pour faire grandir sa confiance en soi et se mettre en valeur. Affirmez-vous et ayez un bon esprit d'entreprise. Grâce à votre volonté et à votre esprit d'initiative, plusieurs portes s'ouvriront pour vous tout au long de l'année. Tirez profit du soutien et de la gentillesse de vos proches. Vous aurez plusieurs atouts en main cette année. Utilisez-les avec sagesse.

Le Serpent de Bois

Le Serpent de Bois aura une chance du tonnerre cette année. Même si le succès est à sa porte, il sera très occupé et il devra veiller à préserver son style de vie équilibré. Il a heureusement la chance d'être discipliné et consciencieux en ayant un mode de vie souvent bien balancé, et ceux dont ce n'est pas le cas devraient prendre exemple sur lui.

Au foyer, l'année sera très mouvementée. Le Serpent de Bois et ses proches devront peut-être modifier leurs habitudes de travail et leur routine. Leur horaire pourrait varier et ils devront peut-être avoir un trajet plus long à faire chaque jour. Il pourrait aussi être appelé à travailler de plus longues heures et passer ainsi moins de temps à la maison. Des ajustements devront être faits, mais grâce au soutien, à la compréhension et à la collaboration de son entourage, ce temps d'adaptation se passera en douceur et le stress initial s'apaisera tout naturellement.

L'année promettant d'être très animée, il est important que le Serpent de Bois soit ouvert et communicatif en acceptant de parler de ses idées ou de ses préoccupations. Il aura aussi le bonheur de vivre des événements très spéciaux avec les siens. Il s'amusera à travailler en équipe afin d'organiser des moments heureux et significatifs. Il pourra aussi considérer la possibilité de se payer du luxe ou de s'offrir un voyage. En cette année qui ne laissera pas de répit à personne, il est important qu'il ne pas néglige pas ses proches; la qualité de ses relations familiales ne doit surtout pas en souffrir.

Cela s'applique également à la vie sociale du Serpent de Bois. Même s'il a peu de temps libre, il doit rester en contact régulier avec ses amis et assister aux événements qui l'intéressent. Cette vie sociale lui permettra de se relaxer et de changer d'air tout en lui donnant la chance de rencontrer d'autres personnes et de profiter de leurs conseils. Mars, avril, juillet et décembre pourraient être très prenants sur le plan social. Comme les autres Serpents, le Serpent de Bois devra veiller à ne pas s'immiscer malencontreusement dans une affaire délicate ou une situation potentiellement embarrassante. L'année du Lièvre pourrait être source de problèmes pour les imprudents. Serpents de Bois, prenez-en note.

Il est aussi important que le Serpent de Bois consacre du temps à ses loisirs. Il pourrait avoir tendance à travailler dur et à négliger cet aspect plus ludique de sa vie. Il gagnerait pourtant à accorder le temps qu'il faut à ses passe-temps favoris afin de s'aérer l'esprit, de se relaxer ou de simplement faire des choses différentes. L'année du Lièvre favorisant la culture, le Serpent de Bois s'amusera à participer à des événements et à des spectacles qui le tentent tout spécialement.

Sur le plan du travail, de belles surprises l'attendent au cours des prochains mois. Grâce à son expertise et aux compétences qu'il a su déployer récemment, il sera en excellente posture pour aller de l'avant. Si son emploi ne lui offre pas de possibilités d'avancement ou s'il se sent insatisfait, il devra se renseigner à propos d'opportunités qui pourraient lui convenir. Pour le Serpent de Bois déterminé, il sera possible de faire des progrès cette année. Février, avril, mai et septembre pourraient être le théâtre de changements intéressants, mais le Serpent de Bois gagnera à demeurer actif et vigilant en tout temps.

Les perspectives sont aussi encourageantes pour les Serpents de Bois qui cherchent du travail. Ceux qui sont désillusionnés à cause de leur situation actuelle devraient garder espoir et demeurer vigilants. Cette bonne attitude leur permettra de créer une fondation solide sur laquelle ils pourront ultérieurement bâtir leur avenir.

L'année du Lièvre sera exigeante envers le Serpent de Bois, surtout s'il occupe de nouvelles fonctions qui lui demandent de s'adapter à une tout autre réalité. Il ne perdra pas son enthousiasme et embrassera ses nouveaux défis avec ardeur en s'acquittant convenablement de ses tâches.

Les percées que plusieurs natifs de ce signe feront dans leur carrière leur assureront de plus grandes rentrées d'argent, mais pour bien en profiter ils devront gérer leurs finances avec doigté. S'ils n'usent pas de discipline, ces sommes d'argent pourraient être dépensées en un rien de temps. Si possible, ils devraient aussi économiser pour faire face à leurs engagements et réaliser leurs projets. Ils devraient éviter d'improviser dans ce domaine. Plusieurs Serpents de Bois auront des dépenses familiales supplémentaires au cours de l'année et devront établir un budget en conséquence.

Le Serpent de Bois se portera bien cette année, mais il sera toujours très occupé. Il pourra faire des progrès et accomplir de bonnes choses, mais il devra veiller à ne pas négliger ses proches et à partager avec eux le fruit de ses efforts.

Conseil pour l'année

Valorisez ceux qui vous entourent. Leur amour et leur soutien revêtiront la plus haute importance à vos yeux tout au long de l'année. Même si vous en aurez beaucoup sur les épaules, prenez bien soin de vous. Prenez aussi le temps de vous reposer, de vous changer les idées et de consacrer du temps à vos loisirs préférés. Malgré le succès qui sera le vôtre, adoptez un mode de vie équilibré.

Le Serpent de Feu

Un proverbe chinois que le Serpent de Feu aurait intérêt à mémoriser dit ceci : « Lisez et récoltez-en les fruits. » En se préparant à approfondir ses connaissances et ses compétences, il pourrait connaître une année gratifiante et constructive.

Dans le monde du travail, l'année du Lièvre ouvrira de nombreuses portes à ceux qui sauront être vigilants. Grâce à ses récentes performances, le Serpent de Feu occupera souvent une place de choix qui le préparera à endosser de plus grandes responsabilités. Ce sera une période idéale pour aller de l'avant sur le plan professionnel. Si les possibilités sont limitées là où il travaille présentement ou s'il se sent frustré de ne pas avoir plus de considération de la part de ses supérieurs, il devrait faire l'effort de regarder ailleurs. Grâce à sa persévérance et à sa détermination, il pourrait faire de grands pas en avant et atteindre un niveau professionnel plus élevé.

Afin de se faciliter la tâche, il devra « lire et en récolter les fruits ». Au moment de postuler un poste, il devrait se renseigner au sujet de l'entreprise en question et de ses diverses activités. Cela fera bonne impression et lui donnera des atouts additionnels. L'intérêt qu'il démontrera envers cette entreprise ne passera pas inaperçu. S'il est invité à suivre une formation ou des cours de mise à jour, ou s'il doit étudier pour se qualifier dans un nouveau domaine, il aura avantage à bien se préparer puisque ces connaissances supplémentaires deviendront un réel investissement pour son avenir.

Cela concerne également les Serpents de Feu qui sont à la recherche d'un emploi. En se renseignant sur les postes qui se libèrent, en préparant son dossier avec soin et en ayant recours à l'aide professionnelle disponible, ils seront en bonne posture pour prendre de l'expérience dans un nouveau domaine. En février, du mois d'avril au début de juin ainsi qu'en septembre, des changements professionnels importants pourraient avoir lieu. L'année du Lièvre leur ouvrira plusieurs portes, et tout particulièrement s'ils veulent développer leurs compétences.

Plusieurs Serpents de Feu auront de nouvelles responsabilités professionnelles et devront faire face à une pression accrue, mais ils ne devront pas négliger leur bien-être pour autant. Ils devront faire de l'exercice sous la forme qui leur convient le mieux, surtout s'ils ont un travail sédentaire. Leur alimentation devra être équilibrée et nourrissante. Pour se tenir en forme, ils devront être vigilants en tout temps.

Le natif de ce signe devra aussi faire en sorte que ses loisirs ne souffrent pas de ses autres activités. Il a besoin de temps pour se relaxer et s'aérer l'esprit. Ses passe-temps favoris sont une source de plaisir, mais aussi une façon d'exprimer ses talents. L'accent étant mis cette année sur la croissance personnelle, certains Serpents de Feu voudront se fixer un but personnel ou entreprendre un projet qui leur tient à cœur. Quel que soit leur choix, ils pourront en tirer de nombreux bienfaits en prenant le temps de faire des choses qui leur plaisent le plus.

Les progrès que le Serpent de Feu fera au travail pourront lui rapporter des revenus additionnels. Il devra gérer ses finances avec soin compte tenu de ses responsabilités personnelles, des besoins de sa famille et des projets liés à sa demeure. Il ne devra pas précipiter ses achats ni ses opérations financières et il aura intérêt à se renseigner sur tous les tenants et aboutissants des nouvelles ententes qu'il s'apprête à faire. Ce sera une année sous le signe du contrôle et de la discipline.

Le Serpent de Feu a souvent un réseau d'amis tissé serré et il appréciera sa chance de pouvoir passer du bon temps en leur compagnie. Lorsqu'il ne sera pas en mesure de les rencontrer, il pourra rester en contact avec eux par l'entremise du téléphone et du courrier électronique. Leur amitié et leur soutien seront précieux à ses yeux, surtout dans les moments où la pression sera plus intense. Plusieurs Serpents de Feu auront l'occasion de leur rendre la pareille en leur offrant leurs bons conseils au besoin. En cette année très prenante, leurs meilleurs amis tiendront un rôle de premier choix dans leur vie.

Ils ne devront pas laisser la pression ni les responsabilités les empêcher de sortir puisqu'ils doivent se changer les idées et s'amuser comme tout le monde. Les célibataires et ceux qui ont vécu des difficultés personnelles verront une nouvelle amitié ou une histoire sentimentale apporter une grande excitation à leur vie. Mars, avril, juillet, août et décembre seront des mois très actifs sur le plan social. Attention toutefois puisqu'une situation délicate ou une indiscrétion pourrait causer de grands problèmes. Serpents de Feu, soyez vigilants.

Au foyer, la vie sera très mouvementée. À cause des nombreux engagements des membres de la famille, il faudra faire place à la bonne communication et à la collaboration. En agissant avec compréhension et bonne volonté, la tension pourra être apaisée et des bienfaits insoupçonnés découleront parfois de toute cette agitation. Qu'il apporte des améliorations à sa maison, qu'il partage ses activités avec d'autres ou qu'il s'intéresse à celles des autres, le Serpent de Feu appréciera ce lien très fort qui l'unit aux siens. Tout au long de l'année, il pourrait être appelé à donner d'importants conseils à des membres de sa famille plus jeunes et plus âgés que lui.

L'année du Lièvre présente de bonnes perspectives au Serpent de Feu. Il devra faire fructifier ses talents au maximum et faire ainsi d'immenses progrès. Il verra que tout est possible avec de la bonne volonté et de la détermination. Il sera toutefois très occupé tout au long de l'année et il est essentiel qu'il adopte un mode de vie équilibré lui donnant le temps de s'occuper de ses êtres chers, de ses loisirs et, bien sûr, de lui-même.

Conseil pour l'année

Veillez à parfaire vos compétences et à bien identifier vos centres d'intérêt. Vous en serez récompensé et cela vous procurera une satisfaction personnelle et de nombreux autres bienfaits. Le temps et les efforts que vous investirez vous apporteront certainement des bénéfices à long terme.

LE SERPENT DE TERRE

Le Serpent de Terre a vécu de nombreux changements au cours des dernières années. Plusieurs auront été favorables, mais il a aussi connu ses déceptions et ses frustrations. La chance promet de lui sourire davantage au cours de l'année du Lièvre.

Les relations que les Serpents de Terre entretiennent avec les autres seront particulièrement importantes. Leur amour envers une autre personne pourra en enflammer plusieurs et ajouter des étincelles dans leur regard. Des changements favorables auront lieu et ils devront prendre des décisions majeures. Cupidon sourira aux célibataires et sa flèche pourrait les frapper à tout moment. Plusieurs trouveront enfin leur âme sœur et seront réconfortés par l'amour d'une personne très spéciale. Cette histoire sentimentale pourrait commencer d'une façon inattendue, comme si la vie avait tout arrangé pour que cette rencontre ait lieu.

En plus des affaires de cœur qui prendront beaucoup de place cette année, le Serpent de Terre aura l'occasion de faire plusieurs rencontres. Il pourra élargir son cercle d'amis en s'associant à de nouvelles personnes au travail, dans ses loisirs ou à l'occasion de changements de circonstances. Même si plusieurs Serpents de Terre sont plutôt réservés de nature, ils devront absolument profiter des invitations qui leur seront faites au cours des prochains mois. Mars, avril, juillet, août et décembre seront très prenants sur le plan social et favoriseront les rencontres agréables.

Même si sa vie mondaine et ses relations lui procureront beaucoup de bonheur, le Serpent de Terre devra demeurer vigilant et éviter de se mettre dans une situation potentiellement délicate. Une indiscrétion pourrait lui causer beaucoup de tort. Serpents de Terre, prenez-en note.

Étant donné qu'il devra prendre des décisions cette année, le Serpent de Terre aurait intérêt à en parler avec les membres de sa famille les plus proches plutôt que jongler seul avec ses pensées et ses incertitudes. Il aura la chance de les aider à son tour en leur donnant un coup de main. Ses relations familiales seront significatives et utiles, mais il devra être à l'écoute et collaborer avec ses proches.

Le Serpent de Terre aura la chance de voyager et il prendra plaisir à planifier son aventure de rêve. En plus de ses vacances, il appréciera ses week-ends ainsi que les congés qui lui permettront de s'adonner à diverses activités qui lui feront du bien.

L'année du Lièvre favorisera la culture et l'apprentissage, et le Serpent de Terre sera bien placé pour en bénéficier. De nature curieuse et ambitieuse, il devrait profiter de toute occasion pour parfaire ses connaissances et ses compétences. Cette plongée dans les études lui permettra d'améliorer sa situation et ses perspectives d'avenir. Ceux qui étudient pour obtenir un diplôme feront de grandes percées cette année et leur nouveau bagage de connaissances les servira tout au long de leur vie.

Les Serpents de Terre qui ont un emploi voudront peut-être élargir leurs horizons, hériter d'un poste plus prestigieux ou se renseigner sur d'autres aspects de leur métier ou de leur profession. Grâce à leur bonne volonté et à leur engagement sincère, ils feront croître leurs connaissances et leur expérience du travail et parviendront à impressionner leurs collègues plus âgés. L'année du Lièvre sera idéale à leur développement et contribuera à établir leur bonne réputation.

Les Serpents de Terre qui rêvent de trouver un emploi ou de changer de poste auront de quoi les satisfaire cette année. Même si le climat économique ne leur permettra pas de toujours faire ce qu'ils veulent, en élargissant leurs horizons et en étant prêts à se perfectionner et à accepter un poste temporaire, ils seront en bonne posture pour saisir la chance au vol lorsqu'elle se présentera. Ils pourront vivre des changements importants en février, du début d'avril au début de juin ainsi que pendant le mois de septembre.

La nature encourageante de l'année favorisera aussi les loisirs du Serpent de Terre. En consacrant du temps à ses activités préférées, il en tirera beaucoup de plaisir. Ses activités créatrices pourront se transformer de manière excitante et, s'il accepte que d'autres se joignent à lui ou de faire appel à des spécialistes dans le domaine, il en récoltera un plaisir immense.

Dans le domaine financier, il devra garder l'œil ouvert sur ses dépenses. Sa vie sociale, ses diverses activités, ses projets de voyages et ses autres engagements exigeront une bonne gestion de ses avoirs. S'il vit une incertitude dans le domaine financier, il devra demander l'avis d'un professionnel qui l'aidera à clarifier les tenants et les aboutissants en question.

L'année du Lièvre pourrait être dynamique et excitante sur le plan personnel. Le Serpent de Terre pourra acquérir de nouvelles expériences (et parfois de nouvelles qualifications), mais c'est sa vie privée qui lui procurera le plus grand plaisir. Il devrait se mettre en valeur et tirer profit de ses atouts en plus de profiter de ses immenses talents.

Conseil pour l'année

C'est le temps de parfaire vos compétences et vos connaissances. Cela vous profitera dès maintenant et vous préparera convenablement pour des occasions futures. Sachez apprécier les gens qui vous entourent et savourez pleinement leur présence et leur soutien. Vos relations avec les autres pourraient revêtir une importance toute spéciale cette année. Chérissez-les.

Des Serpents célèbres

Mohammed Ali, René Angélil, Le frère André, Yasser Arafat, Denys Arcand, Kim Basinger, Charles Baudelaire, Emmanuelle Béart, Bjork, Éric Bernier, Céline Bonnier, Denis Bouchard, Benoît Brière, Sophie Cadieux, Corneille, Xavier Dolan, Dostoïevski, Marcel Dubé, Michel Dumont, Anne-Marie Dussault, Bob Dylan, Françoise Faucher, Marc Favreau, Margie Gillis, Nancy Houston, Danny Laferrière, Antonine Maillet, Nathalie Mallette, André Mathieu, Claude Nougaro, Aristote Onassis, Jacqueline Onassis, Béatrice Picard, Pablo Picasso, Brad Pitt, Daniel Radcliffe, Franklin D. Roosevelt, Mickey Rourke, Patrick Roy, Jean-Paul Sartre, André Sauvé, Franz Schubert, Brooke Shields, Paul Simon, Marie-Jo Thériault, Sylvie Tremblay, Shania Twain, Armand Vaillancourt, Charlie Watts, Oprah Winfrey, Virginia Woolf.

Le Cheval

25 JANVIER 1906 – 12 FÉVRIER 1907	Cheval de Feu
11 FÉVRIER 1918 – 31 JANVIER 1919	Cheval de Terre
30 JANVIER 1930 – 16 FÉVRIER 1931	Cheval de Métal
15 FÉVRIER 1942 – 4 FÉVRIER 1943	Cheval d'Eau
3 FÉVRIER 1954 – 23 JANVIER 1955	Cheval de Bois
21 JANVIER 1966 – 8 FÉVRIER 1967	Cheval de Feu
7 FÉVRIER 1978 – 27 JANVIER 1979	Cheval de Terre
27 JANVIER 1990 – 14 FÉVRIER 1991	Cheval de Métal
12 FÉVRIER 2002 – 31 JANVIER 2003	Cheval d'Eau

La personnalité du Cheval

Dans la vie, on peut emprunter plusieurs sentiers.
Toutefois, le plus satisfaisant est souvent celui
que l'on défriche soi-même.

Le Cheval est né sous le double signe de l'élégance et de la fougue. Sa personnalité attachante et son charme lui assurent une grande popularité. Étant lui-même fort sociable, il adore les soirées entre amis, les réceptions et autres activités mondaines qui lui donnent l'occasion de fréquenter ses semblables.

Où qu'il soit, il n'est pas rare que le Cheval soit le boute-en-train de l'assemblée. Doté d'excellentes qualités de leadership, il se fait également apprécier par son honnêteté et ses manières franches. Cet orateur éloquent, versé dans l'art de la persuasion, n'aime rien de mieux qu'un bon débat. Son esprit vif et agile, de surcroît, lui permet d'assimiler les choses en un temps record.

Le Cheval, cependant, est aussi un être au caractère irascible et, bien que ses emportements soient passagers, il lui arrive de regretter ses propos. De plus, il a peine à garder les secrets d'autrui, la discrétion n'étant pas au nombre de ses qualités.

Les centres d'intérêt du Cheval sont multiples, tout comme les activités auxquelles il prend part. D'ailleurs, il ne sait parfois plus où donner de la tête tant elles sont nombreuses, et peut gaspiller ses énergies sur des projets qu'il n'a jamais le temps de compléter. Le Cheval a également tendance à être versatile, aussi ses objets de fascination sont-ils quelquefois de courte durée, se succédant au gré des modes.

Une marge de liberté et d'indépendance est nécessaire au natif de ce signe. À vrai dire, il se trouve fort mal disposé à l'égard des règles et directives qu'on pourrait tenter de lui faire suivre ; il préfère de loin n'avoir de comptes à rendre à personne. Malgré son côté rebelle, il aime se sentir entouré, encouragé et soutenu dans ses entreprises.

Grâce à ses nombreux talents et à son caractère avenant, le Cheval peut aller loin dans la vie. C'est un amateur de défis, un travailleur méthodique et infatigable. Néanmoins, s'il s'avère que les événements jouent contre lui et que certains projets échouent, il faudra du temps au natif de ce signe pour se remettre d'aplomb et entamer un nouveau départ. En effet, le Cheval vit pour réussir ; à ses yeux, échouer est une terrible humiliation.

Le natif aime que sa vie soit variée. Il tâte souvent de plusieurs métiers avant de fixer son choix et, même par la suite, reste à l'affût de nouvelles avenues alléchantes. À vrai dire, il est d'un naturel agité et a besoin d'action, à défaut de quoi il s'ennuie facilement. Il excelle toutefois dans les postes lui accordant toute latitude pour exercer son esprit d'initiative ou privilégiant les relations interpersonnelles.

Bien que le Cheval se préoccupe fort peu d'accumuler les richesses, c'est avec soin qu'il gère ses finances, aussi est-il rare qu'il connaisse de sérieuses difficultés sur ce plan.

Le Cheval est également un voyageur chevronné attiré par les lieux inconnus ou les contrées éloignées. Un jour ou l'autre, il sera tenté de s'établir à l'étranger pour quelque temps et, grâce à sa faculté d'adaptation, il se sentira chez lui où qu'il aille.

Portant un soin tout particulier à son apparence, le natif de ce signe a une prédilection pour les tenues élégantes, colorées et originales. Il connaît un grand succès auprès du sexe opposé et vivra souvent nombre d'aventures galantes avant de s'assagir. Loyal et protecteur envers son partenaire, le Cheval tient toutefois, en dépit de ses engagements familiaux, à conserver son indépendance et à jouir d'une liberté suffisante pour cultiver ses champs d'intérêt et s'adonner à ses loisirs. Il s'entend à merveille avec les natifs du Tigre, de la Chèvre, du Coq et du Chien. Se révèle également positive l'alliance avec le Lièvre, le Dragon, le Serpent, le Cochon et un autre Cheval, tandis que le côté sérieux et intolérant du Bœuf en fait un partenaire peu approprié. De même, le Cheval s'accorde malaisément avec le Singe et le Rat; le premier étant fort curieux et le second ayant besoin de sécurité, ils n'apprécieront aucunement ce compagnon qui se veut libre comme l'air.

La femme Cheval, généralement fort séduisante, est sympathique et ouverte aux autres. Douée d'une grande intelligence, elle s'intéresse à quantité de choses et ne laisse rien de ce qui se passe autour d'elle lui échapper. Les activités de plein air, les sports et le conditionnement physique lui procurent un vif plaisir. Elle aime également les voyages, la littérature et les arts, et brille dans la conversation.

Bien que le Cheval puisse se montrer têtu et un tantinet égocentrique, il reste qu'il a une nature attentionnée et offre volontiers son aide. Il jouit également d'un excellent sens de l'humour et sait faire bonne impression partout. S'il parvient à contenir sa fébrilité et à maîtriser son tempérament colérique, il nouera de belles amitiés, occupera son temps à de multiples activités et, en règle générale, atteindra la majeure partie de ses buts. Sa vie sera tout sauf ennuyante.

Les cinq types de Chevaux

Cinq éléments, soit le Métal, l'Eau, le Bois, le Feu et la Terre, viennent tempérer ou renforcer les douze signes du zodiaque chinois. Les effets de ces éléments sont décrits ci-après, accompagnés des années où ils dominent. Ainsi, les Chevaux nés en 1930 et en 1990 sont des Chevaux de Métal, ceux de 1942 et de 2002 sont des Chevaux d'Eau, etc.

Le Cheval de Métal (1930, 1990)

Chez le Cheval de Métal se marient l'audace, la confiance et la franchise. Ce natif est un innovateur de premier ordre qui ne manque pas non plus d'ambition. Aimant les défis, il prendra un plaisir tout particulier à résoudre des problèmes complexes. Le Cheval de Métal a toutefois soif d'indépendance et ne voit pas d'un bon œil qu'on mette le nez dans ses affaires. Il peut se montrer charmant, voire charismatique, mais tout aussi bien têtu et quelque peu irritable. Il compte généralement de nombreux amis et mène une vie sociale des plus actives.

Le Cheval d'Eau (1942, 2002)

Doté d'une nature amicale et d'un bon sens de l'humour, le Cheval d'Eau a également une excellente culture générale. Se montrant aussi habile en affaires, il saisit promptement les occasions avantageuses qui surviennent. Cependant, sa tendance à l'éparpillement tout comme l'inconstance de ses centres d'intérêt, et parfois même de ses décisions, peuvent jouer à son détriment. Le Cheval d'Eau est néanmoins bourré de talents, aussi est-il souvent promis à un grand avenir. Soucieux de son apparence, il s'habille avec goût et élégance. Les voyages le passionnent et il s'adonne volontiers aux activités sportives et de plein air.

Le Cheval de Bois (1954)

Plein de gentillesse, d'agréable compagnie, le Cheval de Bois est un habile communicateur et, tout comme le Cheval d'Eau, il possède une excellente culture générale. Ce travailleur acharné et consciencieux s'attire invariablement l'estime de ses amis et collègues. On recherche fréquemment son opinion, et son imagination fertile donne naissance à des idées aussi originales que pratiques. Le Cheval de Bois aime mener une vie sociale dynamique. Il peut également se montrer fort généreux et a un sens moral poussé.

Le Cheval de Feu (1906, 1966)

L'élément Feu, lorsqu'il s'associe au tempérament du Cheval, produit l'une des forces les plus extraordinaires du zodiaque chinois.

Le Cheval de Feu est promis à une existence trépidante ; il n'est pas rare qu'il laisse sa marque dans le domaine professionnel qu'il a choisi. Sa forte personnalité, son intelligence ainsi que sa détermination lui valent de nombreux appuis et l'admiration de tous. Le Cheval de Feu aime par-dessus tout l'action, l'aventure ; aussi sa vie ne sera-t-elle pas sous le signe de la tranquillité. Il lui arrive toutefois d'exprimer ses opinions sans ménagement et, en règle générale, il tolère mal qu'on s'immisce dans ses affaires ; il n'aime pas davantage obéir aux ordres. C'est un personnage haut en couleur, plein d'humour, et qui a une vie sociale bien remplie.

Le Cheval de Terre (1918, 1978)

Le Cheval de Terre est plein d'égards et d'affection pour autrui. Plus enclin à la prudence que les autres Chevaux, il se révèle également fort sage, perspicace et capable. Quoiqu'il soit parfois indécis, il est doué d'un sens aigu des affaires et sait jouer de finesse sur le plan financier. Sa nature tranquille et amicale lui vaut l'appréciation de sa famille et de ses amis.

Perspectives pour 2011

L'année du Tigre (du 14 février 2010 au 2 février 2011) a été marquée par une certaine vitalité dont le Cheval a su bien profiter, lui qui a été très sollicité au cours de cette période. Plusieurs Chevaux ont connu une vie mondaine en pleine expansion au cours des derniers mois et ils ont pu faire des percées remarquables dans le domaine du travail et dans la concrétisation de certains projets.

Au cours des derniers mois de l'année du Tigre, le Cheval continuera d'être fort affairé. Sa vie sociale sera toujours très animée et, au cours des derniers mois de l'année du Tigre, il rencontrera et impressionnera plusieurs personnes. Il y aura aussi de l'amour dans l'air pour les célibataires.

Au foyer, l'activité sera accrue et il faudra souvent prendre des décisions rapidement. Cette période sera bien remplie et électrisante même si le Cheval devra mettre de l'eau dans son vin au sujet de certains arrangements.

À cause de toute cette effervescence, le Cheval aura de nombreuses dépenses et il devra faire attention aux sorties d'argent. Une bonne solution consisterait à répartir ses achats les plus importants.

Ce sera un bon temps pour user de ses forces tout en gardant un œil ouvert sur les bonnes occasions et en allant au bout de ses idées dans les domaines professionnel et personnel. Son esprit d'initiative et son savoir-faire lui rapporteront de belles récompenses. Les Chevaux qui cherchent activement du travail devraient sauter sur les bonnes occasions sans hésiter et le fait de postuler un emploi avec empressement sera un atout certain.

L'année du Tigre aura été plutôt animée pour le Cheval et il se sera plutôt bien tiré d'affaire.

L'année du Lièvre commencera le 3 février 2011 et elle sera plutôt encourageante pour le Cheval. Grâce à son aptitude à se concentrer sur ses objectifs et à sa volonté de se mettre en valeur (le Cheval est reconnu pour sa nature industrieuse et dynamique), il pourra faire un bon bout de chemin à la condition de rester bien concentré. Même si la chance sera de son côté, il ne devra pas être trop indépendant au moment d'agir ni prendre de risques inconsidérés. Natifs du signe du Cheval, prenez-en bien note. Les présages vous sont favorables, mais la hâte et les gestes intempestifs pourraient saper vos efforts.

Au travail, le Cheval pourrait profiter de changements inattendus fort intéressants. Grâce à des accomplissements récents, il aura la chance de gravir les échelons. Cela pourrait aussi être dû à une restructuration, à de nouveaux projets ou au départ de collègues qui laisseront ainsi leurs postes vacants. Tout au long de l'année, le Cheval sera en bonne position pour aller de l'avant, entre autres grâce à sa réputation et à sa bonne connaissance du fonctionnement de l'entreprise. Il sera aussi important qu'il s'adapte aux nouvelles façons de faire, qu'il élargisse ses champs de compétence et qu'il suive les formations requises. En étant conscient de sa tendance à vouloir faire cavalier seul et en acceptant les choses *telles qu'elles sont* plutôt que de penser à comment elles devraient être, il mettra toutes les chances de son côté. Mars, mai, septembre et octobre pourraient être le théâtre de changements importants, mais en demeurant vigilant et bien renseigné, le Cheval pourra repérer les bonnes occasions dans la plupart des cas.

L'année sera aussi de bon augure pour les Chevaux qui ont envie de changer d'entreprise ou de trouver un emploi. Une fois encore, le natif de ce signe devra être flexible, alerte et persévérant. Grâce à ses efforts et à sa détermination, il pourra obtenir ce qu'il souhaite et ce sera bien mérité.

L'année du Lièvre donnera aussi la chance au Cheval d'acquérir de nouvelles compétences et de prendre de l'expérience. Qu'il hérite de nouvelles responsabilités ou profite de nouvelles occasions, s'il se sent prêt à développer son apprentissage il sera en mesure d'accomplir plus de choses tout en se préparant pour les changements à venir. Les derniers mois de l'année du Lièvre seront certainement porteurs de transformation.

Au travail, les progrès du Cheval pourraient lui valoir une modeste augmentation de salaire, mais il ne devra pas négliger de veiller sur ses avoirs avec vigilance. S'il souhaite faire un achat important, il devrait prendre le temps d'évaluer les diverses possibilités. S'il doit emprunter, il devra obligatoirement se renseigner sur tous les tenants et aboutissants avec soin. Lorsqu'il fait du lèche-vitrine, il devrait éviter de faire des achats impulsifs qui pourraient s'accumuler rapidement. Sur le plan des relations, sa vie sera souvent active et il pourrait être tenté de dépenser plus qu'il ne devrait. L'année sera convenable sur le plan financier, mais il devra tenir les cordons de la bourse bien serrés.

Le Cheval sait user judicieusement de son temps et il aura des projets plein la tête au cours de l'année du Lièvre. Ses loisirs lui procureront beaucoup de plaisir, surtout s'il s'agit d'activités extérieures ou qui mettent en valeur ses diverses compétences. Plusieurs Chevaux pourraient jouer un rôle important dans le cadre de ces rencontres. Ceux qui sont membres d'une société ou d'un groupe pourraient être appelés à s'engager davantage tandis que d'autres pourraient servir leur communauté à leur manière par des œuvres caritatives ou autres.

Plusieurs Chevaux prendront mieux soin d'eux-mêmes cette année. Ce sera un bon moment pour commencer un programme de mise en forme ou faire des changements positifs sur le plan alimentaire.

La vie sociale du Cheval sera généralement satisfaisante, surtout en mai, juin, août, septembre et décembre. Il vivra de nouvelles rencontres à profusion, mais les célibataires ne trouveront peut-être pas le grand amour cette année. Une histoire sentimentale pourrait aller à la dérive à cause d'une divergence d'opinions qui mènera à une rupture. Au lieu de s'enflammer trop rapidement au début d'une nouvelle relation amoureuse, le Cheval devrait faire preuve de patience et laisser la vie suivre son cours. Plusieurs Chevaux trouveront le bonheur cette année, mais d'autres seront moins fortunés sur le plan sentimental. Ceux qui sont déjà en couple gagneront à renforcer leur relation et à favoriser le soutien mutuel avec leur conjoint. Ce sont les nouvelles histoires d'amour qui risquent d'être plus problématiques.

La vie domestique du Cheval pourra toutefois être une véritable source de bonheur. Plusieurs natifs de ce signe verront un nouveau membre s'ajouter à leur famille ou auront l'occasion de participer à un événement visant à souligner une réussite particulière. Même si le Cheval sera très engagé dans ses propres activités et responsabilités, il devra veiller à ce que ses relations avec ses proches procurent de la satisfaction à chacun. En leur accordant du temps, il favorisera la communication avec les siens.

L'année du Lièvre sera généralement agréable et positive pour le Cheval. Au travail, il aura souvent la chance de prendre de l'expérience et d'endosser de plus grandes responsabilités. Ce qu'il entreprendra maintenant le préparera sans aucun doute pour les succès qu'il connaîtra au cours des prochaines années. Ses loisirs et ses activités récréatives lui procureront de la joie et, sur le plan personnel, il jouira d'une grande popularité. Sa vie familiale et mondaine sera bien remplie et, en acceptant de joindre ses efforts à ceux de ses proches, il connaîtra une grande satisfaction. L'année sera particulièrement propice à la croissance personnelle et il n'en tient qu'au Cheval de rester actif et de bâtir son présent et son avenir en misant sur ses nombreux talents.

Le Cheval de Métal

L'année sera bien remplie pour le Cheval de Métal. Même si ses projets ne se concrétiseront pas toujours comme il l'aurait souhaité, il pourra profiter de nombreuses occasions favorables tout au long de l'année. Il devra toutefois demeurer vigilant, flexible *et* s'engager à fond dans toutes ses entreprises.

Ce sera un temps particulièrement significatif pour les natifs de ce signe qui sont aux études. Ils pourront y accorder beaucoup de temps et d'attention tout en se préparant pour leur avenir. Certains savent peut-être déjà vers quel domaine ils souhaitent s'orienter, et les indécis gagneront à consulter les professeurs et les conseillers les plus aptes à les aider. Des décisions importantes devront être prises au cours de l'année du Lièvre.

Même si le Cheval de Métal aura beaucoup de pression sur les épaules dans le cadre de ses études, il en récoltera de nombreux bienfaits s'il sait rester discipliné et user judicieusement de son temps.

L'année du Lièvre pourrait aussi lui offrir d'autres possibilités. Il pourra devenir membre de clubs, de groupes ou d'associations récréatives qui lui permettront de mettre ses talents en valeur tout en s'amusant. Ceux qui ont un esprit créatif seront particulièrement inspirés et verront leurs talents enfin reconnus et appréciés. L'année du Lièvre a plusieurs bonnes choses en réserve pour le Cheval de Métal et il devrait faire tout en son pouvoir pour en profiter pleinement.

Les Chevaux de Métal qui ont un emploi pourront parfaire leurs compétences et leur expertise en ayant l'espoir de se voir confier de plus grandes responsabilités. Un grand éventail de choix leur sera offert et ils devront sauter sur l'occasion pour être bien préparés et se mettre de l'avant. Plusieurs seront encouragés par des aînés et informés des choix de carrières qu'ils pourraient considérer avec plus de sérieux. Cette année, le Cheval de Métal en impressionnera plusieurs et il saura tirer son épingle du jeu.

Les Chevaux de Métal qui cherchent un emploi devront faire montre de persévérance et de flexibilité. La compétition sera féroce pour certains postes et il n'aura pas le choix de vanter son expérience, ses forces et sa soif d'apprendre. Il ne sera probablement pas facile de trouver un job stable, mais une fois qu'il aura gravi le premier échelon, rien ne pourra plus freiner son ascension. Les vents lui seront surtout favorables en mars, mai et septembre, ainsi qu'au début de novembre, mais tout au long de l'année il pourrait recevoir des nouvelles encourageantes dans le domaine du travail.

Au cours de la prochaine année, il aura de nombreuses dépenses liées aux voyages, à l'achat d'équipement pour son travail ou ses loisirs, au logement, au transport ou aux sorties. En respectant un budget strict, il sera heureux de voir tout ce qu'il est en mesure de faire, mais il devra absolument tenir les cordons de la bourse bien serrés.

Sur le plan social, le Cheval de Métal sera plus sollicité que jamais et il sera souvent invité à célébrer avec ses amis. L'année sera dynamique et agréable, mais les affaires de cœur seront plus compliquées. Lorsqu'il rencontre une personne qui fait battre son cœur, il devrait être patient et laisser le temps faire les choses plutôt que de bâtir des châteaux en Espagne. Si la relation est vraiment faite pour durer, ils auront eu le temps de mieux se connaître sans s'imposer des contraintes inutiles. Mai, juin, août, septembre et décembre seront très intenses dans le domaine des relations.

Le Cheval jouit d'une nature aventureuse et plusieurs natifs de ce signe rêveront de voyages cette année. Ils auront intérêt à bien les planifier et à faire des économies en prévision de leur départ.

Comme tous les autres Chevaux, le Cheval de Métal chérit son indépendance et il n'est pas toujours prêt à parler de ses préoccupations ou des décisions qu'il s'apprête à prendre. Il devrait toutefois profiter des prochains mois pour surmonter ses réticences. En discutant avec sa famille et ses meilleurs amis des choix qui s'offrent à lui, il pourra bénéficier de leur soutien et de leurs conseils tout en facilitant une meilleure communication avec eux. Au foyer, sa générosité sera très appréciée s'il participe à certaines tâches et s'il a le loisir de donner un coup de main à une personne qui vit des heures difficiles. Il vivra aussi des moments spéciaux, dont des célébrations pour souligner son vingt-et-unième anniversaire de naissance.

L'année du Lièvre est très prometteuse pour le Cheval de Métal puisqu'il pourra mieux mettre à profit ses compétences et ses connaissances. En ayant confiance en son potentiel et en s'engageant avec sérieux, il récoltera des fruits dès cette année tout en se préparant pour son avenir. Ses loisirs et sa vie sociale le combleront même si la voie de l'amour sera parfois cahoteuse. L'année sera toutefois un succès sur le plan personnel.

Conseil pour l'année

Réfléchissez à votre avenir. Les suggestions qui vous sont faites et les occasions qui se présentent maintenant prendront une grande valeur avec le temps. Développez vos talents particuliers, surtout s'ils sont liés à vos centres d'intérêt. Vous en récolterez beaucoup de plaisir ainsi que de réels bienfaits.

LE CHEVAL D'EAU

Le Cheval d'Eau appréciera la nature plus sédentaire de l'année du Lièvre. Au lieu d'être tendu et stressé par un surplus d'activités, il apprendra à savourer la joie du contentement.

Au foyer, il vivra des moments très significatifs et il aura le loisir d'élaborer des plans intéressants en étant ouvert et communicatif. Il pourra ajouter du confort ou apporter des améliorations à sa demeure. Lui et les siens s'amuseront à faire leurs choix ensemble et ils sauront profiter des bienfaits qui s'ensuivront. Les Chevaux d'Eau qui aiment jardiner s'amuseront à passer du temps à l'extérieur et à contempler leur œuvre.

Le Cheval d'Eau prendra aussi plaisir à partager ses activités en faisant des voyages organisés ou en se joignant à un groupe. S'il y a des endroits à visiter dans sa région ou si certains loisirs le tentent tout spécialement, il devrait suivre son cœur. Les actions positives, surtout si elles sont accomplies avec d'autres personnes, le récompenseront de belle façon.

Il s'intéressera aussi aux activités des membres de sa famille et donnera un coup de main à des proches qui ont de jeunes enfants. Des changements familiaux lui feront chaud au cœur. L'eau étant son élément, il est un communicateur efficace et les membres de sa famille apprécieront ses réflexions, ses points de vue et ses talents pour la conversation. Les choses iront rondement, mais s'il se sent craintif ou préoccupé, il devrait se faire un devoir de demander conseil. Il pourra trouver des solutions rapidement afin de mettre un terme à ses difficultés. Une fois encore, son ouverture d'esprit et son sens du partage profiteront à tout son entourage.

Le Cheval d'Eau aura le loisir de voyager cette année. En plus de visiter des lieux intéressants près de chez lui, il pourrait être tenté par une offre irrésistible et savourer diverses activités. L'année du Lièvre sera particulièrement satisfaisante pour lui puisque ses idées prendront forme et que la chance lui sourira plus souvent qu'à son tour.

De nature curieuse, le Cheval d'Eau s'intéressera à mille et une choses. Il voudra peut-être s'inscrire à un cours pour étudier un tout nouveau sujet ou développer une compétence précise. Dans un tel cas, il se laissera vite absorber par sa nouvelle passion. Les natifs de ce signe qui aimeraient faire plus d'exercice ou améliorer leur régime alimentaire pourront faire des changements profitables à condition de demander conseil à une personne compétente.

Plusieurs activités du Cheval d'Eau revêtiront un aspect social cette année. Il pourrait s'agir de voyages et de nouveaux centres d'intérêt passionnants. Les natifs de ce signe qui sont membres d'un groupe local pourraient être invités à s'engager davantage tandis que les autres pourraient participer à des œuvres caritatives ou à faire campagne pour une cause. Pour ceux qui se sentent seuls parce qu'ils vivent dans une nouvelle communauté ou à cause d'un changement de circonstances, le moment est venu de participer à des activités locales et à adopter des centres d'intérêt qui leur permettront de rencontrer d'autres personnes. Toute action positive sera récompensée à sa juste valeur et il n'en tiendra qu'à eux d'avoir un bon esprit d'initiative. Mai, juin, août, septembre et décembre seront particulièrement animés sur le plan social.

Le Cheval d'Eau vivra aussi des changements positifs sur le plan financier. Il pourrait avoir droit à des prestations ou à des revenus additionnels, recevoir un cadeau ou bénéficier d'une police qui viendra à échéance. Tous ces extras seront bienvenus à cause de tous les projets et de tous les espoirs qu'il a en tête. Il devra toutefois faire montre de prudence au moment de faire ses achats et traiter toute correspondance administrative avec soin. Il devrait consulter une personne compétente pour tout papier officiel insuffisamment clair. S'il procède avec minutie et pleine attention tout en sachant profiter de l'aide disponible et de sa bonne fortune, il connaîtra une meilleure année sur le plan économique.

L'année du Lièvre est des plus prometteuses pour le Cheval d'Eau. Grâce à sa nature curieuse et enthousiaste, il appréciera la plupart des choses qu'il entreprendra. Sa vie familiale et mondaine sera une immense source de plaisir et ses loisirs, qu'ils soient nouveaux ou non, seront satisfaisants et lui rapporteront de nombreux bienfaits. Il devra saisir la chance au vol chaque fois qu'elle passera dans sa vie et continuer d'apprécier les belles choses qui seront placées sur sa route.

Conseil pour l'année

Profitez du moment présent. Donnez vie à vos idées, à vos projets et à vos rêves. En faisant preuve de bonne volonté et grâce au soutien des autres, vous vivrez une année satisfaisante et agréable. Faites-en bon usage.

LE CHEVAL DE BOIS

Le Cheval de Bois a vécu de nombreuses expériences au cours des dernières années. Il aura connu des succès personnels et des heures de gloire, mais aussi des reculs, des déceptions et du stress. Plusieurs se sentiront soulagés au début de l'année du Lièvre. Les prochains mois les pousseront davantage à la sédentarité et mettront de bonnes occasions sur leur chemin. Ce sera le temps idéal pour se consacrer au moment présent et à l'avenir immédiat plutôt que de ruminer inutilement des regrets et des déceptions stériles.

Alors que l'année commence, le Cheval de Bois devrait prendre le temps de réfléchir à ses aspirations véritables. Lorsqu'il a des buts précis, il use plus efficacement de son temps et de son énergie tout en profitant des heureux hasards et de sa bonne fortune. Il sera *certainement* récompensé pour les actions qu'il accomplira avec détermination.

Il fera des percées notables dans le domaine de la croissance personnelle. Il pourra songer à la façon dont il pourrait bâtir son avenir en mettant en lumière ses connaissances et ses compétences.

En consacrant une partie de son temps aux études, en s'inscrivant à un cours ou en s'adonnant à un nouveau passe-temps – c'est-à-dire en se fixant un objectif précis –, il en tirera des bénéfices personnels et pourra progresser convenablement.

En faisant des plans pour son année, il pourrait avoir envie de faire des travaux dans sa maison ou son jardin. Il pourrait aussi rêver de travail sur soi en suivant un régime, en faisant plus d'exercice ou adoptant un mode de vie mieux balancé. En se fixant des objectifs bien nets, il sera mieux en mesure de profiter des prochains mois.

Au travail, l'année du Lièvre lui fera vivre des changements qui seront bienvenus. S'il est bien établi dans sa carrière, il aura la chance d'aller plus loin grâce à son expertise, probablement en relevant de nouveau défis plus exigeants. Son expérience et ses compétences seront de grands atouts. Même s'il est doué dans un certain domaine, il devra se tenir informé des changements qui affectent son univers professionnel. Il devra peut-être s'adapter en apprenant de nouvelles techniques. Grâce à son sens de l'engagement et à une certaine flexibilité, il pourra faire des progrès tout au long de l'année.

Pour les Chevaux de Bois qui chercheront du travail au début ou pendant l'année du Lièvre, les événements pourraient prendre une tournure surprenante. En restant vigilants et en ouvrant leurs horizons, ils pourront profiter d'occasions inattendues, peut-être en acceptant un emploi stable dont ils n'osaient plus rêver ou en étant informés par hasard à propos d'un poste vacant.

Les emplois qui leur seront proposés pourraient exiger de leur part une période d'apprentissage et d'ajustement, mais ils seront suffisamment déterminés pour faire leurs preuves de façons tout à fait nouvelles. L'année du Lièvre leur demandera des efforts et un sens de l'engagement sincère, mais les bonnes occasions qu'elle apportera seront significatives. En demeurant vigilant et persévérant, le Cheval de Bois pourra se voir offrir de nouvelles possibilités pendant presque toute l'année, mais les mois de mars et mai, ainsi que la période allant de septembre au début de novembre, pourraient être riches en rebondissements.

Les percées que le Cheval de Bois fera au travail pourront l'aider financièrement et plusieurs natifs de ce signe gagneront un supplément cette année. Toutefois, pour bien en profiter, ils devront surveiller leurs dépenses et faire des économies en prévision de l'achat d'équipements spécialisés. S'ils usent de discipline et de contrôle, ils amélioreront leur sort, mais une bonne gestion sera nécessaire en tout temps. Ils devront aussi traiter toute correspondance liée au domaine économique avec soin et diligence. Un délai ou une erreur d'inattention pourrait les léser. Chevaux de Bois, prenez-en note. La discipline devra impérativement être à l'ordre du jour en matière économique.

L'année du Lièvre sera satisfaisante sur le plan personnel et le temps qu'ils consacreront à leurs loisirs leur procurera une immense joie. Ce sera un temps idéal pour développer leurs idées et parfaire leurs compétences. Certains natifs de ce signe prendront plaisir à se joindre à un groupe local composé de personnes passionnées par un sujet particulier ou s'amuseront à participer à des événements ou à des expositions.

L'année sera aussi propice aux voyages et ils auront parfois des occasions de dernière minute. S'ils savent profiter de ces « cadeaux du ciel », ils ne regretteront pas ces vacances imprévues. Encore une fois, ils tireront avantage d'une bonne planification financière effectuée dès les premiers mois de l'année.

Le Cheval de Bois sera honoré de l'aide qu'il recevra cette année. Ses amis et ses relations pourraient l'informer de bonnes occasions ou lui faire des suggestions utiles. Il appréciera les conversations animées et les bons moments qu'il partagera avec eux. Sa vie mondaine sera bien remplie en mai, juin, septembre et décembre ainsi qu'au début de janvier.

L'année sera aussi très occupée et valorisante sur le plan familial. En planifiant ses activités, il vivra de belles choses. Il gagnera à mieux organiser ses projets, ses plans de voyages et ses rêves en général. Il pourra être plus efficace s'il discute librement de ses pensées et de ses idées. Comme le dit ce proverbe chinois : « Un travail amorcé avec soin est à moitié achevé. » Il sera donc utile qu'il fasse des plans dès le début de 2011.

Le Cheval de Bois fera tout en son pouvoir pour aider et conseiller les autres cette année et il lui arrivera parfois de parler avec candeur (il n'est pas du genre à contourner les problèmes). Malgré cela, son bon jugement sera reconnu et apprécié. De plus, le soutien qu'il apportera à certaines relations sera plus utile qu'il ne saurait l'imaginer. Au foyer, sa vie sera bien remplie et gratifiante.

En général, l'année du Lièvre sera prometteuse pour le Cheval de Bois, mais pour bien profiter de ses aspects favorables, il devra d'abord clarifier ses buts et ses priorités, puis agir en conséquence. Grâce à une bonne planification et à un bon usage de son temps et de son énergie, il pourra accomplir beaucoup de choses.

Conseil pour l'année

Choisissez ce que vous voulez faire de votre année et faites des plans précis. Vous pourrez accomplir davantage de choses en vous concentrant sur vos buts. Vos actions positives pourront être très valorisantes.

LE CHEVAL DE FEU

La nature dynamique de l'élément feu, alliée à la fougue du Cheval, a donné naissance au magnifique Cheval de Feu à la fois actif et influent. Il ne fait jamais les choses à moitié, il est intrépide et toujours prêt à donner le meilleur de lui-même. Il connaîtra une bonne année, mais il devra parfois tempérer les excès de son exubérance. Ce ne sera pas un temps pour se presser, se précipiter ou agir sur un coup de tête. Ses efforts devront être réguliers et tenaces.

Au travail, il pourrait vivre des changements intéressants. Même si plusieurs natifs de ce signe seront tentés de rester là où ils sont, l'année du Lièvre pourrait leur apporter des changements significatifs. Tandis que des collègues seront mutés ou qu'une réorganisation sera nécessaire, il aura la chance d'hériter de plus grandes responsabilités. Il ne pourra pas anticiper tout ce qui risque de bouleverser sa vie professionnelle, mais il sera en mesure de faire ses preuves différemment en acceptant de s'adapter et de se perfectionner.

Tout au long de l'année, il gagnera à travailler en étroite collaboration avec ses camarades et à exprimer clairement ses idées et ses suggestions. En s'impliquant à fond, il constatera que son travail sera plus gratifiant, que sa performance sera supérieure et que ses forces seront mises en valeur. Il sera souvent récompensé tout au long de l'année pour son esprit d'initiative. Les Chevaux de Feu gagneront à se créer un réseau solide qui les avantagera immédiatement ainsi que dans le futur.

L'année du Lièvre donnera au Cheval de Feu la chance de parfaire ses talents et ses forces. Il pourra aussi se voir confier de nouvelles tâches et être invité à maîtriser de nouvelles compétences ou à lire sur des sujets qui l'intéressent. Plusieurs natifs de ce signe voudront s'inscrire à un cours ou travailler à l'acquisition de nouvelles aptitudes professionnelles. Ce vent de changement leur sera bénéfique et leur procurera souvent une réelle satisfaction personnelle.

Ceux qui se sentent en état de stagnation professionnelle et qui ne voient pas la lumière au bout du tunnel pourraient voir le vent tourner. En parlant avec ses amis et ses relations, en consultant des services de placement et en demandant conseil, ils seront en mesure de mieux identifier les nouvelles voies qui pourraient leur convenir. En gardant l'esprit ouvert et en ayant l'audace d'embrasser de nouveaux défis, ils pourraient trouver un emploi stable qui leur ouvrira de nouveaux horizons dans l'avenir. L'année sera stimulante dans le domaine du travail et tout spécialement en mars, mai, septembre et octobre ainsi qu'en janvier 2012.

Même si plusieurs Chevaux de Feu mènent une vie très active, ils devraient réévaluer leur régime alimentaire et leur niveau d'activité. Si certaines choses laissent à désirer, ils devront consulter un professionnel de la santé afin de connaître la meilleure façon de procéder. De petits changements pourraient faire une différence notable, surtout en ce qui concerne leur niveau d'énergie.

Grâce à ses nombreux champs d'intérêt, le Cheval de Feu rencontrera plusieurs personnes et pourra nouer de solides amitiés. Mai, juin, août, septembre et décembre seront des mois particulièrement bien remplis. Les célibataires devront nourrir avec soin une nouvelle relation sentimentale. Ils pourraient être déçus s'ils en venaient à précipiter les choses ou à avoir des attentes exagérées. Chevaux de Feu, prenez-en note et laissez la vie suivre son cours sans pression et sans hâte.

Au foyer, la vie sera très active. Ceux qui ont des enfants pourraient être anxieux au moment où un jeune préparera un examen important ou prendra des décisions cruciales pour son avenir. Même si le Cheval de Feu respecte la liberté des siens, il ne devra pas hésiter à les aider et à les encourager. Lorsque des tensions ou des problèmes surgissent, une bonne conversation fera toute la différence. Il devra réserver une partie de son temps à ses activités et à ses passe-temps préférés même s'il est très occupé dans les autres sphères de sa vie. Des événements imprévus lui feront plaisir.

En matière d'argent, le Cheval de Feu devra demeurer vigilant. Même si les percées qu'il fera au travail lui vaudront des rentrées additionnelles, ses responsabilités et ses nombreuses activités lui coûteront plutôt cher et il devra tenir les cordons de la bourse très serrés. Une bonne gestion sera de mise. Il devrait hésiter avant de faire des arrangements s'il n'en connaît pas tous les tenants et aboutissants ou de faire de nombreux achats sur un coup de tête. Sa précipitation pourrait occasionner des dépenses inutiles ou l'achat de produits ou d'objets de qualité inférieure. Chevaux de Feu, prenez-en bien note.

Même si l'année du Lièvre sera plus calme que d'autres, le Cheval de Feu pourra la transformer en période constructive. Il trouvera gratifiant de parfaire ses connaissances et ses compétences tout en élargissant ses champs d'intérêt. Il pourra en récolter les fruits immédiatement ainsi que dans le futur. Il gagnera également à être affable et à se lier aux autres. L'année sera généralement positive et lui procurera des bienfaits à long terme.

Conseil pour l'année

Profitez de votre bonne fortune pour bâtir votre succès en misant sur vos compétences et vos connaissances actuelles. Acceptez les nouveaux défis. En vous adaptant et en vous mettant de l'avant, vous retirerez une grande satisfaction de la nouvelle année et vous serez dorénavant mieux préparé à faire face aux changements éventuels.

LE CHEVAL DE TERRE

Le natif de ce signe recevra de l'aide et des encouragements de sa famille, de ses amis et de ses collègues. Ses nouvelles passions pourraient lui permettre de nouer de nouvelles amitiés ou de nourrir sa vie mondaine de manière agréable. Les célibataires pourraient rencontrer une personne intéressante très rapidement, mais cette relation devra suivre son cours normal pour bien mûrir. Les pressions et les attentes inappropriées devront être évitées à tout prix. La plupart des Chevaux de Terre devraient savourer le moment présent et observer tout simplement comment la situation évolue. Mai, juin, août, septembre et décembre seront des mois bien remplis sur le plan social.

Au travail, des changements intéressants pourraient survenir. Le Cheval de Terre devra parfois modifier sa manière de travailler et il aura intérêt à bien se renseigner au sujet de ces bouleversements. En étant mieux préparé, il verra ses craintes se dissiper. Les événements qui auront lieu cette année lui permettront de pousser plus loin ses compétences. Une partie de l'année pourrait être plus contraignante sur le plan professionnel, mais l'année du Lièvre sera généralement productive et portera fruit à long terme.

L'année du Lièvre donnera aux Chevaux de Terre qui cherchent du travail ou qui sont mûrs pour un changement la chance d'utiliser leurs talents d'une nouvelle manière. En évaluant les diverses possibilités qui leur sont offertes et en discutant avec des services de placement et des proches, ils trouveront des solutions et des possibilités intéressantes. Certains natifs de ce signe voudront avoir de nouvelles qualifications tandis que d'autres songeront à se recycler ou à changer carrément de milieu de travail. L'accent devra être mis sur le développement et l'apprentissage. Ils devront aussi profiter de toutes les occasions pour se créer un réseau et s'intéresser à leur nouvelle entreprise et, le cas échéant, à leur nouvelle industrie. Les graines qui seront semées cette année porteront fruit à long terme. En commençant du bon pied, ils provoqueront des changements favorables pour plus tard. Mars, mai, septembre, octobre et janvier 2012 pourraient être le théâtre de changements majeurs au travail.

Les percées qui seront effectuées par plusieurs Chevaux de Terre pourraient faire augmenter leurs revenus. Ils devront toutefois être disciplinés dans leurs dépenses et faire très tôt des économies en prévision de leurs projets et de dépenses importantes. Plus ils contrôleront leurs dépenses, mieux ils pourront profiter de leur existence.

Au foyer, la vie sera occupée et gratifiante. Plusieurs chefs de famille vivront des événements agréables. Le Cheval de Terre sera souvent appelé à jouer un rôle central dans les affaires familiales. Il devra toutefois veiller à ce que chaque membre de la famille ait sa propre part de responsabilités ; il ne faut surtout pas qu'il prenne tout sur ses épaules. S'il se sent préoccupé, il devra être affable et s'ouvrir aux autres. Grâce à leur aide, certaines tensions pourront être apaisées et il sera plus facile de trouver des solutions aux différents problèmes. En cette année bien remplie, un bon esprit de collaboration et une communication efficace seront certainement de bons atouts.

L'année du Lièvre offrira un large éventail de possibilités au Cheval de Terre. En saisissant la chance au vol, il pourra bénéficier d'une récolte abondante. Le temps sera idéal pour parfaire ses compétences et repenser son mode de vie. Une année à la fois enrichissante et passionnante.

Conseil pour l'année

Saisissez le moment présent. Développez vos compétences et vos forces, et n'hésitez surtout pas à foncer. L'année du Lièvre vous offre un large éventail de possibilités et tout ce que vous accomplissez maintenant vous servira grandement dans l'avenir.

Des Chevaux célèbres

Neil Armstrong, Rowan Atkinson, Samuel Beckett, Ingmar Bergman, Leonard Bernstein, Dominique Briand, Pascale Bussières, Édith Cochrane, Sean Connery, Elvis Costello, Kevin Costner, Cindy Crawford, James Dean, Caroline Dhavernas, Aretha Franklin, Jean-Luc Godard, Gene Hackman, Rita Hayworth, Jimi Hendrix, Janis Joplin, Patricia Kaas, Charlotte Laurier, Pierre Lebeau, Lénine, André Melançon, Monique Mercure, Philippe Noiret, Marina Orsini, Louis Pasteur, Jacques Parizeau, Marie-Chantal Perron, Luc Plamondon, Lou Reed, Rembrandt, Jean Renoir, Isabel Richer, Theodore Roosevelt, Alexandre Soljenitsyne, Barbra Streisand, Kiefer Sutherland, Audrey Tautou, John Travolta, Michel Tremblay, Mike Tyson, Antonio Vivaldi, Denzel Washington, Billy Wilder, Michael York.

La Chèvre

13 FÉVRIER 1907 – 1er FÉVRIER 1908	Chèvre de Feu
1er FÉVRIER 1919 – 19 FÉVRIER 1920	Chèvre de Terre
17 FÉVRIER 1931 – 5 FÉVRIER 1932	Chèvre de Métal
5 FÉVRIER 1943 – 24 JANVIER 1944	Chèvre d'Eau
24 JANVIER 1955 – 11 FÉVRIER 1956	Chèvre de Bois
9 FÉVRIER 1967 – 29 JANVIER 1968	Chèvre de Feu
28 JANVIER 1979 – 15 FÉVRIER 1980	Chèvre de Terre
15 FÉVRIER 1991 – 3 FÉVRIER 1992	Chèvre de Métal
1er FÉVRIER 2003 – 21 JANVIER 2004	Chèvre d'Eau

La personnalité de la Chèvre

Apprécier la vie, malgré ses difficultés,
voilà la qualité première.

Née sous le signe de l'art, la Chèvre est dotée d'une imagination fertile et d'une grande créativité. Tout en sachant apprécier les plaisirs raffinés de la vie, c'est une personne accommodante, qui préfère évoluer dans un milieu détendu et libre de contraintes. En effet, routine et horaires rigides conviennent fort peu à son tempérament, non plus qu'un climat de discorde. Inutile de la presser d'agir contre son gré, la Chèvre ira à son rythme. Malgré son attitude plutôt décontractée face à la vie, son côté perfectionniste la pousse invariablement à donner sa pleine mesure lorsqu'elle entreprend un projet.

Moins portée à travailler seule qu'en équipe, la Chèvre attache une grande importance au soutien et à l'encouragement de son entourage. Laissée à elle-même, elle a tendance à s'inquiéter et à jeter un regard pessimiste sur les choses. Dans la mesure du possible, elle délègue la prise de décisions aux autres, se contentant de mener ses petites affaires de son côté. Mais si elle croit profondément en une cause ou doit défendre sa position, elle agira courageusement et avec à-propos.

Usant souvent de son charme pour arriver à ses fins, la Chèvre sait se montrer persuasive. Elle peut toutefois hésiter à partager ses véritables sentiments. Pourtant, une attitude plus directe l'avantagerait.

Malgré sa nature calme et réservée, la Chèvre devient souvent le boute-en-train de l'assemblée pour peu qu'elle soit entourée de gens qu'elle aime. C'est une hôtesse hors pair dont les talents d'animatrice ne se démentent jamais. On peut compter sur elle pour offrir une prestation étincelante lorsqu'elle se trouve sous les feux de la rampe, d'autant plus si elle a l'occasion de mettre à profit ses talents créateurs.

De tous les signes du zodiaque chinois, la Chèvre est assurément celui qui est le plus doué sur le plan artistique. Que ce soit dans le domaine du théâtre, de la littérature, de la musique ou des arts visuels, elle laissera sa marque. Créatrice-née, elle est au comble du bonheur lorsqu'elle se consacre à un projet faisant appel à ses talents. Mais là encore, la Chèvre travaille mieux en équipe que seule. Elle a besoin d'une source d'inspiration et d'une influence qui la guidera. Une fois sa vocation trouvée, néanmoins, il n'est pas rare qu'elle atteigne la renommée.

En plus d'être attirée par les arts, la Chèvre a généralement un fort penchant religieux ainsi qu'un intérêt marqué pour la nature, les animaux et la campagne. Elle affectionne également les sports. D'ailleurs, les natifs de ce signe se révèlent souvent des adeptes accomplis en ce domaine, ou à tout le moins de passionnés spectateurs !

N'étant pas particulièrement matérialiste, la Chèvre ne s'inquiète pas outre mesure de ses finances. En fait, la chance lui sourit sur ce plan ; aussi aura-t-elle rarement peine à boucler son budget. Disons même que son insouciance l'incitera à dépenser bien vite l'argent gagné, plutôt que de le mettre de côté pour l'avenir.

En règle générale, la Chèvre quitte la maison assez tôt, mais elle maintiendra toujours des liens solides avec ses parents et les autres membres de sa famille. Sa propension à la nostalgie est d'ailleurs bien connue, comme en témoigne son habitude de garder des souvenirs de sa jeunesse et des endroits qu'elle a visités. Sans que sa maison soit particulièrement bien rangée, elle sait où les choses se trouvent, et les lieux sont d'une propreté impeccable.

Pour la Chèvre, les affaires de cœur revêtent une grande importance ; aussi vivra-t-elle souvent moult aventures amoureuses avant de se ranger. Bien qu'elle s'adapte assez facilement, un environnement stable lui sied davantage. Elle s'entend à merveille avec le Tigre, le Cheval, le Singe, le Cochon et le Lièvre. De bons rapports sont également possibles avec le Dragon, le Serpent, le Coq et une autre Chèvre, mais elle jugera sans doute le Bœuf et le Chien trop sérieux à son goût. Les habitudes économes du Rat, quant à elles, ne lui diront rien qui vaille.

La femme Chèvre fait montre d'un dévouement exemplaire envers sa famille. Elle a un goût exquis en matière d'ameublement, et c'est avec des doigts de fée qu'elle confectionne ses vêtements et ceux de ses enfants. Prenant un soin jaloux de son apparence, elle sait plaire au sexe opposé. Bien qu'elle ne brille pas par son sens de l'organisation, sa personnalité attachante et son délicieux sens de l'humour font bonne impression partout. L'art culinaire, le jardinage et les activités de plein air comptent parmi ses loisirs de prédilection.

Gentille et compréhensive, la Chèvre gagne facilement l'amitié de ses pairs, qui se sentent généralement très bien en sa compagnie et ont vite fait de lui pardonner ses entêtements occasionnels. Moyennant le soutien et les encouragements nécessaires, la Chèvre mènera une vie heureuse et très satisfaisante. Plus elle laissera libre cours à sa créativité, mieux elle se portera.

Les cinq types de Chèvres

Le Métal, l'Eau, le Bois, le Feu et la Terre sont les cinq éléments qui viennent renforcer ou tempérer les douze signes du zodiaque chinois. Leurs effets, accompagnés des années au cours desquelles ils prédominent, sont décrits ci-après. Ainsi, les Chèvres nées en 1931 et en 1991 sont des Chèvres de Métal, celles nées en 1943 et en 2003 sont des Chèvres d'Eau, et ainsi de suite.

LA CHÈVRE DE MÉTAL (1931, 1991)

Consciencieuse dans tout ce qu'elle entreprend, la Chèvre de Métal est apte à très bien réussir dans la profession qu'elle choisit.

Toutefois, sa confiance cède facilement le pas à l'inquiétude ; aussi gagnerait-elle à partager ses préoccupations avec d'autres au lieu de tout garder pour elle. D'une loyauté indéfectible envers sa famille et ses employeurs, la Chèvre de Métal compte un petit cercle d'amis fidèles. Il n'est pas rare qu'elle excelle dans une discipline artistique, car ses talents sont remarquables. Elle aime collectionner les objets anciens et son foyer sera d'ordinaire meublé avec goût.

LA CHÈVRE D'EAU (1943, 2003)

S'attirant tout naturellement l'amitié d'autrui, la Chèvre d'Eau jouit d'une cote de popularité enviable. Si elle repère sans difficultés les bonnes occasions, son manque de confiance en elle entrave quelquefois l'atteinte de ses objectifs. Le changement n'a rien pour plaire à la Chèvre d'Eau, qui préfère de loin la stabilité tant à la maison qu'au travail. Elle s'exprime aisément, a un bon sens de l'humour et se débrouille très bien avec les enfants.

LA CHÈVRE DE BOIS (1955)

La Chèvre de Bois au grand cœur est toujours prête à faire plaisir. Elle participe à une foule d'activités et compte de nombreux amis. D'un naturel confiant, la Chèvre de Bois a toutefois tendance à acquiescer aux demandes d'autrui un peu trop facilement et il serait à son avantage de se montrer plus ferme. Les questions financières lui sont en général favorables et, comme la Chèvre d'Eau, les enfants l'adorent.

LA CHÈVRE DE FEU (1907, 1967)

Sachant ce qu'elle veut dans la vie, la Chèvre de Feu se sert souvent de ses charmes et de ses talents persuasifs pour arriver à ses fins. Elle a tendance à ne pas se préoccuper des questions qui l'importunent et peut parfois se perdre dans ses pensées et son imaginaire. Comme elle gère de façon plutôt fantaisiste et cède facilement à l'extravagance, elle aurait tout avantage à traiter ses finances avec un plus grand soin. Sa personnalité joyeuse et vivante assure à la Chèvre de Feu, qui adore fréquenter les fêtes et les réceptions, un grand nombre d'amis.

La Chèvre de Terre (1919, 1979)

Bienveillante et attentionnée de nature, la Chèvre de Terre fait preuve d'une fidélité exemplaire envers sa famille et ses amis ; partout où elle va, elle crée une atmosphère agréable. Bien que fiable et méticuleuse au travail, la Chèvre de Terre a peine à épargner, n'aimant pas se priver du moindre petit luxe qui la tente. Ses champs d'intérêt sont variés et elle possède une excellente culture générale. Elle éprouve toujours un vif plaisir à suivre de près les activités de ses proches.

Perspectives pour 2011

L'année du Tigre (du 14 février 2010 au 2 février 2011) est caractérisée par la rapidité et plusieurs Chèvres ont pu se sentir déstabilisées au cours des derniers mois. L'année aura souvent été exigeante à cause de pressions accrues et de changements brusques, mais fort heureusement les choses se calmeront un peu au cours des derniers mois du Tigre.

Au travail, la Chèvre devra rester sur la sellette et se concentrer sur ses tâches et ses défis qui seront parfois considérables. Il ne sera pas simple pour elle de faire des progrès et certaines situations pourraient comporter des délais, des problèmes ou faire l'objet de l'attitude peu obligeante de son entourage. Même si cela peut être stressant, la Chèvre est en mesure de démontrer ce dont elle est capable et l'expérience qu'elle est en train de gagner la prépare pour les bonnes occasions qui se présenteront sous peu dans sa vie. Septembre et novembre pourraient être le théâtre de changements intéressants, et ce, même pour les natifs de ce signe qui sont à la recherche d'un emploi. Les perspectives sont des plus encourageantes pour la prochaine année chinoise qui apportera des améliorations notables dans leur existence.

Les derniers mois de l'année occasionnent généralement un surplus de dépenses et la Chèvre devra veiller à ne pas trop délier les cordons de sa bourse. Ce n'est pas le moment de prendre des risques sur le plan financier ni de faire des achats sur un coup de tête.

Sur les plans familial et social, la vie sera évidemment plus animée au cours de cette période. La Chèvre aura la chance de retrouver des personnes qu'elle ne voit pas souvent et elle devra faire preuve de flexibilité. L'année du Tigre n'en a que faire de son emploi du temps immuable puisque ses projets pourraient être bousculés à n'importe quel moment. Sa spontanéité sera utile en tout temps. La Chèvre pourra aussi s'amuser et jouer un rôle de premier plan dans l'organisation de certains événements.

L'année du Tigre n'est jamais la préférée de la Chèvre, mais celle-ci pourra compter sur ses tout derniers mois pour voir enfin la lumière au bout du tunnel.

L'année du Lièvre commence le 3 février 2011 et elle ouvre la porte à des perspectives plus favorables pour la Chèvre. Après avoir enduré les pressions et les frustrations des récentes années du Bœuf et du Tigre, elle pourra enfin aller de l'avant dans le domaine du travail et profiter de changements fort agréables dans sa vie personnelle. L'année du Lièvre sera stimulante et idéale pour se concentrer sur le moment présent et saisir la chance au vol.

Tout au long de l'année, la Chèvre pourra compter sur le soutien et la bonne volonté des autres. Lorsqu'elle s'amuse à jongler avec ses idées et les décisions qu'elle doit prendre, elle devrait aussi en profiter pour en discuter avec les personnes les mieux en mesure de la conseiller. Le simple fait de parler l'aidera souvent à clarifier ses pensées et à opter pour la solution la plus appropriée.

La Chèvre gagnera aussi à faire la connaissance de nouvelles personnes, à élargir son réseau social et à se faire de nouveaux amis. Ceux-ci vivront parfois des situations similaires aux siennes, ce qui créera une affinité naturelle entre eux sur le plan de la communication.

Pour les Chèvres qui aimeraient se faire de nouveaux amis, l'année sera idéale pour sortir, joindre des groupes sociaux ou participer à des activités régionales. Si elles prennent le taureau par les cornes, elles pourront enfin ajouter des étincelles dans leur vie. Les célibataires pourront trouver l'amour et ceux qui vivent une histoire sentimentale depuis peu connaîtront des heures enivrantes et heureuses. Plusieurs rêveront de se marier ou d'emménager avec leur conjoint. L'année sera excitante et significative dans le domaine des relations humaines et la Chèvre récoltera beaucoup de bonheur au cours des douze mois de l'année du Lièvre. Février, avril, juillet et septembre seront des mois particulièrement animés, mais les perspectives sont tellement favorables qu'elle pourra rencontrer de nouvelles personnes à n'importe quel moment de l'année.

À la maison, la Chèvre n'aura pas le temps de s'ennuyer et elle devra apporter des changements à certaines routines et façons de faire. Un esprit de collaboration et une certaine flexibilité seront alors nécessaires. La Chèvre sera toutefois bien inspirée et enthousiaste d'effectuer des changements d'ordre domestique. Ses projets procureront un immense plaisir aux personnes concernées même si leur concrétisation pourrait être plus longue et exiger plus de travail que prévu.

En plus d'apprécier les améliorations qu'elle apportera à sa demeure, la Chèvre sera heureuse de partager des activités et de bons moments avec ses êtres chers. Son influence pourra être la force cachée derrière l'organisation de nombreux événements, dont certains pourraient mener à des célébrations mémorables. Sa vie familiale sera généralement excitante, mais elle le sera davantage lors de la naissance d'un enfant, d'une fête, d'un anniversaire ou d'une occasion particulière méritant d'être soulignée.

Dans le domaine du travail, l'année sera aussi très prometteuse. Les Chèvres qui cherchent un emploi ou qui se sentent insatisfaites de leur sort pourraient jouir de très belles occasions de changement. Elles ne devraient toutefois pas entreprendre leur quête toutes seules. En demandant conseil, elles seront mises au courant plus rapidement d'offres intéressantes dont elles n'auraient pu être informées autrement. Au moment de postuler un poste, elles devraient prendre le temps de se renseigner au sujet de l'entreprise et des tâches spécifiques qu'on pourrait leur confier. L'intérêt qu'elles manifesteront à l'endroit de ce travail éventuel fera bonne impression auprès de la direction. La Chèvre devra être patiente avant de trouver un emploi stable et elle pourrait obtenir un poste dans un domaine tout à fait différent de ce qu'elle a fait jusque-là. Son enthousiasme, ses talents et ses ressources seront des atouts de premier plan. Mars, mai, octobre et novembre pourraient être des mois particulièrement favorables dans le domaine du travail.

L'année du Lièvre sera propice au progrès pour les Chèvres qui sont déjà bien installées dans leur poste. Elles ne devront toutefois pas craindre de se mettre en valeur, sinon elles pourraient rater de bonnes occasions. Les natifs de ce signe ont malheureusement tendance à se tenir à l'écart et à rester dans leur zone de confort, mais ce n'est pas une bonne façon d'exploiter leur potentiel. En cette année axée sur le progrès, les Chèvres devraient obligatoirement se tenir à l'avant-scène.

Leurs progrès professionnels pourraient leur rapporter des revenus additionnels qui seront bienvenus. Elles voudront alors faire les achats et réaliser les projets dont elles rêvent depuis longtemps. Si elles prennent le temps de bien se renseigner avant de passer à l'action, elles pourront profiter de très bonnes occasions qui répondront parfaitement à leurs besoins. Cette année, leur bon goût et leur flair pour repérer des objets de qualité leur seront très utiles. Elles devraient suivre leur instinct à tout moment. Si un problème d'ordre financier les préoccupe ou soulève un doute chez elles, elles devront en vérifier les détails et les implications avant de s'engager plus à fond.

Même si les perspectives sont généralement favorables cette année, la Chèvre devra faire attention à sa santé générale. Pour garder la forme, elle devra adopter un régime alimentaire qui lui convient et faire de l'exercice selon ses capacités. Si elle travaille beaucoup pendant la journée et qu'elle se couche tard le soir, elle devra rattraper le sommeil perdu. Si elle dépasse ses limites et ne prend pas soin de son bien-être physique, elle pourrait voir apparaître de petits ennuis de santé. Si elle fait des activités exténuantes ou risquées, elle devra suivre les instructions à la lettre. Il faudra qu'elle veille sur sa santé tout au long de l'année.

L'année sera généralement positive et stimulante pour la Chèvre. Elle devra oser aller de l'avant et se dépasser. L'année 2011 exigera qu'elle ait confiance en elle et qu'elle ait un bon esprit d'initiative. Elle pourra compter sur le soutien des autres et profiter de belles rencontres. Dans certains cas, l'amour sera au rendez-vous, mais à condition qu'elle ne craigne pas de prendre les devants. L'année du Lièvre est remplie de promesses pour les natifs de ce signe et elle sera aussi gratifiante sur le plan personnel.

LA CHÈVRE DE MÉTAL

Le métal est un élément qui donne de la détermination à la Chèvre. Les natifs de ce signe savent qu'ils ont tous les atouts en main pour accomplir de grandes choses. Leur enthousiasme est très utile en cette année qui soulignera une nouvelle décennie le jour de leur anniversaire. Leurs nombreuses aptitudes les serviront bien. Il y aura du succès dans l'air et ils vivront de beaux moments.

La Chèvre de Métal peut s'attendre à connaître une année très animée sur le plan social. Avec ses amis, elle participera à des fêtes et à des événements en plus de partager avec eux des loisirs et de bonnes nouvelles. Plusieurs natifs de ce signe voyageront avec des proches et l'année sera plutôt agréable et bien remplie. Ceux qui devront déménager à cause de leur travail ou de leurs études auront la chance de se créer un nouveau réseau social et de nouer des amitiés durables. L'année favorisera aussi leur vie sentimentale et plusieurs célibataires seront touchés par la flèche de Cupidon. Une rencontre fortuite pourrait se transformer en relation amoureuse et les affaires de cœur mettront de l'excitation dans l'air. Les perspectives sont favorables au point où certaines Chèvres de Métal voudront fonder une famille ou emménager avec leur partenaire. Au cours de la période de février à avril, ainsi que pendant les mois de juillet et septembre, elles vivront une période riche en activités mondaines bien que toute l'année sera spéciale pour leur vie intime.

Même si la Chèvre de Métal aime se plonger dans ses propres affaires, elle devrait s'ouvrir aux autres et leur parler de ses activités, de ses espoirs et de ses projets tout en prêtant l'oreille à leurs conseils et à leur offre de soutien. Ses parents et ses autres relations ont ses intérêts à cœur et leur expérience inouïe dans certains domaines pourrait changer la donne. La Chèvre de Métal pourrait alors s'engager dans certains projets d'une façon tout à fait inattendue. Pendant l'année, elle aura à son tour la chance d'offrir son aide et de démontrer qu'elle se soucie des autres.

En ce qui a trait à ses centres d'intérêt personnels, elle pourra parfaire ses idées et ses talents. Qu'elle préfère les activités physiques et extérieures ou les passe-temps plus créatifs axés sur un mode d'expression particulier, elle tirera beaucoup de satisfaction de ses accomplissements si elle sait user judicieusement de son temps.

Les conseils d'une personne compétente pourraient être très utiles aux natifs de ce signe qui aimeraient parfaire l'un de leurs talents ou adopter un nouveau passe-temps pour le transformer éventuellement en activité professionnelle.

Ce conseil s'adresse également aux Chèvres de Métal qui étudient dans le but d'obtenir un diplôme. Même si l'année du Lièvre leur apportera de nombreuses distractions (surtout sur le plan social), elles pourront faire de grands pas en avant si elles sont disciplinées et savent se concentrer sur leurs études. Leurs nouvelles connaissances pourraient les pousser à changer d'orientation. Leurs intentions et leurs projets ne doivent pas être coulés dans le béton puisque de nombreuses possibilités se présenteront à elles.

Les Chèvres de Métal qui sont encore aux études devraient profiter au maximum des avantages qui leur sont offerts dans leur milieu scolaire : clubs, cours supplémentaires, équipement, conseillers en orientation, etc. Leurs actions leur permettront de mieux se préparer pour leur avenir.

La Chèvre de Métal sera tentée de dépenser son argent à cause de sa vie sociale mouvementée, de ses nombreuses activités et de certaines possibilités de voyages. Elle devra surveiller ses finances de près et économiser pour ses besoins particuliers. Elle gagnera à respecter un budget bien équilibré.

Les Chèvres de Métal qui ont un emploi ou qui en cherchent un vivront des changements majeurs. Si elles en ont assez de leur routine et de leur travail peu stimulant, elles pourront changer d'air. Plusieurs se verront même confier de plus grandes responsabilités. Leur bon esprit d'engagement et d'initiative sera reconnu et bien récompensé cette année. Elles devraient regarder ailleurs si leur emploi actuel ne leur permet pas d'évoluer comme elles le souhaitent. Leur statut et leur expérience seront une excellente plate-forme qui leur permettra de viser plus haut. Leurs efforts et leur confiance en soi pourront faire en sorte que leur vingtième année porte des fruits à long terme.

Les Chèvres de Métal qui cherchent un emploi devront être persévérantes et profiter des conseils et du soutien qu'elles recevront. En faisant les efforts requis, surtout au moment de postuler un poste, elles constateront que les portes *s'ouvriront* devant elles. En mars, en mai, ainsi que de la mi-septembre à novembre, elles pourraient vivre de grands changements professionnels puisque l'année du Lièvre leur donnera la chance de prendre les devants et de faire montre de leur plein potentiel.

En plus de souligner une nouvelle décennie dans leur vie, l'année du Lièvre leur procurera des bénéfices à long terme. Ce sera le temps de faire des efforts et de saisir la chance au vol. Si elles font preuve de bonne volonté et de persévérance, les Chèvres de Métal pourront faire de grandes récoltes. L'année du Lièvre pourrait être très spéciale pour elles : vie sociale animée, nouvelles amitiés et peut-être même une histoire d'amour. Comme elles ont plusieurs atouts en main, elles ne doivent pas hésiter à travailler *tout en* s'amusant.

Conseil pour l'année

Maintenez un style de vie équilibré malgré votre vie mouvementée. Profitez de votre vie mondaine et de vos loisirs, mais ne les laissez pas vous distraire de votre travail et de vos études. En cette année favorable, vous serez récompensé par votre bonne concentration et votre discipline personnelle. Un temps idéal pour mettre pleinement à profit votre prodigieux potentiel.

La Chèvre d'Eau

L'année sera agréable et calme pour la Chèvre d'Eau. Après avoir subi de la pression au cours des dernières années, elle pourra enfin savourer celle-ci sans crainte. Plusieurs de ses projets et de ses activités prendront forme de manière encourageante puisque l'année du Lièvre est porteuse de possibilités très intéressantes.

La créativité est l'une des plus grandes forces de la Chèvre d'Eau. Cet élément favorisant la communication et l'imagination, les natifs de ce signe auront souvent l'occasion d'explorer leurs idées au cours des prochains mois. Celles qui préfèrent les activités créatives, dont l'art, l'écriture, la musique ou l'artisanat, seront très absorbées par leurs passe-temps favoris qui pourraient leur attirer des éloges bien mérités. Les années du Lièvre étant propices à la créativité, les Chèvres d'Eau en seront enchantées.

Ce sera aussi un temps très inspirant pour celles qui veulent découvrir de nouveaux domaines et s'adonner à de nouvelles activités. Il pourrait s'agir tout simplement d'une variante de ce qu'elles font déjà, mais l'appel de la nouveauté se fera pressant chez plusieurs. Elles devraient suivre leur cœur dès qu'elles se sentent attirées par une idée ou un sujet qui les interpelle. L'année du Lièvre favorisant la culture, plusieurs Chèvres d'Eau se plairont à visiter des lieux historiques et des expositions. Elles participeront aussi à de nombreux événements. Une chose est sûre, elles seront heureuses chaque fois qu'elles décideront de passer à l'action.

Certaines de leurs activités leur permettront de rencontrer d'autres personnes et leur vie mondaine pourrait prendre une tournure remarquable au cours des prochains mois. Les célibataires – surtout ceux qui ont vécu des difficultés personnelles au cours des dernières années – comprendront qu'ils pourront se faire de nouveaux amis en sortant davantage et en faisant des activités de groupe. Ils ont une réelle aptitude pour communiquer et se lier aux autres et leurs relations interpersonnelles seront particulièrement favorables cette année. Plusieurs vivront même une histoire d'amour. Février, avril, juillet et septembre pourraient être des mois très animés sur le plan social.

La Chèvre d'Eau mènera aussi une vie bien remplie à la maison. Elle s'intéressera aux activités de ses proches avec une grande sincérité et elle s'inquiétera aussi des difficultés vécues par certaines personnes. Elle a naturellement beaucoup d'empathie envers les autres, mais cette grande qualité pourrait sembler un fardeau dans certaines situations. Elle doit comprendre que son temps, son soutien et son inquiétude sont très précieux pour les autres. Des personnes plus jeunes seront très reconnaissantes envers elle cette année.

Même si les perspectives sont encourageantes, il est normal que certains problèmes surgissent de temps à autre. Personne n'y échappe. La Chèvre d'Eau aura intérêt à les régler rapidement au lieu de les ignorer, de les laisser s'éterniser ou de ne pas chercher de solution convenable. Ses caprices ne seront pas d'une grande utilité et, malgré ses grandes qualités, elle pourrait ennuyer les autres à cause de son indécision et de ses idées changeantes.

Sur le plan financier, la Chèvre d'Eau pourrait recevoir un cadeau ou un revenu additionnel d'une source différente. Elle pourrait avoir beaucoup de chance au moment de faire ses achats. Sa nature observatrice lui permettra de flairer les meilleures aubaines et les bonnes occasions. Plusieurs natifs de ce signe pourront faire bon usage d'un passe-temps ou d'une idée. Ils devront traiter avec soin toute paperasse administrative, dont le renouvellement des polices d'assurance. Ils auront aussi intérêt à conserver leurs reçus et leurs garanties en lieu sûr. L'année est encourageante sur le plan financier, mais le moment serait mal venu de faire preuve d'imprudence ou d'inattention.

L'année sera généralement satisfaisante pour la Chèvre d'Eau qui pourra utiliser ses idées et ses talents en mettant tout spécialement l'accent sur ses projets créatifs. L'affection et la bonne volonté de son entourage seront précieuses pour elle puisqu'elles rendront son année plus agréable.

Conseil pour l'année

Concrétisez vos projets. Vous verrez que l'année vous sera favorable si vous prenez la peine de passer à l'action, de mettre vos nombreuses compétences à profit et d'accepter le soutien de vos proches.

La Chèvre de Bois

L'année du Lièvre pourrait être marquée par un revirement de fortune pour la Chèvre de Bois. Après avoir subi des pressions et de l'incertitude au cours des dernières années, elle peut enfin espérer des moments plus encourageants et plus heureux. Même si plusieurs natifs de ce signe commenceront l'année en se sentant abattus, ils devront absolument apprendre à se concentrer sur le moment présent *et* passer à l'action avec détermination. Grâce à leur bonne foi, au soutien de leur entourage et aux bonnes occasions qui ne devraient pas tarder à se pointer, ils vivront une année des plus intéressantes.

Des changements importants surviendront dans le domaine du travail. Les Chèvres de Bois bien établies pourront choisir d'embrasser des défis requérant une plus grande spécialisation ou de nouvelles tâches. Elles devront s'adapter considérablement, mais elles auront la chance de changer de rôle et de se dépasser. Elles devront être vigilantes afin de ne pas rater les bonnes occasions et elles ne devront surtout pas perdre de temps au moment de passer à l'action.

Les Chèvres de Bois qui se sentent limitées dans leurs présentes fonctions pourront vivre des changements intéressants. Si elles prennent la peine de bien se renseigner et d'explorer les diverses possibilités qui s'offrent à elles, elles trouveront comment utiliser leurs compétences de façon différente. Plusieurs verront leur carrière s'orienter dans une nouvelle direction. En prenant les devants et en faisant montre de confiance en soi et de persévérance, elles pourront enfin profiter de la bonne fortune dont elles rêvaient depuis si longtemps.

Celles qui garderont leur emploi actuel et les autres qui cherchent un nouveau poste pourront mettre à profit leurs compétences en communication. Elles sont à la fois créatives et savent mettre leur personne et leurs idées en valeur.

Les mois de mars, mai, octobre et novembre pourraient être le théâtre de changements encourageants et, comme elles le constateront bien assez tôt, certains événements pourraient se bousculer très rapidement.

Les progrès que les Chèvres de Bois feront cette année les récompenseront aussi sur le plan financier puisque plusieurs recevront des primes ou des fonds additionnels. Quelle que soit la somme qui viendra s'ajouter à leur revenu, elles devront rester disciplinées et bien gérer leurs avoirs. Un bon contrôle pourrait faire toute la différence.

Cette année, la Chèvre de Bois pourrait être tentée par les voyages et elle devrait succomber à la tentation sans remords puisqu'un changement de décor lui fera le plus grand bien.

Elle sera aussi très comblée en ce qui a trait à ses centres d'intérêt. En exploitant ses idées, en approfondissant ses connaissances et en se fixant des buts valorisants, elle pourra jouir de ses actions et de sa bonne fortune sur le plan social et autrement.

De nature aimable, la Chèvre de Bois maintient d'excellentes relations avec les autres. Sa vie sociale connaîtra un changement de cap cette année grâce à ses nombreuses activités et à des occasions spéciales qui se présenteront sur sa route. De nouvelles amitiés pourraient naître et ajouter une touche particulière à cette année déjà très prometteuse. Les quatre premiers mois de l'année du Lièvre, ainsi que les mois de juillet et de septembre, seront riches en mondanités.

À la maison, la Chèvre de Bois sera aussi fort occupée à cause de succès personnels et familiaux. Cette effervescence obligera tous les membres de la famille à collaborer, à rester unis et à se montrer flexibles à propos de certaines façons de faire qu'il serait bon de changer. Les natifs de ce signe devront prendre soin de ne pas saper les bonnes relations en ayant des moments d'intransigeance ou de caprice. Chèvres de Bois, prenez-en note. L'année sera enrichissante et gratifiante à condition que vous soyez attentionnées et communicatives.

L'année du Lièvre sera généralement stimulante pour la Chèvre de Bois. Elle devra toutefois avoir des intentions fermes et faire les efforts nécessaires pour atteindre ses objectifs. Si elle veut vraiment profiter de sa bonne fortune, elle devra être audacieuse et accepter de sortir de sa zone de confort de temps à autre. Elle devra aussi croire en ses idées et les mettre en valeur. Grâce à sa bonne volonté et à son travail acharné, elle vivra une année agréable et satisfaisante à plusieurs égards.

Conseil pour l'année

Soyez actif. Grâce à votre détermination, vous pourrez faire de grands progrès et être à l'affût des bonnes choses que la vie a mises en réserve pour vous. Profitez de vos passe-temps et sachez apprécier vos relations avec les autres. Ce sont là des biens très précieux.

La Chèvre de Feu

Plusieurs Chèvres de Feu se sont senties freinées au cours des dernières années. En plus d'avoir eu à faire face à des pressions qui leur ont paru incessantes, elles ont dû vivre quelques déceptions. L'année du Lièvre pourrait être marquée par un revirement de fortune et certains de leurs espoirs seront enfin réalisés. L'année sera propice aux bonnes occasions et aux changements souvent significatifs.

La Chèvre de Feu pourra donner le meilleur d'elle-même cette année. Elle aura la chance de grandir, de s'émanciper et de faire montre de son véritable potentiel. Ce sera un temps idéal pour aller de l'avant et cesser de piétiner.

Au travail, la Chèvre de Feu pourrait jouir de sa bonne fortune. Elle devrait rester vigilante et chercher à gravir les échelons. Si elle postule un poste ou si certains de ses collègues quittent leur emploi, elle devrait élargir ses horizons et accepter de nouvelles responsabilités. Grâce à sa détermination et à sa volonté de s'adapter et d'apprendre, elle sera en mesure de faire des progrès majeurs et d'atteindre de nouveaux sommets.

Dans sa quête de s'améliorer, la Chèvre de Feu aura souvent besoin de ses collègues et de ses relations qui l'informeront au sujet de nouvelles possibilités, lui donneront une lettre de recommandation ou lui feront des suggestions intéressantes. Elle qui se lie facilement aux autres, elle pourra enfin être reconnue et récompensée pour son bon travail. Ses nombreuses ressources seront des atouts d'une valeur inestimable. Elle pourrait être informée de bonnes occasions que d'autres auront négligées. Ses idées et sa contribution impressionneront les autres et favoriseront ses perspectives d'avenir. L'année du Lièvre lui donnera la chance de passer à l'action et d'utiliser pleinement ses compétences.

Cela concerne également les Chèvres de Feu qui cherchent du travail. Mais si toutes ces démarches peuvent être lassantes et souvent décourageantes, elles devraient garder espoir et persévérer. Leurs ressources et leurs forces brilleront de tous leurs feux et elles pourront profiter des bonnes occasions qui se pointeront de manière fortuite ou décider d'orienter leur carrière dans une nouvelle direction. Les portes s'ouvriront pour plusieurs natifs de ce signe qui pourront alors faire des avancées qui fructifieront dans le futur s'ils ont suffisamment de confiance en soi et de détermination. Mars, mai, octobre et novembre pourraient leur apporter des changements significatifs au travail. Les perspectives sont telles que les Chèvres de Feu ne devront pas perdre une minute si elles souhaitent approfondir une idée ou explorer une possibilité qui leur semble intéressante. L'année du Lièvre sera très propice au monde du travail.

Les progrès que les Chèvres de Feu feront sur le plan professionnel leur vaudront des revenus additionnels qui amélioreront leur vie. Certaines apprendront à utiliser un de leurs talents de manière différente ou transformeront un passe-temps en une activité qui sera utile à d'autres personnes. Une fois encore, leur esprit d'initiative et leurs nombreuses ressources pourront leur venir en aide. Elles ne devront toutefois pas délier les cordons de leur bourse trop rapidement. Si elles ne sont pas vigilantes, leurs dépenses pourraient augmenter. Elles devront planifier leurs achats importants et éviter de se hâter ou d'acheter sur un coup de tête. Si possible, elles devraient mettre de l'argent de côté pour leurs voyages. Un séjour vers une destination intéressante (même si celle-ci n'est pas très éloignée) leur fera le plus grand bien.

Même si elle est de nature plutôt active, la Chèvre de Feu devra veiller à son bien-être cette année. Si elle néglige son régime alimentaire et sa condition physique, elle pourrait manquer d'énergie ou avoir de petits ennuis de santé. Chèvres de Feu, prenez-en note.

Les natifs de ce signe seront plutôt occupés cette année, mais ils ne devraient pas se priver de leurs loisirs et de leurs passe-temps favoris. Ils s'amuseront particulièrement dans le cadre d'activités de création ou qui doivent être faites à l'extérieur de la maison.

Très à l'aise en société, la Chèvre de Feu a plusieurs amis et connaissances, et sa vie mondaine sera très stimulante cette année. Elle sortira souvent et appréciera l'amitié et le soutien de ses proches. Février, avril, juillet et septembre pourraient être des mois très effervescents. Les célibataires, celles qui vivent dans un nouvel endroit ou qui ont récemment négligé leur vie sociale pourront rencontrer des gens, se joindre à des groupes sociaux et, dans certains cas, trouver l'amour. L'année du Lièvre sera très agréable sur le plan personnel.

À la maison, l'année sera bien remplie et riche en événements de toutes sortes. Les Chèvres de Feu qui sont parents devront prendre des décisions importantes si leurs enfants doivent changer d'école ou faire des choix dans le domaine de l'éducation. Les conseils et les encouragements qu'elles recevront seront très appréciés. En plus d'aider les jeunes membres de leur famille, elles seront aussi appelées à prendre soin de personnes plus âgées. Encore une fois, leur aide sera très prisée. Les natifs de ce signe seront très sollicités et ils devront jongler avec plusieurs choses tout en se dévouant pour leur entourage. Ce sera une période occupée, mais les rapports qu'ils entretiendront avec les autres seront très significatifs.

L'année du Lièvre sera généralement prometteuse et riche en possibilités de toutes sortes. En mettant à profit ses idées et ses compétences, la Chèvre de Feu fera des progrès tout en savourant de nombreux moments agréables et satisfaisants. Ce sera un temps rêvé pour prendre des risques et récolter des récompenses bien méritées.

Conseil pour l'année

Croyez en vos possibilités et soyez convaincu que vous pourrez accomplir beaucoup de choses cette année. Grâce à votre détermination, à vos compétences et à vos ressources, vous serez en mesure de faire bouger les choses. Accordez de la valeur à vos relations avec les personnes que vous aimez le plus. Vous jouerez un grand rôle dans leur vie et elles en joueront un tout aussi important dans la vôtre. L'année sera à la fois positive et constructive.

La Chèvre de Terre

L'année sera excitante pour la Chèvre de Terre qui vivra des changements importants dans plusieurs domaines.

L'année du Lièvre favorise les relations avec les autres et plusieurs natifs de ce signe connaîtront une année heureuse et significative. Plusieurs deviendront parents ou auront la joie de voir naître un bébé dans leur famille. Ceux qui ont de jeunes enfants se plairont à les voir évoluer. En donnant de leur temps à leurs proches, ils pourront partager des moments magnifiques avec eux.

La Chèvre de Terre parlera de ses plans avec son entourage et elle évaluera alors les différentes manières dont ceux-ci pourraient prendre forme. Plusieurs voudront apporter des améliorations à leur demeure. Leurs talents et leur bon goût pour la décoration et le choix de meubles seront des atouts certains. Certaines Chèvres de Terre souhaiteront déménager dans un lieu convenant davantage à leurs besoins. Elles s'amuseront à s'installer dans leur nouvelle demeure et à faire en sorte que celle-ci leur ressemble. Leur vie familiale sera bien remplie et potentiellement excitante.

L'année sera aussi palpitante sur le plan social. Leur travail, leurs centres d'intérêt et leur réseau d'amis leur permettront de sortir et de se faire de nouvelles relations. Les célibataires pourraient rencontrer un nouveau partenaire au cours des prochains mois. Leurs relations pourraient être très spéciales cette année. Février, avril, juillet et septembre seront des mois plus effervescents, mais les Chèvres de Terre ne s'ennuieront à aucun moment de l'année.

Celles qui ont récemment vécu des difficultés personnelles devront mettre une croix sur leur passé et se concentrer sur le moment présent. En sortant, en s'intéressant à de nouvelles choses et en se préparant à suivre le courant de la vie, elles verront s'ouvrir de nouvelles portes devant elles. Des amitiés stimulantes pourront aussi être nouées. L'année du Lièvre soutient bien la Chèvre de Terre qui devrait évidemment en profiter pour en tirer le meilleur parti possible.

Nées sous le signe de l'art, plusieurs Chèvres de Terre jouissent d'une imagination très fertile. Elles devraient user de cette année propice pour faire montre de leurs talents. Celles qui font un travail leur permettant de s'exprimer pourraient récolter de beaux succès. Leurs projets et leurs compétences pourraient aussi être bénéfiques aux autres.

La Chèvre de Terre devrait prendre soin d'elle-même cette année. À cause de son style de vie mouvementé, de ses longues journées et, si elle a un enfant, de ses nuits perturbées, elle pourrait être plus susceptible d'attraper un rhume ou de souffrir de petits ennuis de santé. Afin d'éviter cela, elle devrait adopter un régime équilibré sur tous les plans, faire suffisamment d'exercice et rattraper les heures de sommeil perdues. Si elle s'adonne à des activités risquées, elle devra prendra toutes les précautions nécessaires et suivre les instructions à la lettre.

Au travail, il pourrait s'agir d'une année intéressante. Plusieurs Chèvres de Terre sont maintenant bien établies, mais de nouvelles possibilités pourraient se présenter. Elles pourraient se voir offrir d'autres responsabilités sans devoir changer d'entreprise et acquérir ainsi de l'expérience dans un nouveau domaine. Cela causera d'immenses changements et exigera une bonne adaptation de leur part, mais elles seront heureuses de pouvoir embrasser de nouveaux objectifs les poussant à se dépasser.

Plusieurs Chèvres de Terre voudront changer d'emploi et seront tentées d'aller voir ailleurs. Elles pourraient accepter un poste exigeant très différent de ce qu'elles font présentement. Elles apprécieront de pouvoir exploiter davantage leurs compétences et leurs connaissances particulières. L'année du Lièvre sera encourageante et plusieurs natifs de ce signe en profiteront pour faire des progrès notables. La fin de février ainsi que les mois de mars, mai, octobre et novembre pourraient être le théâtre de changements intéressants au travail.

Les Chèvres de Terre qui cherchent un emploi pourront prendre un nouveau départ cette année. En évaluant toutes les possibilités qui leur sont offertes et en étant ouvertes aux conseils d'autrui, elles trouveront un poste plus stable très différent de tout ce qu'elles ont fait jusque-là. En plus de leur permettre d'acquérir de l'expérience dans une nouvelle sphère, cette situation les initiera à un nouveau genre de travail qui leur ouvrira de nombreux horizons pour le futur. Si elles sont déterminées et audacieuses, elles vivront une année significative qui jouera un rôle certain pour leur avenir.

Les progrès qu'elle accomplira au travail donneront à la Chèvre de Terre la chance de jouir de revenus additionnels. Elle devra toutefois rester disciplinée et respecter son budget malgré ses projets pour la maison et ses dépenses personnelles (surtout si elle attend un enfant ou si elle a de jeunes enfants). Ses achats importants devront être effectués avec soin et tous les tenants et aboutissants devront alors être considérés avec attention. Elle gagnera à faire des économies dans la mesure du possible et à agir avec minutie dans le domaine financier.

L'année du Lièvre sera bien remplie et excitante pour la Chèvre de Terre. Elle aura la chance de faire des progrès et de développer ses talents. Elle pourra vivre de grands moments avec sa famille et ses amis. De bonnes nouvelles et le succès de ses proches seront partagés dans la joie et donneront lieu à des projets excitants. À plusieurs égards, ce sera une année idéale pour aller de l'avant *et* pour s'amuser.

Conseil pour l'année

Soyez positif, audacieux et confiant. Vous pourrez accomplir tellement de choses cette année. Mettez-vous à la recherche des bonnes occasions qui pourraient vous permettre de parfaire vos compétences et de vous mettre sous les feux des projecteurs. Grâce à votre esprit d'initiative et à votre détermination, vous bénéficierez de nombreuses possibilités. Aussi, savourez vos relations avec les autres. Vous pourrez vivre des moments enrichissants et merveilleux sur le plan personnel.

Des Chèvres célèbres

Isabelle Adjani, Pamela Anderson, Isaac Asimov, Jane Austen, Anne Bancroft, Simone de Beauvoir, Sandrine Bonnaire, Lord Byron, John le Carré, Coco Chanel, Marie Chouinard, Mary Higgins Clark, Sophie Clément, Gilles Courtemanche, Catherine Deneuve, Geneviève Després, Charles Dickens, Lise Dion, Umberto Eco, Federico Fellini, Denise Filiatrault, Louise Forestier, Sylvie Fréchette, Nathalie Gascon, Bill Gates, Mel Gibson, Annie Girardot, Whoopi Goldberg, John Grisham, Johnny Hallyday, George Harrison, Isabelle Huppert, Julio Iglesias, Mick Jagger, Franz Kafka, Nicole Kidman, Ben Kingsley, Andrée Lachapelle, Serge Lama, Jacques Languirand, Ricardo Larrivée, Diane Lavallée, Heath Ledger, Sylvie Léonard, Doris Lessing, Franz Liszt, John Major, Michel-Ange, Joni Mitchell, Rupert Murdoch, Mussolini, Robert de Niro, Amélie Nothomb, Sinéad O'Connor, Marcel Pagnol, Denis Paris, Eva Perón, Marcel Proust, Keith Richards, Julia Roberts, Ludivine Sagnier, Nicolas Sarkozy, Carlos Saura, William Shatner, Linda Sorgini, Bruni Surin, Mark Twain, Rudolph Valentino, Denis Villeneuve Barbara Walters, John Wayne, Bruce Willis, Debra Winger.

Le Singe

2 FÉVRIER 1908 – 21 JANVIER 1909	Singe de Terre
20 FÉVRIER 1920 – 7 FÉVRIER 1921	Singe de Métal
6 FÉVRIER 1932 – 25 JANVIER 1933	Singe d'Eau
25 JANVIER 1944 – 12 FÉVRIER 1945	Singe de Bois
12 FÉVRIER 1956 – 30 JANVIER 1957	Singe de Feu
30 JANVIER 1968 – 16 FÉVRIER 1969	Singe de Terre
16 FÉVRIER 1980 – 4 FÉVRIER 1981	Singe de Métal
4 FÉVRIER 1992 – 22 JANVIER 1993	Singe d'Eau
22 JANVIER 2004 – 8 FÉVRIER 2005	Singe de Bois

La personnalité du Singe

Plus grande est l'ouverture à la nouveauté,
plus de choses nouvelles surviennent.

C'est sous le signe de la fantaisie qu'est né le Singe. Curieux et débordant d'imagination, il se plaît à garder l'œil ouvert sur tout ce qui se passe autour de lui. Nul besoin de le prier, d'ailleurs, pour qu'il donne des conseils ou qu'il règle des problèmes. À vrai dire, il aime secourir autrui, et on peut se fier à ses recommandations toujours pleines de bon sens.

Le Singe se fait remarquer par son intelligence, sa culture générale et son esprit de découverte. Il jouit également d'une excellente mémoire, ce qui pourrait expliquer que bon nombre des natifs de ce signe ont le don des langues. Tout à la fois sûr de lui et amical, le Singe est maître dans l'art de la persuasion : cet amateur de discussions n'éprouve aucune difficulté à rallier les autres à son point de vue. Comme on peut s'y attendre, il excelle dans les domaines de la politique, des relations publiques, de l'enseignement, et dans tout emploi exigeant des talents de vendeur ou d'orateur.

Cependant, il peut recourir à la ruse pour arriver à ses fins (qui ne sont pas toujours honnêtes !) et ne manque pas une occasion de s'en tirer à bon compte ou de se montrer plus malin que ses adversaires. Son charme et sa subtilité sont tels qu'on ne comprend où il voulait en venir... que trop tard. Malgré toute son ingéniosité, pourtant, le Singe court le risque d'être victime de sa propre astuce. La confiance qu'il a dans ses capacités, en effet, ne le prédispose ni à tenir compte des conseils ni à se laisser aider. S'il prête toujours volontiers son concours à d'autres, c'est néanmoins à son propre jugement qu'il s'en remet pour mener ses affaires.

Le Singe se distingue également par l'art consommé avec lequel il règle les problèmes et se tire des situations les plus désespérées ;

et naturellement, il s'empressera de mettre son talent au service de ses amis. En vérité, l'instinct de conservation atteint chez lui un summum.

Vu ses nombreuses aptitudes, le Singe est susceptible de jouir de revenus considérables ; mais cet amoureux des plaisirs de la vie n'hésitera pas une seconde à s'offrir un voyage exotique ou un objet de luxe ayant attiré son regard. Constater qu'un autre possède ce que lui-même désire peut parfois exciter son envie.

Malgré son caractère sociable, le Singe est un penseur qui attache un grand prix à son indépendance. Il lui faut avoir les coudées franches pour agir comme bon lui semble ; aussi est-il fort malheureux si l'on entrave ses initiatives ou si on lui impose des contraintes excessives. De même, la monotonie ne lui sied pas et, au premier signe d'ennui, il tournera son attention d'un autre côté. Son manque de persévérance, malheureusement, ralentit souvent ses progrès. Sa tendance à l'éparpillement ne le sert pas davantage, tendance que tous les Singes gagneraient à maîtriser. Mieux vaudrait en effet que le natif de ce signe se concentre sur un objet d'intérêt à la fois, ce qui, à plus long terme, lui permettrait d'accomplir davantage.

Le Singe est un as de l'organisation et, bien que son comportement ait parfois de quoi déconcerter, il a toujours une idée derrière la tête. Les rares fois où ses plans ne produisent pas exactement les résultats escomptés, il se contentera avec un haussement d'épaules d'en tirer une leçon. En règle générale, il ne répétera pas deux fois la même erreur et, au cours de sa vie, il touchera à tout.

Aimant faire impression, le Singe compte de nombreux admirateurs et partisans. Il faut reconnaître que sa beauté, son humour et la confiance qu'il dégage ne passent pas inaperçus.

Le Singe se marie généralement tôt. Pour que l'union soit réussie, son partenaire doit lui laisser le champ libre pour explorer ses domaines d'intérêt et satisfaire ses envies de voyage. Le Singe ayant besoin de variété et d'action, il s'accorde à merveille avec les natifs du Rat, du Dragon, du Cochon et de la Chèvre, tous sociables et extravertis. Sa débrouillardise et sa nature entreprenante enchantent également le Bœuf, le Lièvre, le Serpent et le Chien, tandis qu'elles exaspèrent le Coq et le Cheval. Le Tigre, pour sa part, ne supporte pas ses combines et stratagèmes. Enfin, l'alliance entre deux Singes est le plus souvent harmonieuse, fondée sur la compréhension et l'entraide.

La femme Singe, quant à elle, est dotée d'une intelligence et d'un esprit d'observation remarquables, en plus de se révéler très psychologue. On tient d'ailleurs ses opinions en haute estime ; très persuasive, elle parvient invariablement à ses fins. Bien des choses sont susceptibles de piquer sa curiosité, aussi accumule-t-elle les occupations. La femme Singe est soucieuse de son apparence ; elle s'habille avec élégance et soigne sa coiffure. Affectueuse et attentionnée envers ses enfants, elle compte également de loyaux amis.

Lorsque le Singe peut refréner sa propension à se mêler de tout et qu'il parvient à cibler ses efforts, alors sa vie a toutes les chances d'être couronnée de succès. Il se remet vite des déceptions, rien ne peut l'arrêter. Une vie fort pittoresque et mouvementée l'attend.

Les cinq types de Singes

S'ajoute aux caractéristiques qui marquent les douze signes du zodiaque chinois l'influence de cinq éléments qui viennent les renforcer ou les tempérer. On retrouve ci-après les effets qu'ils exercent sur le Singe et les années au cours desquelles chaque élément prédomine. Ainsi, les Singes nés en 1920 et en 1980 sont des Singes de Métal, ceux nés en 1932 et en 1992, des Singes d'Eau, etc.

Le Singe de Métal (1920, 1980)

Le Singe de Métal a une volonté à toute épreuve. C'est avec une détermination exemplaire qu'il se jette dans l'action, de préférence seul plutôt qu'en équipe. Ambitieux et sûr de lui, il est également sage, et le travail ne lui fait pas peur. Doué d'une remarquable habileté en matière de finances, il fait de judicieux investissements. Malgré sa nature quelque peu indépendante, le Singe de Métal apprécie les soirées et les événements mondains. Il se montre chaleureux et attentionné envers ceux qu'il aime.

Le Singe d'Eau (1932, 1992)

Chez le Singe d'Eau, polyvalence, détermination et perspicacité s'allient à merveille. Plus discipliné que les autres Singes, il est prêt à poursuivre ses buts d'une manière soutenue, sans se laisser distraire. Il est parfois réticent à révéler ses véritables intentions, aussi peut-il rester particulièrement évasif lorsqu'on le questionne. Le Singe d'Eau ne réagit pas favorablement à la critique, mais, comme il sait convaincre, il gagne aisément la collaboration des autres. Étant donné sa fine compréhension de la nature humaine, il s'accorde bien avec ses semblables.

Le Singe de Bois (1944, 2004)

Chez le Singe de Bois prédominent l'efficacité, la méthode et l'application. Pourvu d'une imagination débordante, il cherche toujours à tirer profit de ses idées ou à acquérir de nouvelles compétences. À l'occasion, son enthousiasme le mène un peu trop loin, et si ses plans ne se déroulent pas comme prévu, il peut devenir très agité. Toutefois, son esprit d'aventure est tel que les risques ne l'effraient pas. Les voyages le passionnent. Amis et collègues lui vouent une grande estime.

Le Singe de Feu (1956)

Intelligent et plein de vitalité, le Singe de Feu impose invariablement le respect. Son imagination fertile et son insatiable curiosité, quoique très positives, le détournent quelquefois d'occupations qui se révéleraient plus utiles ou fructueuses. Il aime se faire voir et participera volontiers à tout ce qui se passe autour de lui. Si l'on ne se plie pas à sa volonté, le Singe de Feu peut se montrer têtu, et il essaie parfois d'endoctriner les esprits moins résolus. C'est un personnage qui déborde d'entrain et qui a l'heur de plaire au sexe opposé, mais il reste loyal à son partenaire!

Le Singe de Terre (1908, 1968)

Le Singe de Terre est studieux et cultivé; il a tout pour se distinguer dans sa profession. Moins extraverti que les autres Singes, il préfère les activités paisibles et sérieuses. Ses principes élevés vont de pair avec sa nature aimante, et il peut se montrer très généreux envers les moins fortunés. Il gère fort habilement ses finances, aussi est-il souvent prospère à la fin de sa vie. Sa présence a un effet calmant sur son entourage, et il s'attire aussi bien le respect que l'affection de ceux qu'il rencontre. Toutefois, c'est avec discernement qu'il choisit ses confidents.

Perspectives pour 2011

Les années du Tigre se caractérisent généralement par une grande activité. Même si le Singe aime se tenir occupé, il devra être prudent au cours de celle-ci (du 14 février 2010 au 2 février 2011). Il est important qu'il évalue bien ses projets et qu'il ne prenne aucun risque.

Le Singe devra faire montre de réserve au cours des derniers mois de l'année du Tigre. Lui qui a tendance à être autosuffisant, il devra consulter davantage les autres et apprendre à s'adapter aux différentes situations. Il pourrait accomplir beaucoup plus de choses s'il était moins entêté et plus ouvert à l'opinion d'autrui.

Au travail, le Singe devrait se renseigner sur tout ce qui se produit autour de lui, travailler en étroite collaboration avec ses collègues et se faire une joie d'être un membre actif de son équipe. Sa réputation et ses perspectives d'avenir n'en seront que meilleures surtout s'il sait faire preuve de bonne volonté et d'esprit de collaboration. Les mois de septembre à novembre pourraient être porteurs de changements intéressants au travail pour plusieurs natifs de ce signe.

S'il sent que l'on exerce une trop grande pression sur lui, il devrait surveiller doublement sa santé. Il doit apprendre à se reposer après des périodes de travail intense et porter une attention spéciale à son régime alimentaire et à son programme d'exercice. Dans la mesure du possible, il devrait prendre un congé ou des vacances au cours des derniers mois de l'année du Tigre.

Le Singe devrait aussi maintenir un style de vie équilibré et profiter au maximum des bonnes occasions qui lui seront faites sur le plan social au cours des derniers mois de 2010. Il vivra de beaux moments avec les siens en participant avec enthousiasme aux activités familiales qui marqueront la fin de l'année. Ce sera une période très valorisante pour lui à condition qu'il soit vigilant et coopératif et qu'il sache profiter du moment présent.

L'année du Tigre mettra le Singe sur la sellette et, grâce à ses nombreuses ressources et à sa capacité d'adaptation inouïe, il pourra vraiment bénéficier de cette période. Tout ce qu'il accomplira portera fruit au cours de l'année du Lièvre.

L'année du Lièvre commencera le 3 février 2011 et elle sera favorable au Singe qui pourra enfin exploiter ses talents à fond tout en faisant progresser certains de ses projets. Plusieurs bonnes occasions se pointeront et il n'en tiendra qu'à lui de saisir la chance au vol. Les Singes qui ont récemment vécu des changements pourront profiter de ce temps propice à l'action plutôt que de continuer à se sentir freinés par des événements du passé.

Les choses seront particulièrement favorables dans le domaine du travail. Tout au long de l'année, leur expérience, leurs idées et leurs relations les serviront efficacement. Des triomphes remarquables pourraient récompenser ces petits futés.

Pour bénéficier de cette année de bon augure, le Singe devra demeurer actif et avoir un bon esprit d'initiative. Il est un innovateur-né et, dès qu'il a une idée en tête, il sent qu'il peut en tirer profit. Cette année, il devrait évaluer les différentes manières dont il pourrait mettre ses idées en valeur. S'il fait un travail créatif, il devrait exploiter ses talents au maximum. Ce temps d'inspiration fera en sorte que ses idées et sa contribution seront bien reçues par son entourage.

Grâce à sa grande connaissance, le Singe est en excellente posture pour saisir les bonnes occasions qui joncheront sa route tout au long de l'année. Des collègues plus âgés prendront leur retraite, ce qui lui donnera la chance d'avoir une promotion ou de profiter de changements qui lui permettront d'utiliser différemment ses talents. L'année du Lièvre est favorable au monde du travail et elle crée de grands moments de chance. Le Singe pourra alors se mettre de l'avant et en savourer tous les fruits.

Plusieurs Singes continueront d'évoluer dans le cadre de leur emploi actuel tandis que ceux qui cherchent du travail ou souhaitent changer d'entreprise ne manqueront pas de bonnes opportunités. En sachant exactement ce qu'ils cherchent, ces Singes pourraient avoir de bonnes idées qui leur indiqueront quelle voie suivre. Il n'est jamais facile de trouver un emploi stable, mais grâce à leur volonté d'embrasser de nouveaux défis, ils trouveront un poste plus satisfaisant. Leur point de vue, leurs idées et le fait qu'ils se présentent toujours bien leur ouvriront de nombreuses portes. Mars, avril, octobre et novembre pourraient être le théâtre de changements importants et, tout au long de l'année, les natifs de ce signe devront se rappeler le proverbe suivant: «Qui ne risque rien n'a rien.» Cette année, la chance sera vraiment du côté des Singes qui seront audacieux, créatifs et entreprenants.

En plus d'être choyé dans le domaine du travail, le Singe vivra du bon temps dans le cadre de ses loisirs. Ceux qui aiment les activités qui requièrent un mode de création ou d'expression particulier pourront faire montre de leurs talents. Les projets qu'ils créeront eux-mêmes seront spécialement gratifiants et pourraient mener à d'autres possibilités.

Cette année, le Singe s'occupera beaucoup de sa demeure. Il sera tenté d'y apporter des changements et prendra un réel plaisir à évaluer les différentes options et à observer les améliorations qui s'ensuivront. Certains Singes seront heureux de déménager. L'année étant propice à l'action, les natifs de ce signe savoureront leur chance de pouvoir mettre leurs idées en pratique.

Le Singe sera soutenu par ses proches pendant toute l'année. S'il prend le temps de parler de ses espoirs et de ses décisions avec eux, il pourra jouir de leurs encouragements, de leurs conseils et de leur aide. Même s'il sait très bien ce qu'il veut, il gagnera à consulter les autres et à respecter leurs sentiments. Cela favorisera ses relations avec son entourage et le servira plutôt bien. La plupart des Singes vivront des changements au travail ou à la maison cette année et il est important qu'ils en discutent en profondeur avec leurs proches. La vie au foyer sera très agréable et riche en événements de toutes sortes.

Le Singe devra bien choisir ses sorties puisqu'il sera très sollicité. Même s'il sera très occupé, il devra faire l'effort de rester en contact régulier avec ses amis. Il gagnera à accepter les invitations qui le tentent. Sa vie mondaine sera particulièrement bien remplie d'avril à juin, ainsi qu'en septembre et en décembre. Les célibataires qui aimeraient faire de nouvelles rencontres, vivre une histoire d'amour ou avoir une vie sociale plus active seront bénis des dieux. Les plus privilégiés auront beaucoup de chance sur le plan sentimental.

Le Singe gagnera plus d'argent cette année à cause des progrès qu'il fera au travail, mais il aura toutefois plusieurs dépenses personnelles ou liées à sa demeure. Lorsque viendra le temps de délier les cordons de sa bourse, il devra bien réfléchir, se renseigner sur les bonnes aubaines ou attendre le bon moment pour acheter. Il pourrait être particulièrement favorisé par certains de ses achats puisqu'il a un flair inouï pour repérer les bonnes occasions dans des endroits plutôt inhabituels.

L'année du Lièvre sera généralement bonne et stimulante pour le Singe puisqu'elle lui permettra de bénéficier de ses qualités et de faire de grands progrès. Ses idées et ses ressources lui ouvriront de nombreuses portes. Il appréciera le soutien des autres et s'amusera à partager ses idées et ses activités avec d'autres personnes. Ce sera une année positive, agréable et remplie de succès s'il ne craint pas de saisir la chance au vol et de se mettre de l'avant au moment opportun.

Le Singe de Métal

Le Singe de Métal aura une bonne année. Grâce à son aptitude à bien évaluer les situations, à se lier aux autres et à utiliser les compétences qu'il a acquises au fil des années, il sera en mesure de profiter d'excellentes occasions et d'éprouver un immense sentiment de satisfaction. Il pourra faire de grands pas en avant et savourer de véritables succès sur le plan personnel.

Tout au long de l'année, le natif de ce signe sera grandement soutenu par son entourage, mais il n'en sera pas toujours conscient. S'il doit prendre des décisions importantes, il gagnera à en parler avec ceux dont il respecte particulièrement le bon sens. Même s'il est plutôt autosuffisant, il devra être plus avenant et demander aide et conseil au besoin.

Sa vie familiale sera très significative. Le temps qu'il consacrera aux siens améliorera l'atmosphère au foyer et sera à l'origine d'heureux événements. Il aura plusieurs occasions de célébrer avec les siens et plusieurs Singes de Métal seront heureux d'accueillir un nouveau membre au sein de leur famille.

Le Singe de Métal appréciera aussi ses meilleurs amis qui lui apporteront leur soutien, l'aideront à prendre certaines décisions ou partageront des activités avec lui. Ces centres d'intérêt communs seront une grande source de plaisir pour toutes les personnes concernées. Ceux qui déménageront dans un nouveau milieu pourront créer de nouveaux liens et élargir leur réseau social en participant à diverses activités locales. Ils pourront connaître une vie sociale des plus animées de la fin de mars au mois de juin, ainsi qu'en septembre.

Les célibataires pourraient vivre de grands changements. Certains déménageront (le logement est un élément important de l'année du Lièvre) tandis que d'autres tomberont amoureux, emménageront avec un nouveau partenaire ou se marieront. L'année 2011 sera porteuse d'événements heureux. Leurs relations la transformeront en un temps excitant et très spécial.

Le Singe de Métal sera aussi appelé à favoriser sa croissance personnelle. Il sera très sollicité, mais cela ne devrait pas l'empêcher d'approfondir ses compétences et de s'adonner à ses passe-temps favoris. Pourquoi ne pas suivre un cours, s'imposer un nouveau défi ou s'adonner à une nouvelle activité? En se fixant un objectif, il gagnera beaucoup sur le plan personnel.

Les natifs de ce signe qui sont plus créatifs seront très inspirés cette année. Ceux qui souhaitent découvrir un nouveau centre d'intérêt ou exploiter efficacement un de leurs talents pourront atteindre un niveau supérieur et attirer l'attention de plusieurs personnes. Toutes les entreprises axées sur la créativité seront très favorisées au cours des prochains mois. Le Singe de Métal devra mettre ses idées de l'avant et accepter d'être sur la sellette chaque fois que l'occasion s'y prêtera. Il pourra faire de grands progrès s'il utilise judicieusement sa volonté, son expérience et sa bonne réputation.

Les Singes de Métal qui cherchent un emploi ou qui se sentent limités là où ils sont pourront ouvrir leurs horizons de façon positive. En demeurant vigilants, en se renseignant avec soin et en mettant leurs idées en action, ils trouveront enfin ce qu'ils cherchent depuis longtemps. Cela exigera des efforts et de la persévérance de leur part, mais leur flair pour repérer les bonnes occasions leur sera très utile. Les événements de l'année façonneront certainement leur carrière et leurs possibilités d'avenir.

Le Singe de Métal aura la chance de développer des compétences particulières et il sera fier de ses réalisations. Les mois de mars, avril, octobre et novembre pourraient être le théâtre de changements intéressants au travail.

Sur le plan des relations, le Singe de Métal vivra de beaux moments. Il devrait en profiter pour élargir son cercle social et rencontrer de nouvelles personnes. Sa façon de faire, ses idées et ses talents en impressionneront plusieurs. Il aura avantage à demeurer très actif tout au long de l'année.

Ses progrès au travail l'aideront sur le plan financier, mais il devra économiser en prévision des travaux qu'il entend faire à la maison, de l'arrivée d'un nouveau membre dans la famille et de dépenses personnelles plus élevées. Au lieu de se précipiter pour acheter ce qui lui plaît, il devrait se renseigner au sujet des meilleures aubaines. Il devra faire preuve de discipline en matière d'argent.

Même si l'année du Lièvre sera généralement favorable, elle apportera évidemment son lot de problèmes à chacun de nous. Lorsque des difficultés surviendront, le Singe de Métal aura intérêt à en parler avec ses proches plutôt qu'à tout garder pour lui. Des événements curieux pourraient survenir. Il n'obtiendra pas toujours ce qu'il veut au moment de postuler un poste et ses idées seront parfois rejetées, ce qui le forcera à repenser son approche et à trouver une meilleure solution. Il devra alors demeurer actif sans perdre sa confiance en soi.

L'année du Lièvre sera fertile en possibilités. Le Singe de Métal pourra progresser et récolter des succès bien mérités à condition qu'il sache utiliser ses talents et ses idées à son avantage.

Conseil pour l'année

Utilisez vos forces et profitez des bonnes occasions. Cette année propice au progrès saura aussi récompenser votre créativité et votre esprit d'initiative. Vous avez plusieurs atouts en main, mais vous devrez faire preuve de détermination. Sachez apprécier vos relations avec les autres. Leur amour et leur soutien seront une grande inspiration pour vous.

LE SINGE D'EAU

L'année sera excitante pour le Singe d'Eau qui pourra exploiter les nombreuses possibilités qui lui seront offertes tout en savourant des moments fort agréables sur le plan personnel. Ce qu'il accomplira cette année influencera son futur et c'est en investissant dans le présent qu'il préparera le mieux son avenir.

Ce sera une année particulièrement gratifiante pour les Singes d'Eau qui sont dans le domaine de l'éducation. Plusieurs voudront se spécialiser dans une sphère qui les passionne vraiment et ils feront de grands pas en avant grâce à leur bonne volonté. Ceux qui suivent des cours axés sur la création seront très inspirés et encouragés à exploiter au maximum leurs idées et leurs talents.

Même si la plupart des Singes d'Eau seront absorbés par leurs études, certains d'entre eux vivront des moments d'incertitude et de désillusion. Ils craindront d'avoir choisi le mauvais cours ou seront déçus de l'endroit où ils étudient. Plutôt que d'être misérables et de ne pas donner le meilleur d'eux-mêmes, ils devront réévaluer la situation et consulter des personnes qui ont les connaissances et l'expérience nécessaires pour leur venir en aide. Ils pourront alors être orientés vers des cours qui leur conviendront davantage ou être informés au sujet d'autres possibilités. Grâce à l'expertise d'une autre personne, ils pourront rectifier le tir et ils en bénéficieront à long terme.

L'année du Lièvre fera naître des occasions soudaines fort intéressantes pour le Singe d'Eau. Il pourra découvrir de nouveaux centres d'intérêt, joindre un groupe social ou explorer de nouveaux sujets et de nouvelles compétences. En embrassant avec confiance ce monde de nouveauté, il approfondira ses connaissances tout en s'amusant et en élargissant son réseau social. Il y aura de l'excitation dans l'air et le Singe d'Eau gagnera à saisir la chance au vol.

Ceux qui ont un emploi et ceux qui cherchent du travail pourraient vivre des changements notables. Ceux qui travaillent seront encouragés à accepter de plus grandes responsabilités, et ce, probablement dans le cadre de leur emploi actuel. Des collègues plus âgés sauront les conseiller quant à la meilleure façon de faire leur marque et d'évaluer les différentes options qui pourraient les intéresser. Ce sera une année axée sur le progrès et plusieurs natifs de ce signe seront appelés à jouer un rôle plus important et plus satisfaisant.

Ceux qui cherchent un emploi devront relever des défis passionnants et leur année sera gratifiante. Il n'est jamais facile de trouver du travail puisque la compétition est parfois féroce, mais plusieurs portes s'ouvriront pour les Singes d'Eau déterminés qui n'ont pas peur de relever de nouveaux défis. Ils auraient avantage à bien se renseigner au sujet de l'entreprise qui les intéresse ainsi que sur le rôle qu'ils pourraient être appelés à y jouer. Grâce à leur confiance en soi et à leur persévérance, plusieurs trouveront enfin ce qu'ils cherchent et cet emploi leur servira de tremplin pour leur avenir. Mars, avril, octobre et novembre pourraient leur apporter des changements stimulants dans le domaine du travail.

Le Singe d'Eau aura de nombreuses dépenses cette année et, même s'il sera tenté de se donner corps et âme à sa vie sociale très active, il devra être prudent en matière financière. Plusieurs natifs de ce signe voudront voyager cette année et leurs économies leur permettront de mieux profiter de leur séjour à l'extérieur de leur maison. Un contrôle raisonnable sera de mise.

Le Singe d'Eau aura une vie souvent bien remplie grâce à ses multiples centres d'intérêt. D'avril à juin, ainsi qu'en septembre et en décembre, il pourrait être très sollicité dans le domaine des mondanités.

Les affaires de cœur apporteront une grande excitation dans la vie de plusieurs. Ils auront intérêt à laisser la relation évoluer tout naturellement plutôt que de s'engager trop rapidement ou de nourrir des attentes trop élevées.

La plupart des Singes d'Eau sont extravertis et adorent la compagnie des autres, mais il y a aussi des exceptions. Ceux qui se sentent seuls ou qui manquent de confiance en eux verront qu'en s'adonnant à une activité (souvent toute nouvelle), ils auront la chance de rencontrer d'autres personnes et de nouer de belles amitiés. L'année du Lièvre leur apportera un grand soutien et, vers la fin de l'année, ils seront enchantés de voir tout le chemin qu'ils auront parcouru sur le plan personnel.

Le Singe d'Eau apprécie aussi sa vie familiale et il entretient peut-être un lien affectif très spécial avec une personne plus âgée. Tout au long de l'année, s'il accepte de partager ses idées avec les membres de sa famille et de les tenir informés de ses activités, il pourra profiter de leurs encouragements et de l'aide que certains seront en mesure de lui accorder. Les relations positives qu'il entretiendra avec ses proches lui seront très favorables.

L'année du Lièvre sera axée sur le progrès. En se mettant de l'avant et en saisissant la chance au vol dès qu'elle se présentera, le Singe d'Eau pourra profiter du moment présent tout en travaillant favorablement pour son avenir. Ce sera le temps idéal pour passer à l'action et savourer pleinement la vie.

Conseil pour l'année

Utilisez vos idées et vos talents au maximum. Utilisez-les, faites-les fructifier et tirez-en le meilleur parti possible. Acceptez le soutien des autres. En étant bien conseillé, vous ferez de bien meilleures choses. Votre enthousiasme et votre vivacité vous ouvriront de nombreuses possibilités et tout ce que vous accomplirez cette année vous préparera à vivre prochainement une période vraiment excitante de votre vie.

Le Singe de Bois

La nature curieuse du Singe est l'un des traits les plus marquants de sa personnalité. Cette année, le Singe de Bois pourra se plonger dans de nombreux projets et activités des plus variés. Il aura toujours du pain sur la planche et ses entreprises connaîtront du succès la plupart du temps.

Au commencement de l'année du Lièvre, il devrait prendre le temps de bien établir ses priorités, ce qui lui permettra d'user de son temps et de son énergie avec plus d'efficacité et de mieux profiter des bonnes occasions. Ce sera le temps idéal pour concrétiser ses idées et ses projets. Le destin sera de son côté et lui donnera un précieux coup de main.

L'année du Lièvre favorisera grandement ses entreprises personnelles. Si le Singe de Bois souhaite en apprendre davantage sur un sujet qui l'intrigue depuis longtemps, il devrait suivre son cœur en s'inscrivant à un cours ou en faisant des études ou des lectures appropriées. Plusieurs natifs de ce signe voudront s'améliorer d'une manière ou d'une autre et ce sera un temps propice pour aller de l'avant. De nouvelles possibilités s'ouvriront à eux aussitôt qu'ils passeront à l'action. Ils seront en mesure s'utiliser judicieusement leurs connaissances et leurs compétences et ils gagneront à suivre des cours et à rencontrer d'autres personnes.

Les Singes de Bois accorderont une attention spéciale à leur bien-être cette année. Plusieurs voudront faire plus d'exercice ou améliorer leur alimentation et ils devront consulter un médecin afin de faire des choix qui leur conviennent. Ces conseils professionnels ajoutés à leur envie de passer à l'action feront en sorte qu'ils se sentiront beaucoup mieux dans leur peau.

Le Singe de Bois aura envie de voyager cette année et plusieurs offres intéressantes pourraient lui être faites, dont une invitation à passer du temps avec des membres de sa famille ou des amis. Il sera enchanté par les endroits passionnants qu'il visitera au cours des prochains mois.

L'année du Lièvre sera aussi favorable au monde culturel et plusieurs Singes de Bois auront la bonne idée de visiter des musées et des expositions, ou encore de se consacrer à la généalogie ou à d'autres sujets qui les interpellent. En appliquant leurs idées et en usant judicieusement de leur temps, ils tireront une grande satisfaction de leurs diverses activités.

Le Singe de Bois ayant toujours plusieurs projets en tête, il devra évidemment faire de nouvelles dépenses cette année. Il devra surveiller ses sorties d'argent et économiser une somme chaque semaine en prévision de ses projets et de ses achats plus importants. S'il veille sur son bien, il pourra en profiter davantage à long terme. Il devra aussi s'occuper de la paperasserie administrative avec soin et demander conseil s'il a certaines inquiétudes. Il devra obligatoirement être vigilant et minutieux pour tout ce qui concerne le domaine des finances.

De nature attachante, le Singe de Bois sera très sollicité cette année. Les célibataires pourront rencontrer de nouvelles personnes en s'inscrivant à un cours ou à un groupe social. D'avril à juin, ainsi qu'en septembre et en décembre, les natifs de ce signe connaîtront des mois bien remplis et très riches en activités de toutes sortes.

Le Singe de Bois sera aussi très occupé à la maison. Ses idées et sa créativité seront bouillonnantes et il pourrait apporter des améliorations majeures à sa demeure et peut-être davantage. Sa maison sera bourdonnante d'activité, mais il ne devrait toutefois pas se précipiter ni prendre de risques malvenus. En évaluant les différentes options et les coûts afférents, il sera mieux en mesure de prendre sa décision finale.

Le Singe de Bois bénéficiera du soutien et des encouragements de ses proches dans tout ce qu'il fera, mais il devra être plus ouvert aux compromis et à l'opinion d'autrui. Une certaine flexibilité de sa part sera certainement utile.

Malgré toutes ses activités, le Singe de Bois suivra de près tout ce qui se passera dans sa famille et il pourra aussi célébrer le succès de personnes plus jeunes. De plus, plusieurs de ses proches le remercieront de ses conseils dans des domaines très spécifiques.

L'année du Lièvre sera généralement agréable et animée pour le Singe de Bois. Ses activités axées sur la créativité seront particulièrement gratifiantes. Les choses iront plutôt bien pour lui et il profitera du soutien des autres tout en jouissant d'une certaine chance.

Conseil pour l'année

Mettez vos idées en pratique. En agissant de manière positive et déterminée, vous serez capable d'accomplir de nombreuses choses. Ce sera une année stimulante qui mettra de nombreuses possibilités sur votre chemin.

LE SINGE DE FEU

Ce sera une année importante pour le Singe de Feu qui pourrait en profiter pour apporter des changements à son style de vie. Sa réflexion pourrait le mener beaucoup plus loin que prévu.

Plusieurs Singes de Feu ont subi une grande pression au cours des dernières années. Ils ont aussi connu des doutes et ne se sont pas toujours sentis heureux de leur performance. L'année du Lièvre leur donnera enfin la chance de faire ce qu'*ils* veulent et de mettre certaines de leurs idées à profit. Plusieurs évalueront différents aspects de leur vie et ce cheminement intérieur leur profitera à long terme.

L'année sera très propice à leur croissance personnelle. Si le Singe de Feu veut s'intéresser à un nouveau sujet, développer ses compétences ou s'adonner à de nouvelles activités, il devrait plonger sans hésitation. Le stress qu'il a subi récemment l'a usé et il est temps qu'il adopte un mode de vie plus équilibré afin de retrouver sa vraie nature. En réfléchissant sérieusement à ce qu'il veut faire de sa vie et en prenant également le temps de s'amuser, il sera plus fier de lui-même et retrouvera cette étincelle qu'il avait perdue au cours des dernières années. En 2011, il ne sera certainement pas égoïste de consacrer une partie de son temps « juste pour lui ».

Le Singe

Les Singes étant nés sous le signe de la fantaisie, plusieurs sont naturellement doués pour la créativité et ils auront la chance de mettre leurs idées en action au cours des prochains mois. De nombreux Singes de Feu s'amuseront à l'extérieur de leur domicile et ils auront l'occasion de bien réfléchir à ce qu'ils veulent réellement.

Plusieurs voudront améliorer leur bien-être et feront les changements qui s'imposent dans les domaines de l'alimentation et de l'activité physique. Grâce à une supervision médicale, ils prendront les moyens nécessaires pour aller de l'avant et profiteront de la nature constructive de la nouvelle année.

Le Singe de Feu pourrait aussi vivre des changements agréables au foyer. Il fera tout son possible pour passer plus de temps de qualité avec les siens et il partagera aussi plusieurs de ses activités avec les autres. Il sera aussi appelé à donner un coup de main à quelques personnes. Son empathie naturelle et son aptitude à percevoir les choses avant tout le monde seront très appréciées. Des événements familiaux importants exigeront sa participation ainsi que son précieux sens de l'organisation. Sa vie familiale sera souvent spéciale et gratifiante cette année.

Il aura aussi la chance de voyager et il devrait dire oui aux congés et aux vacances qui lui sont proposés puisque ce temps de repos lui fera le plus grand bien.

Le Singe de Feu devra aussi porter une attention particulière à sa vie sociale qui a récemment souffert de ses nombreuses activités. Il devrait prendre la ferme résolution de sortir plus souvent. Ceux qui ont souffert de solitude au cours des dernières années devraient profiter au maximum des événements intéressants qui sont organisés dans leur région. Ces activités illumineront leur vie et les célibataires pourraient même assister à la naissance d'une histoire sentimentale significative. Leur vie sociale pourrait être très animée d'avril à juin, en septembre, en décembre, ainsi qu'au début de janvier.

L'année pourrait aussi être importante dans le domaine du travail. La plupart des Singes seront touchés par les aspects progressistes de l'année du Lièvre. Ceux qui sont bien établis dans leur carrière se verront offrir de nouvelles responsabilités ou la chance d'acquérir d'autres compétences. Cela pourrait les prendre par surprise, mais le défi sera intéressant.

Plusieurs Singes de Feu garderont leur poste actuel, mais ceux qui souhaitent faire un changement ou obtenir un nouveau poste pourront voir leur rêve se réaliser. En décrivant très clairement ce qu'ils veulent faire, ils seront mieux en mesure de défricher les bonnes pistes pour y arriver. Il ne leur sera pas facile d'obtenir un emploi stable, mais le succès leur sourira s'ils font preuve de bonne volonté et d'adaptation tout en étant prêts à se recycler au besoin. Mars, avril, octobre et novembre pourraient être le théâtre de bouleversements, mais l'année du Lièvre leur apportera généralement des changements positifs.

Plusieurs Singes de Feu gagneront un peu plus d'argent cette année. À cause de tous leurs projets et responsabilités, ils devront surveiller leurs dépenses de près. Ce sera une année idéale pour exercer un bon contrôle sur leurs finances. S'ils s'apprêtent à s'engager dans une opération financière importante, ils devront prendre le temps d'y réfléchir et d'analyser tous les tenants et aboutissants de cette affaire.

L'année du Lièvre sera favorable au Singe de Feu, mais il devra user judicieusement de son libre arbitre. Ce sera un temps propice à sa croissance personnelle et à ses loisirs. Il sera appelé à modifier son style de vie et à s'amuser au moment opportun. Ses relations lui seront utiles et il savourera les beaux moments passés en compagnie de sa famille. De bonnes nouvelles pourraient illuminer sa vie familiale.

Conseil pour l'année

Prenez le temps de réfléchir à ce que vous voulez faire cette année. Imposez-vous de nouveaux défis, intéressez-vous à des sujets que vous n'avez encore jamais exploités et sachez apprécier tout ce que vous possédez. Usez bien cette année qui vous permettra d'élargir vos horizons, de vous amuser et de grandir sur le plan personnel.

LE SINGE DE TERRE

Un proverbe chinois nous rappelle que «l'assiduité est mère de l'abondance». Cette année, le Singe de Terre pourra accomplir de belles choses s'il sait faire montre de considération et de prudence. L'année étant favorable à la croissance personnelle, sa nature sérieuse lui sera d'un grand secours dans le moment présent ainsi qu'en prévision de ses perspectives d'avenir. Son année sera constructive et marquée par le progrès à plusieurs égards.

Le Singe de Terre est porté à la créativité. Il a souvent de bonnes idées et il est doté d'une aptitude pour régler les problèmes et utiliser ses talents de manière originale. L'année sera très stimulante pour lui. Lorsqu'il a une bonne idée en tête et voit des choses qui l'intéressent, il devrait faire le suivi nécessaire sans attendre. En faisant preuve de bonne volonté, d'enthousiasme et de confiance en soi, il verra que tout est possible.

Au travail, l'année du Lièvre lui apportera de belles occasions de changement. Ceux qui se sentent contraints ou insatisfaits de leur situation actuelle verront une bonne occasion surgir soudainement. Ce vent de fraîcheur sera bienvenu puisqu'il poussera le Singe de Terre à élargir ses horizons et à se dépasser. Ce changement aura lieu dans le cadre de son travail actuel ou ailleurs, mais dans les deux cas sa réputation, son expérience et son désir d'aller de l'avant en impressionneront plusieurs.

Cela concerne aussi le Singe de Terre qui cherche un emploi. Même s'il se sent désillusionné ou découragé par ses perspectives d'avenir, il devra demeurer persévérant, demander conseil et profiter des ressources disponibles. Il découvrira des avenues insoupçonnées qui vaudront la peine d'être explorées. Ses qualités et ses talents le serviront bien cette année et plusieurs natifs de ce signe obtiendront un nouveau poste qui orientera différemment leur carrière. Si le Singe de Terre est appelé à se recycler, à suivre des cours ou à approfondir ses compétences, il devrait en tirer parti sans hésiter. Son assiduité et sa diligence lui assureront de belles récoltes.

Les Singes de Terre qui ont un emploi sûr pourront aussi faire des progrès au cours des prochains mois. Ils pourraient hériter de nouvelles responsabilités ou d'un poste plus stable. Une chose est sûre, ils pourront faire de grands pas en avant et parfaire leurs compétences. Mars, avril et octobre, ainsi que le début de décembre, pourraient être le théâtre de changements fort intéressants pour eux.

Ce sera aussi une bonne période pour repenser leur style de vie et concrétiser les projets qu'ils nourrissent depuis un certain temps. Ils pourraient adopter de nouveaux centres d'intérêt ou de nouvelles activités, entreprendre un programme de mise en forme ou s'imposer certains défis. Ils vivront des moments très satisfaisants s'ils savent mettre leurs idées en œuvre.

Le Singe de Terre appréciera également son cercle d'amis souvent très restreint. Il en profitera pour parler de ses idées et pour solliciter l'opinion de ses proches à propos de sujets bien précis. Il pourra partager ses loisirs et vivre des moments vraiment plaisants avec eux. Les natifs de ce signe qui ont négligé leur vie sociale au cours des dernières années pourront rattraper le temps perdu. Ils ajouteront une nouvelle dimension à leur vie en sortant davantage, en s'engageant au sein de leur communauté ou en participant à des événements ou à des rencontres rassemblant des amis passionnés par les mêmes choses. D'avril à juin, ainsi qu'en septembre et en décembre, ils seront très actifs en société.

Au foyer, l'année sera bien remplie. Des problèmes relatifs au logement occuperont le Singe de Terre qui sera heureux d'apporter des améliorations à sa demeure et à son jardin s'il en a un. Même s'il a plein d'idées en tête, il devrait en discuter avec les siens et bien évaluer les coûts. Avant de s'aventurer dans n'importe quel genre d'entreprise, il devra bien se préparer afin que les résultats soient valables.

En plus de ces travaux pratiques, plusieurs changements surviendront chez lui. De jeunes personnes très prises par leurs études devront prendre des décisions importantes pour leur avenir. Le soutien et les encouragements du Singe de Terre seront très prisés dans ces circonstances. Grâce à son talent inné pour mijoter de nouvelles idées, il sera en mesure de proposer des activités et des sorties que tous apprécieront. L'année sera certainement très animée à la maison.

Sur le plan financier, le Singe de Terre aura des revenus additionnels grâce aux changements qu'il vivra au travail. À cause de ses responsabilités actuelles et de ses projets, il devra toutefois demeurer discipliné. Ce sera une année propice à la diligence et au bon sens.

L'année du Lièvre est porteuse de grandes possibilités pour le Singe de Terre. Malgré les expériences difficiles des dernières années, il se sentira revigoré grâce à sa détermination et aux bonnes occasions qui se pointeront sur sa route. Il pourra aussi parfaire son expérience. Il ne devra surtout pas hésiter à aller de l'avant, à parfaire ses compétences, à découvrir de nouveaux centres d'intérêt et à saisir la chance au vol. Grâce à sa bonne volonté et à son esprit déterminé, il connaîtra une année agréable et positive.

Conseil pour l'année

Vous avez un immense talent pour la pensée créative. Vous savez aussi être à l'affût des diverses possibilités qui s'ouvrent à vous. Profitez de vos bonnes idées ainsi que des occasions favorables qui se présenteront. Approfondissez vos compétences et donnez le meilleur de vous-même sur les plans personnel et professionnel. Plusieurs choix s'offriront à vous. Usez bien de votre chance puisque vos actions pourraient mener à des accomplissements remarquables.

Des Singes célèbres

Gillian Anderson, Marie-Christine Barrault, Jacqueline Bisset, Björn Borg, France Castel, Johnny Cash, Jules César, Robert Charlebois, Jacques Chirac, Colette, John Constable, David Copperfield, Bette Davis, Bo Derek, Céline Dion, Michael Douglas, Diane Dufresne, Alexandre Dumas, Murielle Dutil, Mia Farrow, F. Scott Fitzgerald, Ian Fleming, Bernard Fortin, Ève Gadouas-Ranger, Paul Gauguin, Macha Grenon, Mika Häkkinen, Jerry Hall, Tom Hanks, Françoise Hardy, Martina Hingis, Harry Houdini, Jean-Paul II, Linda Johnson, Buster Keaton, Edward Kennedy, Louise Marleau, Dominique Michel, Modigliani, Caroline de Monaco, Wajdi Mouawad, Guy Nantel, Martina Navratilova, Peter O'Toole, Anthony Perkins, Robert Powell, Lisa Marie Presley, Hubert Reeves, Debbie Reynolds, Monique Richard, Alice Ronfard, Michael Schumacher, Jacques Tati, Elizabeth Taylor, Kiri Te Kanawa, Harry Truman, Boris Vian, Léonard de Vinci, Venus Williams.

Le Coq

22 JANVIER 1909 – 9 FÉVRIER 1910	Coq de Terre
8 FÉVRIER 1921 – 27 JANVIER 1922	Coq de Métal
26 JANVIER 1933 – 13 FÉVRIER 1934	Coq d'Eau
13 FÉVRIER 1945 – 1er FÉVRIER 1946	Coq de Bois
31 JANVIER 1957 – 17 FÉVRIER 1958	Coq de Feu
17 FÉVRIER 1969 – 5 FÉVRIER 1970	Coq de Terre
5 FÉVRIER 1981 – 24 JANVIER 1982	Coq de Métal
23 JANVIER 1993 – 9 FÉVRIER 1994	Coq d'Eau
9 FÉVRIER 2005 – 28 JANVIER 2006	Coq de Bois

La personnalité du Coq

Je fixe le cap
et le garde résolument.
Je hisse mes voiles
que gonfle le vent de la chance.

Le Coq naît sous le signe de la candeur. Personnalité flamboyante et colorée, c'est un organisateur-né. Il aime pouvoir planifier ses activités et se montre méticuleux dans tout ce qu'il fait.

Doté d'une belle intelligence, c'est un être habituellement très cultivé et réputé pour son sens de l'humour. Très persuasif, il raffole des discussions et des débats. Il s'exprime toujours avec une grande franchise et n'hésite pas à partager ses opinions, qu'on souhaiterait parfois plus nuancées. Force est de reconnaître qu'il manque de tact et peut souvent blesser son entourage ou nuire à sa réputation à cause de remarques ou de gestes inconsidérés. Très changeant de nature, il aurait intérêt à maîtriser une impulsivité susceptible de lui jouer de vilains tours.

Le Coq est habituellement très digne ; il respire la confiance et l'autorité. Doué pour les affaires, il organise ses finances comme il organise tout le reste, c'est-à-dire avec un talent consommé. C'est un investisseur astucieux qui, au cours de sa vie, peut accumuler une fortune enviable. La plupart des Coqs sont économes et judicieux dans leurs dépenses, mais les exceptions qui confirment la règle sont des paniers percés notoires. Heureusement, le Coq gagne en général très bien sa vie, aussi le voit-on rarement démuni.

Si vous fréquentez le Coq, vous l'apercevrez toujours armé d'un calepin, ou les poches bourrées de bouts de papier. En effet, il s'écrit constamment des notes ou des rappels, de crainte d'oublier, car, voyez-vous, il ne peut supporter l'inefficacité. Ordre, méthode et précision sont pour lui des valeurs essentielles.

Le Coq est habituellement très ambitieux, mais il manque parfois de réalisme quant à ses objectifs, ce qu'on pourrait attribuer à une imagination particulièrement fertile. En voulant lui ramener les pieds sur terre, on peut facilement l'indisposer. En fait, il n'aime pas la critique, et lorsqu'il sent qu'on met son jugement en doute, ou qu'on veut se mêler de ses affaires, il ne se gêne pas pour le dire. Pourtant, il aurait intérêt à tenir compte plus souvent des remarques qui lui sont faites. Mais égocentrisme et entêtement passagers sont amplement compensés par le fait qu'il est fiable, honnête et loyal, qualités qu'apprécient tous ceux qui le connaissent. Les Coqs nés tant à l'aube qu'au crépuscule (entre 5 h et 7 h et entre 17 h et 19 h) sont en général les plus extravertis du signe, mais tous ont en commun une grande sociabilité. Ils adorent les fêtes et les réceptions de toutes sortes, et on n'imagine pas le Coq sans un large cercle d'amis. Bien servi par son entregent, il se distingue d'ailleurs par sa remarquable facilité à établir le contact avec des personnes d'influence. Il se joint souvent à des clubs ou associations, et les activités organisées trouvent en lui un participant enthousiaste. Ses sujets de prédilection concernent le plus souvent l'environnement et les causes humanitaires ou sociales. Sa nature bienveillante le porte spontanément à aider les moins favorisés que lui.

Le jardinage est un passe-temps qui a beaucoup d'attrait pour lui et, malgré le temps limité qu'il peut y consacrer, son jardin fait invariablement l'envie de ses voisins.

Soigneux de son apparence, le Coq a généralement une mise distinguée et, si son emploi exige l'uniforme, c'est avec fierté et dignité qu'il le portera. Il ne déteste pas qu'on parle de lui; pour tout dire, être le point de mire lui est particulièrement agréable. Côté travail, les relations publiques et les médias sont des domaines où il réussit bien; il fait aussi un excellent professeur.

À n'en pas douter, la femme Coq mène une vie qui n'a rien de monotone. Elle est si active dans plusieurs domaines qu'on se demande comment elle arrive à jongler avec toutes ses occupations. Ses opinions sont en général très tranchées et, comme le natif masculin, elle n'hésite pas à les exprimer, ni à dire aux autres quoi faire et comment faire ! Elle est remarquablement efficace et bien organisée, qualités dont témoigne son intérieur : chez elle, tout est impeccable. S'habillant avec goût, elle choisit de préférence des tenues pratiques, mais toujours élégantes.

Le Coq a souvent plusieurs enfants, et il aime prendre une part active à leur éducation. Il fait un partenaire très fidèle et se trouvera beaucoup d'affinités avec les natifs du Serpent, du Cheval, du Bœuf et du Dragon. S'ils ne mettent pas trop de contraintes aux activités du Coq, les Rats, les Tigres, les Chèvres et les Cochons entretiendront aussi de bons rapports avec lui. L'association de deux Coqs, toutefois, risque de faire des flammèches. Pour sa part, le Lièvre, sensible, sera décontenancé par la brusquerie du Coq, tandis que ce dernier ne tardera pas à être exaspéré par le Singe, rusé et trop curieux à son goût. Enfin, l'entente s'avérera difficile entre le Coq et le Chien au naturel anxieux.

Si le Coq apprend à être moins versatile et plus diplomate, il ira loin. Talentueux et fort capable, il fait communément bonne impression partout où il va.

Les cinq types de Coqs

Le Métal, l'Eau, le Bois, le Feu et la Terre sont les cinq éléments qui viennent renforcer ou tempérer les douze signes du zodiaque chinois. Leurs effets, accompagnés des années au cours desquelles ils prédominent, sont décrits ci-après. Ainsi, tous les Coqs nés en 1921 et en 1981 sont des Coqs de Métal, les natifs de 1933 et de 1993, des Coqs d'Eau, etc.

Le Coq de Métal (1921, 1981)

Travailleur acharné et consciencieux, le Coq de Métal sait ce qu'il veut et, quand il passe à l'action, c'est avec optimisme et détermination. Son esprit parfois caustique et ses positions inflexibles le desservent à l'occasion : il arriverait sûrement plus facilement à ses fins s'il apprenait à manier l'art du compromis. Son aisance à traiter des questions d'argent tout comme sa perspicacité en font un gestionnaire efficace. Il est d'une grande loyauté envers ses amis et on le voit souvent se dévouer pour le bien commun.

Le Coq d'Eau (1933, 1993)

Le Coq d'Eau est doté d'une grande force de persuasion ; il gagne ainsi facilement la collaboration d'autrui. Être intelligent et cultivé, il n'est jamais à court d'idées lors des discussions et des débats. Il semble posséder d'inépuisables ressources d'énergie et, pour obtenir ce qu'il veut, fait preuve d'une capacité de travail remarquable. Cependant, il gaspille parfois un temps précieux à s'occuper de détails mineurs ou sans importance. Toujours affable, il a un bon sens de l'humour et jouit de l'estime de tous.

Le Coq de Bois (1945, 2005)

Le Coq de Bois, fiable et honnête, se fixe souvent des critères élevés. Animé d'une grande ambition, il réussit généralement bien, mais doit se méfier de sa tendance à s'empêtrer de détails. Il est également porté à courir trop de lièvres à la fois ! Ses champs d'intérêt sont nombreux et variés, et il aime tout particulièrement les voyages. Sa bienveillance à l'égard de sa famille et de ses amis ne se dément jamais.

Le Coq de Feu (1957)

Le Coq de Feu fait preuve d'une prodigieuse détermination. On apprécie chez lui ses qualités de meneur, son sens de l'organisation et sa grande efficacité au travail. Une force de caractère peu commune lui permet généralement d'atteindre ses objectifs, mais il est porté à être très direct et à ne pas tenir compte des sentiments d'autrui. Toutefois, s'il acquiert un peu plus de tact, il pourra souvent réussir au-delà de ses espérances.

Le Coq de Terre (1909, 1969)

Le Coq de Terre est doué d'un esprit pénétrant et d'une grande intuition. C'est un travailleur efficace et d'une singulière persévérance ; lorsqu'il se fixe un but, rarement se laisse-t-il dévier de sa trajectoire : il est prêt à tous les efforts. Il jouit de l'estime générale et possède un grand sens de la famille. Habituellement, ces Coqs ont un goût marqué pour les arts.

Perspectives pour 2011

Le Coq est un planificateur enthousiaste à la fois prudent et méticuleux. L'année du Tigre (du 14 février 2010 au 2 février 2011) aura été caractérisée par un rythme rapide qui a fait fi des routines établies et des projets bien planifiés. Plusieurs Coqs se sont conséquemment sentis mal à l'aise et perturbés par certains événements et ils auront besoin de rassembler leurs esprits au cours des derniers mois de cette année.

Même si l'année du Tigre n'est jamais la plus favorable pour le natif du Coq, elle est tout de même porteuse de nombreux bienfaits. Les événements le forcent parfois à effectuer des changements qu'il n'aurait pas songé à faire autrement. Cette situation peut être inconfortable, mais le Coq en tirera de grandes leçons puisqu'il apprendra à mieux se connaître. De nouveaux horizons s'ouvriront dans sa vie. Il pourra mieux profiter des derniers mois de l'année du Tigre à condition d'avoir la volonté de s'adapter aux différentes situations.

Au travail, une demande accrue ou des changements lui donneront la chance d'avoir plus de responsabilités. Les Coqs qui cherchent un emploi pourront trouver un travail intéressant qui exigera qu'ils soient flexibles et prêts à sortir des sentiers battus. Comme ils pourront le constater, l'année du Tigre sera pour eux une véritable source d'enseignements.

Les derniers mois pourraient leur imposer des dépenses additionnelles et ils devraient conserver tous les reçus afférents. Les Coqs devraient songer à étaler leurs achats les plus importants ou attendre les bonnes aubaines, dont les ventes de fin d'année.

Leur vie sociale sera plus animée au cours des trois derniers mois de l'année du Tigre. Ils auront de nombreuses occasions de s'amuser, mais ils devront surveiller leur nature candide. Un manque de tact de leur part pourrait blesser des gens ou nuire à leurs relations. Coqs, prenez-en note et rappelez-vous que l'année du Tigre exige que vous soyez attentifs et prévenants envers les autres.

Le Coq sera appelé à jouer un rôle important à la maison vers la fin de l'année du Tigre et de nombreuses réunions familiales le réjouiront. En participant pleinement à ces activités, il vivra une période à la fois dynamique et agréable. Certains Coqs auront même la chance de voyager au cours des dernières semaines de l'année du Tigre.

Après avoir subi la pression et le rythme enivrants de l'année du Tigre, le Coq doit maintenant s'attendre à vivre des mois plus calmes. L'année du Lièvre commencera le 3 février 2011 et elle sera des plus convenables pour lui. Même s'il lui sera possible de faire des progrès, il devra toutefois demeurer réaliste et patient. Les résultats n'arriveront pas du jour au lendemain et tous n'auront pas le même zèle et le même emploi du temps que lui dans son entourage !

Au travail, plusieurs Coqs choisiront de se concentrer sur le présent plutôt que de regarder trop loin devant. S'ils ont récemment vécu des changements dans leur vie, ils apprécieront de s'établir dans leur poste et de faire profiter les autres de leur expertise. Tous les Coqs devraient travailler en étroite collaboration avec leurs collègues et être des membres actifs de leur équipe de travail. L'année favorisera la coopération plutôt qu'une attitude trop indépendante. De plus, le Coq gagnera à se créer un réseau solide et à se faire connaître davantage. Au besoin, il aura intérêt à joindre une organisation professionnelle. Il ne devrait jamais hésiter à suivre une formation d'appoint ou à acquérir de nouvelles compétences. Même s'il prend cette initiative de lui-même, il ne le regrettera pas puisque les résultats seront gratifiants sur les plans personnel et professionnel en plus de le préparer pour l'avenir. Plusieurs de ses accomplissements paveront la voie aux opportunités plus intéressantes qui lui seront offertes en 2012, au cours de l'année du Dragon.

Même si le rythme de l'année du Lièvre semble plus lent, de bonnes occasions pourraient surgir de façon impromptue et le Coq devrait sauter aussitôt sur l'occasion pour se mettre en valeur. Il ne fera peut-être pas des percées majeures cette année, mais l'expérience qu'il prendra jouera un rôle de premier choix dans ses succès à venir.

Les Coqs qui cherchent du travail devront être patients et persévérants, mais des changements soudains pourraient jouer en leur faveur. Certains seront désespérés, mais s'ils demeurent vigilants et acceptent d'évaluer les différentes possibilités qui s'offrent à eux, ils pourraient se voir accorder la chance dont ils rêvent. Ce sera d'autant plus spécial puisque cette chance fera suite à un premier refus. Avril, mai, octobre et novembre pourraient être le théâtre de changements importants au travail. L'expérience qu'ils prendront cette année jouera un rôle de premier plan dans leur avenir.

Le Coq devra être particulièrement prudent dans le domaine des finances. La plupart des natifs de ce signe sont méticuleux et surveillent bien leurs avoirs, mais d'autres sont plus prodigues. Le Coq devra être discipliné au cours de l'année du Lièvre et éviter les achats non planifiés. S'il ne veille pas au grain, ses dépenses pourraient s'additionner rapidement et il serait alors contraint d'être plus frugal par la suite. Le Coq devra aussi éviter la spéculation financière et les risques inutiles. L'année du Lièvre appelle à la prudence et à la réserve.

Le Coq gagnera aussi à prendre soin de ses relations avec les autres. Son sens des responsabilités et sa nature candide sont des qualités louables, mais il faudra qu'il tienne compte davantage du point de vue de son entourage. Il pourrait créer des problèmes en étant trop ferme et trop brusque ou encore en faisant fi de la sensibilité de ses interlocuteurs. Heureusement, le Coq est aussi très perspicace et les choses iront beaucoup mieux pour lui s'il est plus attentionné envers les autres et plus à l'écoute de leurs besoins et de leurs opinions.

Sur le plan social, sa vie pourrait être un peu plus calme qu'à l'ordinaire, mais cela ne l'empêchera pas d'accepter les invitations liées à son travail (son réseau social pourrait être un grand atout en 2011) ou d'assister aux événements qui le tentent. Ses loisirs lui permettront aussi d'être en contact avec d'autres personnes et l'aideront à se faire de nouvelles relations. Sa vie mondaine sera généralement très active, et plus encore en mars, mai, septembre et décembre.

Son année sera satisfaisante sur le plan familial, et ce, surtout s'il s'assure qu'une bonne communication règne entre tous les membres de son clan. Les conseils qu'il recevra d'un être cher pourraient avoir une valeur toute spéciale pour lui. Cette personne pourrait l'informer d'une bonne occasion qui pourrait l'intéresser ou lui apprendre comment il pourrait développer l'une de ses idées. Tout au long de l'année du Lièvre, le Coq sera sage de bien écouter ceux qu'il aime puisqu'ils ont vraiment ses intérêts à cœur. Il pourra évidemment leur accorder son soutien chaleureux en retour. On sollicitera son aide (soutenir un proche qui a des problèmes ou nourrir la confiance en soi d'un parent ou d'un ami) au cours des prochains mois et son attention sincère sera grandement appréciée. Le Coq prendra plaisir à participer aux diverses activités familiales et tous bénéficieront de ces moments de qualité partagés dans la joie.

L'année du Lièvre est naturellement favorable à la croissance personnelle. Le Coq est doté d'un esprit vif et il est aussi un lecteur passionné. Cette année, il sera particulièrement heureux de consacrer du temps à approfondir les sujets qui le passionnent le plus. Le fait de parfaire ses connaissances lui permettra d'user intelligemment de son temps tout en lui ouvrant de nouveaux horizons.

Le Coq devra veiller à être minutieux, prudent et patient au cours de l'année du Lièvre. Il devra faire l'effort de demeurer attentionné et vigilant même si ses progrès pourraient être lents. Ce ne sera pas le temps d'être trop impulsif ou audacieux. Son exubérance sera peut-être tempérée, mais l'année sera tout de même très significative dans son cas. L'année suivante – celle du Dragon – sera de bon augure pour lui et ce qu'il accomplira en 2011 lui servira en prévision de 2012. L'année du Lièvre sera donc tout à fait convenable puisqu'il aura la satisfaction de récolter le fruit de ses actions à long terme.

LE COQ DE MÉTAL

Ce sera une année de grande valeur pour le Coq de Métal. Même si ses progrès seront plutôt modestes, il sèmera pour le futur. À plusieurs égards, il s'agira d'un temps préparatoire en prévision des excellentes opportunités qui émergeront au cours des années à venir. L'importance de 2011 *ne doit pas* être sous-estimée.

Cette année, le Coq de Métal célébrera une nouvelle décennie et il aura une envie urgente d'aller de l'avant. Les projets qu'il concrétisera prendront une grande valeur avec le temps. Le Coq de Métal sait qu'il est en mesure d'accomplir beaucoup de choses et il ne pourra s'empêcher d'user de sa détermination et de son esprit de décision.

Sur le plan du travail, les Coqs de Métal ne feront probablement pas de percées majeures (l'année suivante leur sera plus favorable), mais plusieurs auront de nouvelles responsabilités ainsi que la chance de parfaire leurs compétences en montrant de quoi ils sont capables. Leur sens de l'engagement et leur capacité de travailler en étroite collaboration avec leurs collègues favoriseront leur réputation et leur situation en général.

La plupart des Coqs de Métal seront fidèles à leur présent employeur, mais l'année sera aussi significative pour ceux qui sont désillusionnés par leur situation professionnelle ou qui cherchent un emploi. En consultant un service de placement, en parlant avec des conseillers et en faisant leurs propres recherches, ils pourront trouver ce qu'ils veulent. Il s'agira souvent d'un travail très différent de ce qu'ils ont fait jusqu'à maintenant, mais ce changement leur permettra d'évoluer et d'acquérir de l'expérience. Pour plusieurs natifs de ce signe, l'année 2011 marquera une toute nouvelle étape de leur carrière. Des changements intéressants pourraient voir le jour en avril, mai, octobre et novembre.

Le Coq de Métal aura beaucoup de dépenses au cours de l'année du Lièvre et il devra être discipliné en évitant de succomber à des achats faits sur un coup de tête. Plusieurs pourraient être tentés de voyager ou d'organiser des célébrations pour eux-mêmes ou pour leur famille (incluant leur trentième anniversaire de naissance). Ils devront alors faire un budget en prévision de ces événements et de leurs autres projets. Si le Coq de Métal s'apprête à signer des papiers concernant sa demeure ou à faire une transaction qui aura des implications à long terme, il devra s'informer de tous les tenants et aboutissants et consulter un professionnel au besoin. L'année devra être placée sous le signe de la vigilance, de la minutie et de la planification.

Le Coq de Métal pourrait décider de limiter ses activités mondaines, mais il devra toutefois garder le contact avec ses amis et ne pas se priver d'assister aux événements qui le tentent vraiment. Ses sorties l'aideront à avoir une vie plus équilibrée tout en lui permettant de se changer les idées et de se relaxer. De plus, sa famille et ses amis pourraient lui réserver des surprises pour souligner son entrée dans une nouvelle décennie et leur affection lui fera beaucoup de bien. Les mois les plus divertissants seront mars, mai, septembre et décembre.

Au foyer, il vivra aussi plusieurs événements de toutes sortes. En plus de donner un coup de main à ses proches, il sera occupé avec des projets et des engagements d'ordre domestique. Il devra veiller à ne pas perdre son temps ni à disperser ses énergies. Il sera étonné de voir tout ce qu'il est en mesure d'accomplir lorsqu'il est bien organisé et prompt à établir ses priorités.

Le Coq de Métal est consciencieux et autonome, mais il devra apprendre à inclure les siens dans ses projets. Ils pourront lui venir en aide lorsqu'il est très occupé ou le conseiller lorsqu'il est inquiet. Il devra éviter de faire cavalier seul au cours de l'année du Lièvre.

Cette année, le Coq de Métal aura le loisir d'élargir ses centres d'intérêt et ses compétences. Il ne craindra pas d'accepter un nouveau défi et ses actions lui procureront beaucoup de plaisir et de satisfaction. De nature enthousiaste et entreprenante, il pourra compter sur cette nouvelle décennie pour poursuivre sa lancée.

L'année du Lièvre sera importante et constructive pour lui et, s'il fait l'effort de saisir la chance au vol, il sera mieux en mesure d'accueillir ses progrès à venir. Tout au long de l'année, il devra collaborer de près avec les autres. Il profitera par le fait même de leur soutien et de leurs encouragements tout en étant comblé par l'amour et l'affection de ceux qu'il aime.

Conseil pour l'année

Concentrez-vous sur ce que vous voulez accomplir et sur ce que vous devez faire. Si vous savez bien concentrer vos efforts, vos actions porteront fruit dans le présent et, *plus important encore,* dans l'avenir. Sachez apprécier vos relations avec les autres. Consultez-les, soyez attentif à leur point de vue et amusez-vous tous ensemble.

LE COQ D'EAU

L'année du Lièvre est riche en possibilités pour le Coq d'Eau. S'il sait en tirer parti, il pourra accomplir de grandes choses et semer des graines pour le futur. Les douze prochains mois seront propices à la croissance personnelle et le natif de ce signe sera bien placé pour jouir de toutes ces influences favorables.

Plusieurs Coqs d'Eau termineront un programme d'études, auront des examens et passeront à une nouvelle étape de leur vie étudiante. Ils seront fin prêts à faire face à ces changements tout en étant ouverts à de nouvelles manières de parfaire leur éducation.

Ils devront toutefois travailler fort s'ils veulent obtenir un succès pourtant bien mérité. Dans certains cas, ils devront se plonger dans de tout nouveaux sujets d'études plutôt exigeants, mais leur persévérance et leur détermination leur donneront une plus grande confiance en eux-mêmes. Le jeu en vaudra la chandelle puisqu'ils auront de bons résultats sur les plans académique et personnel. Cette période intense fera croître leur confiance en eux-mêmes tandis qu'ils s'apprêtent à devenir de jeunes adultes autonomes.

Le Coq d'Eau aura beaucoup de pain sur la planche et il devra prendre des décisions importantes pour son avenir. Il sera de mise qu'il consulte des personnes bien avisées. S'il s'interroge au sujet de certains métiers ou professions et des qualifications requises pour y accéder, il gagnera à solliciter l'aide d'adultes expérimentés. S'il nourrit certaines inquiétudes à propos de ses études ou d'autre chose, il devrait en parler à ceux qui ont les moyens de lui venir en aide. En faisant preuve d'ouverture, il pourra profiter davantage de cette aide qui allégera son fardeau. Il est important qu'il ne se sente pas seul cette année.

Malgré le fait qu'il sera très pris par ses études, le Coq d'Eau se plaira à explorer de nouveaux champs d'intérêt. S'il aime les activités axées sur la créativité et les arts de la scène (lesquels sont toujours favorisés pendant l'année du Lièvre), s'il aime un sport en particulier ou nourrit d'autres passions, il pourra en tirer beaucoup de satisfaction et en faire profiter d'autres personnes. Là encore, il aura raison de profiter de l'aide et des instructions qui lui seront gracieusement offertes.

Le Coq d'Eau chérira son cercle d'amis tout au long de l'année. En plus de se soutenir mutuellement, ils s'amuseront à sortir ensemble et à partager leurs centres d'intérêt communs. Les Coqs d'Eau qui déménageront, probablement à cause de leurs études, savoureront le fait de pouvoir nouer de nouvelles amitiés. Le Coq d'Eau choisit ses amis avec soin et l'esprit de camaraderie qu'il partage avec eux lui procurera un immense plaisir. Certains vivront une histoire sentimentale, mais les chemins de l'amour seront parfois cahoteux. Il comprendra bien assez vite qu'il est préférable de profiter du moment présent plutôt que d'avoir des attentes trop importantes pour l'avenir. *Que sera sera !*

Le Coq d'Eau devra surveiller ses dépenses s'il veut avoir suffisamment d'argent pour ses loisirs et sa vie sociale animée. Les années du Lièvre sont souvent onéreuses et, s'il tient à réaliser tous ses rêves, il devra éviter de faire des achats sur un coup de tête. À cause des aspects mitigés qui caractériseront son année financière, il devrait demander conseil chaque fois qu'il aura des inquiétudes au sujet de bourses d'études, de profits potentiels ou de transactions.

Pour les Coqs d'Eau qui ont un emploi, l'année sera remplie de défis. Ils sentent parfois qu'on ne leur donne pas la chance d'exploiter leur plein potentiel ou que certains aspects de leur travail ne sont pas très valorisants. Même s'ils vivent parfois de la frustration, ils seront en bonne posture pour profiter des occasions intéressantes qui se présenteront à condition qu'ils donnent le meilleur d'eux-mêmes et acquièrent de l'expérience.

La quête des Coqs d'Eau qui cherchent un emploi ne sera pas toujours simple, mais le poste qu'ils obtiendront deviendra vite un tremplin pour d'autres opportunités à venir. Certains pourront faire un stage d'apprentissage ou profiter d'un programme travail-études ; d'autres acquerront de nouvelles compétences ou seront initiés au monde des affaires. Ils devraient se faire un devoir de ne pas rater cette chance inouïe. Les actions positives qu'ils feront cette année leur serviront pendant très longtemps. Ils devront être particulièrement vigilants en avril, mai, octobre et novembre.

Au foyer, le Coq d'Eau gagnera à être ouvert et communicatif. Même si des points de vue divergents et une différence d'âge avec d'autres personnes pourraient causer des difficultés, il aura intérêt à parler de ses activités courantes et à discuter de ses décisions et de ses inquiétudes. Il constatera rapidement que les siens le soutiennent et sont en mesure de bien le conseiller. Cette relation de confiance profitera à toute la famille. Le Coq d'Eau se plaira à jouer un rôle de choix dans les activités et les projets familiaux, dont les congés et les vacances. Ce sera une année idéale pour avoir un esprit d'ouverture et de collaboration.

L'année du Lièvre sera importante pour le Coq d'Eau qui en tirera une grande satisfaction personnelle. Il poussera plus loin ses études et approfondira son expérience (parfois de façon remarquable) tout en ayant l'occasion de développer ses forces et ses qualités uniques. Malgré le fait qu'il devra travailler fort pour obtenir du succès, ses accomplissements lui donneront les qualifications et les connaissances nécessaires pour aller encore plus loin. Les bienfaits de l'année du Lièvre pourraient être considérables *et* porter fruit à long terme.

Conseil pour l'année

En tant que Coq d'Eau, vous avez probablement hérité de plusieurs aptitudes. Laissez-les émerger et profitez de toutes les bonnes occasions que vous croiserez sur votre chemin au cours de l'année du Lièvre. Les années à venir sont remplies de promesses et ce que vous accomplirez en 2011 prendra de la valeur avec le temps.

Le Coq de Bois

Cette année, la vie sera plutôt calme et plaisante pour le Coq de Bois. Lui qui planifie si bien les choses, il sera ravi de pouvoir se concentrer sur ses affaires et constater que plusieurs de ses idées et projets prendront forme.

L'un des aspects les plus agréables de l'année est qu'il pourra développer ses nombreux centres d'intérêt. Ce projet lui tenait à cœur depuis longtemps et ses vastes connaissances pourraient lui ouvrir de nombreuses portes. Il voudra peut-être partager ses passions avec d'autres personnes enthousiastes, écrire au sujet de son expérience ou explorer un thème particulier. Il trouvera une immense satisfaction à mettre ses connaissances à profit.

En plus d'utiliser son savoir comme il l'entend, il s'ouvrira à de nouvelles choses. Son conjoint ou un ami intime pourrait l'inviter à partager une activité qu'il ne connaît pas encore. L'année du Lièvre lui sourira s'il accepte de participer à des activités organisées dans sa région (projet communautaire, groupe, campagne, cours, etc.). La clé de son succès en 2011 : demeurer vigilant et mettre ses idées en action.

Le Coq est très attiré par le travail de la terre et plusieurs Coqs de Bois seront enchantés de passer du temps dehors. Ceux qui ont un jardin ou une parcelle de terre passeront des heures à s'en occuper et à regarder pousser les légumes, les fines herbes et les plantes. D'autres natifs de ce signe apprécieront de pouvoir profiter des installations locales en plus de visiter des parcs régionaux ou d'autres lieux intéressants.

De plus, plusieurs Coqs de Bois accorderont une plus grande attention à leur bien-être au cours des prochains mois. Là encore, ils pourront profiter des services offerts dans leur région. Si leurs activités (natation, programme de mise en forme, exercice, etc.)

sont supervisées par des personnes compétentes, elles leur procureront une grande joie tout en bénéficiant à leur santé. Le fait de se joindre à d'autres personnes leur permettra de recevoir leurs encouragements et d'ajouter une touche d'humour à ces nouveaux passe-temps. Le Coq de Bois jouit de possibilités fort variées, mais c'est en faisant ce qu'il aime qu'il pourra le mieux prendre soin de lui-même.

Plusieurs Coqs de Bois prendront leur retraite cette année, mais certains seront heureux de garder leur emploi ou de mettre leurs compétences ou leurs passe-temps au service des autres. Enfin libérés de la pression qu'ils ont subie au cours des dernières années, ils seront heureux de faire leur travail et d'avoir des revenus additionnels.

Les années du Lièvre sont souvent onéreuses et plusieurs Coqs de Bois pourraient avoir des coûts supplémentaires pour leur demeure (réparations, entretien ou remplacement de certaines installations). Ils devront apprendre à surveiller leurs dépenses, exiger une évaluation des coûts, comparer les prix et profiter des bonnes occasions. L'année devra être placée sous le signe de la prudence et de la vigilance. Le Coq de Bois veillera aussi avec soin à la paperasse administrative et demandera qu'on l'éclaire s'il a certaines inquiétudes.

En plus de limiter ses dépenses, il devra faire des économies en prévision d'un congé. Un temps de repos et un changement d'air lui feront le plus grand bien. Il pourrait avoir de bonnes possibilités de voyager vers la fin de l'année.

Le Coq de Bois se plaira aussi à passer du temps avec ses amis. Ses loisirs, qu'ils soient anciens ou tout nouveaux, lui procureront du bon temps en société. Les natifs de ce signe qui souhaitent faire de nouvelles rencontres réaliseront leur rêve en joignant un groupe ou en s'engageant dans le domaine communautaire (plusieurs Coqs de Bois sont pleins de vivacité dans la vie publique). Les années du Lièvre favorisant les actions positives, leur vie sociale sera très animée tout au long de l'année, et surtout en mars, mai, septembre et décembre.

Le Coq de Bois recevra le soutien de sa famille au cours des prochains mois. Les projets et les passe-temps qu'il partagera avec les siens seront particulièrement gratifiants et l'année comblera ceux qui sont entreprenants. Le natif de ce signe sera aussi heureux d'aider les autres, de prendre le temps de s'informer au sujet de ses proches et de participer aux activités familiales. Même si l'année sera encourageante, il aura intérêt à se confier à son entourage s'il est inquiet ou préoccupé. Il aurait tort de tout garder pour lui ou de cacher ses sentiments. La vie sera plus facile s'il fait preuve d'ouverture d'esprit et accepte qu'on l'aide à désamorcer ses difficultés.

L'année du Lièvre donnera au Coq de Bois la chance de mieux tirer parti de ses centres d'intérêt et de concrétiser ses projets. Ce sera un temps globalement constructif et il pourra récolter une grande satisfaction de ses activités à condition qu'il fasse preuve de bonne volonté et d'esprit d'entreprise.

Conseil pour l'année

Consacrez du temps à vos talents et à vos passions. Vous en obtiendrez un immense plaisir tout en vous ouvrant à de belles rencontres. Il sera important de vous ouvrir aux différentes possibilités qui se présenteront sur votre route. Vous vivrez une année enrichissante grâce à vos accomplissements réalisés avec un esprit positif.

LE COQ DE FEU

Le Coq de Feu est doté d'une volonté très forte. Au cours des années, sa détermination et son acharnement lui ont permis d'accomplir de grandes choses. L'année du Lièvre lui sera favorable et il pourra en tirer parti au maximum s'il accepte de modifier son approche. Plutôt que de travailler sans relâche à la réalisation de ses rêves, il devrait faire preuve d'une plus grande flexibilité en acceptant la réalité telle qu'elle est. Il sera en mesure de mettre toutes les chances de son côté s'il sait user de tact et de considération envers les autres. Il connaîtra des déceptions s'il est trop dogmatique ou inflexible.

Au travail, le Coq de Feu aura avantage à se concentrer sur son présent rôle plutôt qu'à chercher à faire des percées majeures. En se consacrant aux domaines qu'il connaît bien, il pourra faire bon usage de son expérience et de ses connaissances et il lui sera ainsi plus facile de faire évoluer ses idées et ses projets. Les compétences qu'il étalera cette année serviront à la fois sa réputation et ses perspectives d'avenir, et ce, principalement au cours de l'année 2012, qui sera sous le signe du Dragon.

Même s'il a beaucoup d'expérience, le Coq de Feu devra se renseigner sur les changements qui ont lieu dans son domaine et au sein de son entreprise. Il gagnera aussi à suivre une formation si on le lui demande. En étant prêt à parfaire ses connaissances, il améliorera son présent tout en s'ouvrant à de nouvelles possibilités pour le futur. Ses progrès pourraient être limités cette année, mais il devrait tenter sa chance sans hésiter s'il entend parler d'une offre intéressante.

Les Coqs de Feu qui cherchent du travail ou souhaitent changer d'emploi devraient éviter de se lancer dans un domaine complètement différent de ce qu'ils ont fait jusqu'à maintenant. Au moment de faire leur CV, ils gagneront à mettre l'accent sur leur expérience et leurs compétences. Ils aimeront leurs nouvelles tâches ainsi que le vent de renouveau et les nouveaux défis qui les stimuleront. L'expérience qu'ils acquerront cette année leur servira de tremplin pour les belles occasions qui illumineront leur vie en 2012. Des changements importants pourraient survenir en avril, mai, octobre et novembre.

L'année du Lièvre favorise la croissance personnelle et le Coq de Feu devrait sauter sur l'occasion pour s'intéresser de près aux activités et aux passe-temps qui l'attirent. Il en récoltera de précieux bénéfices à condition qu'il ne perde pas son temps à tergiverser. Plusieurs Coqs de Feu s'imposeront des défis ou élaboreront de nouveaux projets. S'ils prennent le temps de se concentrer sur ceux-ci en usant judicieusement de leurs connaissances, ils vivront une année fort agréable.

Les années du Lièvre sont généralement onéreuses et le Coq de Feu ne pourra échapper à cette réalité. Il devra demeurer discipliné et noter toutes ses dépenses en évitant de faire des achats sur un coup de tête. L'année devra être mise sous le signe de la discipline et le natif de ce signe sera bien avisé de faire des économies qui lui permettront entre autres de voyager.

Le Coq de Feu sera peut-être plus casanier cette année à cause de ses nombreuses responsabilités et de ses diverses activités familiales. S'il reçoit des invitations ou entend parler d'événements qui l'intéressent, il devrait tout de même faire l'effort d'y aller. Ces sorties seront amusantes et lui permettront d'avoir une vie plus équilibrée. Il appréciera aussi le soutien, la confiance et l'écoute attentive de ses meilleurs amis. Son année sera plus calme qu'à l'ordinaire sur le plan social, mais il sera appelé à vivre des moments particulièrement intéressants et agréables en mars, mai, septembre et décembre.

À la maison, le Coq de Feu sera très occupé. Il sera heureux de faire des travaux pratiques et de jardiner. Il jouera aussi un rôle de premier plan dans l'organisation de projets et son aide sera très prisée. Tout au long de l'année, son approche méthodique, prudente et attentionnée plaira à son entourage. Il devra tenir compte de l'opinion d'autrui et prendre le temps de discuter de ses espoirs et de ses rêves avec ses proches. Il pourra aussi en profiter pour réaliser certains projets. Sa vie familiale sera heureuse et significative. Des célébrations et des moments inoubliables apporteront beaucoup de chaleur dans sa vie au cours des prochains mois.

Le Coq de Feu sera plus satisfait de sa vie s'il modère ses attentes et se concentre sur des activités spécifiques au lieu de viser trop haut. L'année du Lièvre sera encourageante et l'expérience qu'il acquerra lui donnera des munitions pour les belles occasions qui se pointeront bientôt dans sa vie. D'ici là, il devra se concentrer sur le moment présent et savourer le temps qu'il partagera avec les siens. Ses loisirs ainsi que la concrétisation de ses projets et de ses idées apporteront une belle énergie dans sa vie.

Conseil pour l'année

Utilisez vos forces et bâtissez votre avenir en vous appuyant sur celles-ci. En élargissant votre expérience, vous serez plus satisfait du moment présent et vous verrez que vos actions vous permettront de vous ouvrir à de toutes nouvelles possibilités.

LE COQ DE TERRE

L'élément terre confère une plus grande concentration aux natifs d'un signe qui sont naturellement réalistes et pragmatiques. Ces qualités sont très évidentes chez le Coq de Terre. Même s'il aime planifier et savoir ce qui l'attend, il sait accepter ce qui se présente dans sa vie et peut s'adapter à n'importe quelle situation. Au cours de l'année du Lièvre, il voudra se concentrer sur ce qu'il possède au lieu de rêver de faire des changements majeurs. Même si ses progrès seront plutôt modestes cette année, ses activités seront gratifiantes sur le plan personnel et elles lui serviront dans le futur.

Tout au long de l'année, le Coq de Terre profitera grandement des conseils et du soutien de ses amis et de sa famille. À la maison, les projets et les loisirs réalisés en collaboration avec les siens seront très favorables. Il constatera qu'il est beaucoup plus heureux chez lui lorsqu'il passe du temps avec ses êtres chers. Il sera très sollicité au sujet de diverses choses – des jeunes devront prendre des décisions concernant leurs études tandis que son partenaire ou des personnes plus âgées voudront entendre parler de ses idées et de ses projets. Il pourra jouer un rôle crucial auprès des siens en prêtant oreille à leurs demandes, en leur offrant son aide et en leur donnant ouvertement son opinion.

Malgré le fait qu'il aura plusieurs dépenses et engagements financiers cette année, il devra essayer de faire des économies en prévision de ses vacances ou d'un congé. Il sera heureux de gâter sa famille et le temps qu'il passera avec les siens sera des plus réjouissants.

Fier de ses nombreuses responsabilités, le Coq de Terre pourrait être tenté de rester plus souvent à la maison. Il ne devrait toutefois pas se priver d'assister aux événements qui l'intéressent. Ces sorties lui permettront de se relaxer, de s'amuser et de rencontrer de nouvelles personnes. Ceux qui rêvent de nouer de nouvelles amitiés seront comblés. La vie sociale du Coq de Terre sera particulièrement effervescente en mars, mai, septembre et décembre.

Doté d'une nature enthousiaste et curieuse, il aura très envie de s'occuper de sa croissance personnelle cette année. Plusieurs s'inscriront à des cours ou consacreront du temps aux études ou à la recherche. En approfondissant leurs connaissances et leurs compétences de la façon qu'ils jugeront la plus utile, ils seront heureux de constater qu'ils sont capables de viser encore plus haut. L'année sera certainement stimulante pour parfaire certaines de leurs compétences et varier leurs passe-temps.

Au travail, plusieurs Coqs de Terre seront invités à se concentrer sur les domaines qu'ils maîtrisent le mieux. Ceux qui ont récemment vécu des changements auront la chance de s'installer confortablement dans leur nouveau rôle. Ils gagneront à se renseigner sur les différents aspects de leur travail et de leur univers professionnel. Le plus grand bienfait de l'année du Lièvre est que le Coq de Terre pourra bâtir son avenir à partir de son poste actuel. Il devra veiller à travailler en étroite collaboration avec ses collègues et, si cela est approprié, élargir son réseau afin de mieux se faire connaître. Ses efforts et son esprit consciencieux en impressionneront plusieurs et lui ouvriront la porte pour de bonnes occasions à venir, et ce, particulièrement en 2012.

Les Coqs de Terre qui souhaitent changer d'air et les autres qui cherchent un emploi vivront une année significative. Il ne leur sera pas facile d'obtenir un poste et plusieurs connaîtront des déceptions. Des obstacles ou des délais bureaucratiques pourraient freiner leur quête. Toutefois, le Coq de Terre est un être réaliste et il pourra tirer son épingle du jeu en préservant sa confiance en soi et sa persévérance. Ce nouveau travail ne sera pas exactement celui dont il rêvait et pourrait même exiger une période d'apprentissage et d'adaptation de sa part. Mais, fort heureusement, cette transition lui servira de tremplin pour le futur. Des changements encourageants pourraient avoir lieu de la mi-mars à mai, ainsi qu'en octobre et en novembre.

Sur le plan financier, l'année du Lièvre sera onéreuse et le Coq de Terre prendra soin de conserver tous ses reçus et de vérifier les tenants et aboutissants de toutes ses transactions importantes. Il ne faudra rien tenir pour acquis. Ce ne sera certes pas un bon temps pour prendre des risques ou faire des achats sur un coup de tête. Coqs de Terre, prenez-en note et surveillez scrupuleusement vos dépenses.

L'année sera généralement agréable et constructive pour le natif de ce signe puisqu'il a tous les atouts en main pour parfaire ses compétences et saisir la chance au vol. L'année suivante sera encore meilleure pour lui puisqu'il jouira alors d'une chance particulière. D'ici là, il pourra savourer l'année du Lièvre en se dévouant à ses proches ainsi qu'à ses activités préférées.

Conseil pour l'année

Soyez actif et ne craignez pas de vous engager. Si vous profitez bien du moment présent dans le cadre de votre vie familiale, de votre travail et de vos loisirs, vous verrez que le fait d'être actif peut vous apporter beaucoup de plaisir et d'immenses bienfaits. Vous avez beaucoup à donner. L'année du Lièvre vous offrira la chance d'apprécier les autres *et* d'être apprécié en retour.

Des Coqs célèbres

Gilles Archambault, Jean-Paul Belmondo, Dan Bigras, Joe Bocan, Michel-Marc Bouchard, Raymond Bouchard, Georges Brassens, Geneviève Brouillette, Michael Caine, Enrico Carruso, Jean Chrétien, Eric Clapton, Joan Collins, Daniel Day-Lewis, Yves Desgagnés, Clémence DesRochers, Sacha Distel, William Faulkner, Mohamed Al-Fayed, Errol Flynn, Benjamin Franklin, Catherine Frot, Steffi Graf, Melanie Griffith, Richard Harris, Goldie Hawn, Katherine Hepburn, Marc Hervieux, Michael Heseltine, Michaëlle Jean, Catherine Lara, Robert Lepage, Yves Montand, Van Morrison, Willie Nelson, Yoko Ono, Chantal Petitclerc, Michelle Pfeiffer, Roman Polanski, Priscilla Presley, Nancy Reagan, Maurice Richard, Joan Rivers, Geneviève Rochette, Gisèle Schmidt, Carly Simon, Britney Spears, Natasha St-Pier, Johann Strauss, Mara Tremblay, Sir Peter Ustinov, Richard Wagner, Serena Williams, Nanette Workman, Nikki Yanovsky, Neil Young.

Le Chien

10 FÉVRIER 1910 – 29 JANVIER 1911	Chien de Métal
28 JANVIER 1922 – 15 FÉVRIER 1923	Chien d'Eau
14 FÉVRIER 1934 – 3 FÉVRIER 1935	Chien de Bois
2 FÉVRIER 1946 – 21 JANVIER 1947	Chien de Feu
18 FÉVRIER 1958 – 7 FÉVRIER 1959	Chien de Terre
6 FÉVRIER 1970 – 26 JANVIER 1971	Chien de Métal
25 JANVIER 1982 – 12 FÉVRIER 1983	Chien d'Eau
10 FÉVRIER 1994 – 30 JANVIER 1995	Chien de Bois
29 JANVIER 2006 – 17 FÉVRIER 2007	Chien de Feu

La personnalité du Chien

Mes valeurs et mes croyances
sont mes guides
dans un monde en changement perpétuel.

Le Chien naît sous les signes de la loyauté et de l'inquiétude. Il est ferme dans ses principes et c'est un être aux opinions arrêtées. Défenseur de toutes les bonnes causes, il abhorre toute forme d'injustice et ne ménage rien pour venir en aide aux moins choyés que lui. Sa bonne foi et sa probité ne se démentent jamais.

Le Chien est direct et s'exprime sans détour. Comptez sur lui pour aller droit au but, car il déteste l'équivoque. Entêté à l'occasion, il donne cependant aux autres la chance d'exposer leurs vues ; il se veut aussi équitable que possible dans ses décisions. Libéral de ses conseils, il sera le premier à offrir ses services en cas de besoin.

Le Chien inspire confiance en toutes circonstances, et nombreux sont ceux qui admirent son intégrité et son approche résolue. C'est un excellent juge de caractère : en un clin d'œil, il arrive à se former une impression très juste des personnes qu'il rencontre. Grâce à son intuition, il prévoit souvent la tournure des événements.

Alors que son abord amical et chaleureux pourrait laisser croire que le Chien est très sociable, en fait il déteste les réceptions mondaines et les grands groupes ; il leur préfère les repas entre amis et les entretiens au coin du feu. Avec lui, la conversation ne languit jamais, et souvent il la pimente d'anecdotes ou d'histoires amusantes livrées avec l'art du raconteur. Il a la repartie vive et l'esprit toujours en éveil.

Le Chien sait rester calme dans les moments critiques et, bien qu'il soit tout sauf tiède, ses colères sont généralement de courte durée. Constant dans ses affections, c'est un être à qui l'on peut se fier. Toutefois, si jamais il se sent trahi ou rejeté, attention : il a la mémoire longue et le pardon difficile !

En ce qui concerne ses champs d'intérêt, ils ont tendance à être très ciblés. Ainsi préfère-t-il se spécialiser pour devenir expert dans un domaine particulier, car il n'a rien du touche-à-tout. Étant donné son grand souci des autres, les professions où prime l'élément humain, comme le service social, la médecine, le droit ou l'enseignement, lui conviennent en général très bien. Il a toujours besoin d'un but précis vers lequel orienter ses efforts, sans quoi il risque de végéter sans accomplir rien qui vaille. Cependant, une fois qu'il sait où canaliser son ardeur, peu d'obstacles lui résistent.

Le Chien est facilement inquiet et porte sur les choses un regard plutôt pessimiste. Bien souvent, ses craintes sont sans fondement. En fait, il est lui-même son propre bourreau ; mieux vaudrait qu'il essaie de se défaire de cette tendance qui lui nuit.

Il n'est ni matérialiste ni particulièrement motivé à amasser une grande fortune. Du moment qu'il réussit à bien faire vivre sa famille, et qu'il peut s'offrir un peu de superflu à l'occasion, il est satisfait. Si d'aventure il se retrouve avec un surplus d'argent, il a tendance à dépenser sans compter et quelquefois sans discernement. Peu doué pour les opérations financières, il serait préférable qu'il consulte des experts avant de s'engager dans un investissement à long terme.

En dépit de ses grandes qualités, le Chien n'est pas toujours facile à vivre. D'humeur changeante, il se montre exigeant envers lui-même comme envers les autres, mais le bien-être des siens passe toujours en premier et il ne ménage rien pour le leur assurer. Il s'entend particulièrement bien avec les natifs du Cheval, du Cochon, du Tigre et du Singe, et peut également connaître une relation harmonieuse avec le Rat, le Bœuf, le Lièvre, le Serpent ou un autre Chien. Par contre, le Dragon se révèle souvent trop flamboyant à son goût, tandis que la Chèvre, imaginative, le déconcerte, et que le Coq, naïf, l'irrite au plus haut point.

La femme Chien est reconnue pour sa beauté. Chaleureuse et bienveillante de nature, elle se montre toutefois secrète et réservée avec ceux qu'elle connaît peu. Son intelligence est remarquable, et elle cache facilement, sous des dehors calmes et tranquilles, une ambition considérable. C'est une sportive qui aime la vie au grand air. On la qualifie fréquemment de dénicheuse d'aubaines : son flair pour les bonnes affaires est étonnant. Elle s'impatiente facilement lorsque les événements ne se déroulent pas à sa guise.

En général, le Chien sait s'y prendre avec les enfants, et son dévouement ainsi que sa nature affectueuse en font un bon parent. Rarement est-il plus heureux que lorsqu'il se sent utile, que ce soit à l'égard d'une personne ou de la société. Si seulement il parvient à moins s'inquiéter, il trouvera que la vie lui réserve de grandes satisfactions, entre autres celles d'être entouré de bons amis et de semer le bien autour de lui.

Les cinq types de Chiens

Aux douze signes du zodiaque chinois viennent s'ajouter cinq éléments qui les renforcent ou les tempèrent. Les effets de ces cinq éléments sont décrits ci-après, accompagnés des années au cours desquelles ils exercent leur influence. Ainsi, les Chiens nés en 1910 et en 1970 sont des Chiens de Métal, ceux qui sont nés en 1922 et en 1982, des Chiens d'Eau, etc.

Le Chien de Métal (1910, 1970)

Le Chien de Métal est audacieux, direct et sûr de lui. C'est avec une grande détermination qu'il entreprend tout ce qu'il fait. Confiant quant à ses capacités, il n'hésite pas à se prononcer ou à défendre une cause qui lui tient à cœur. Il semble parfois austère, et les contretemps qui surviennent sont prompts à l'irriter. Ses champs d'intérêt ont tendance à être très circonscrits : en diversifier l'éventail et participer davantage à des activités de groupe serait tout à son profit. En amitié, il est d'une loyauté qui ne se dément pas.

Le Chien d'Eau (1922, 1982)

Le Chien d'Eau a une personnalité franche et extravertie. Il possède un réel talent de communicateur et persuade aisément les autres de se rallier à ses plans. Toutefois, on ne peut nier sa nature quelque peu insouciante ; il lui arrive en effet de manquer de discipline ou de rigueur en certains domaines. D'une grande générosité à l'égard de sa famille et de ses amis, il aime s'assurer qu'ils ne manquent de rien, mais il contrôle parfois mal ses dépenses. Le Chien d'Eau a un don avec les enfants et il jouit d'un large cercle d'amis.

Le Chien de Bois (1934, 1994)

Le Chien de Bois a tout du travailleur acharné et consciencieux. Il fait bonne impression partout où il va. Moins indépendant que les autres types de Chiens, il préfère le travail en équipe au travail solitaire. Il jouit d'une grande popularité et possède un excellent sens de l'humour ; il s'intéresse avidement aux activités de son entourage. Amateur de raffinement, c'est avec une âme de collectionneur qu'il s'intéresse aux tableaux, aux meubles anciens, aux timbres ou à la monnaie. S'il a le choix, il préfère généralement vivre à la campagne plutôt qu'en ville.

Le Chien de Feu (1946, 2006)

Le Chien de Feu possède une nature démonstrative et il se lie d'amitié avec une étonnante facilité. C'est un travailleur honnête et consciencieux, qui aime prendre une part active à tout ce qui se passe autour de lui. Les idées nouvelles aiguisent sa curiosité et, bien épaulé par l'appui et les conseils de son entourage, il trouvera souvent le succès là où d'autres ont échoué. Notons toutefois chez lui une certaine tendance à l'entêtement ; s'il arrive à la maîtriser par ailleurs, rien ne devrait empêcher le Chien de Feu de connaître fortune et renommée.

Le Chien de Terre (1958)

Le Chien de Terre est talentueux et plein d'astuce. L'esprit de méthode et l'efficacité qu'il déploie au travail font qu'il peut aller loin dans la profession qu'il choisit. Plutôt calme et réservé, d'apparence habituellement très soignée, il est très persuasif et sait arriver à ses fins sans trop susciter d'opposition. C'est un être bon et généreux, toujours prêt à aider ses semblables et qui jouit de l'estime de ses collègues et amis.

Perspectives pour 2011

L'année du Tigre (du 14 février 2010 au 2 février 2011) aura été à la fois intéressante et bien remplie pour le Chien, mais il devra toutefois faire preuve de détermination s'il veut tirer le meilleur parti possible des tout derniers mois. Ce sera le temps idéal pour être actif et intrépide.

Sa vie personnelle sera particulièrement favorisée et une histoire d'amour pourrait égayer la vie des Chiens célibataires. En cette fin d'année du Tigre, les natifs de ce signe peuvent s'attendre à recevoir plusieurs invitations. Les dernières semaines pourraient leur donner la chance de rencontrer une personne qu'ils n'ont pas vue depuis très longtemps.

Dans le cadre de sa vie au foyer, le Chien sera très occupé et il éprouvera un grand besoin de sentir que les siens sont tout près. Il ne devrait pas hésiter à se confier à ces derniers chaque fois qu'il se sent préoccupé ou qu'il a besoin d'aide. Au cours des années du Tigre, il est très important qu'il se montre encore plus avenant.

Les années du Tigre ayant tendance à être marquées par un rythme rapide dans le domaine du travail, le Chien doit s'adapter et agir prestement lorsque la chance croise son chemin. Les mois de septembre et de novembre pourraient être particulièrement animés et gratifiants pour lui.

Le Chien pourrait être fortuné pour tout ce qui touche le monde des finances. Il recevra peut-être un cadeau intéressant ou des revenus additionnels. S'il demeure vigilant, il pourra se procurer des objets à prix très avantageux. Il gagnera à bien se renseigner et à agir rapidement le moment venu.

L'année du Lièvre commencera le 3 février 2011 et le message qu'elle réserve au Chien est tout simple : misez sur vos forces et allez de l'avant ! Ce sera une période positive pour lui puisque les événements joueront en sa faveur.

Sa vie personnelle sera particulièrement heureuse puisque ses relations avec les autres seront positives et significatives. Les Chiens qui sont amoureux – peut-être ont-ils rencontré quelqu'un au cours de l'année du Tigre! – verront leur relation se renforcer et la suite des choses semble plutôt encourageante. L'année favorisera également les célibataires. Une rencontre fortuite pourrait marquer le début d'une belle histoire d'amour. Les Chiens aiment prendre leur temps avant de créer des liens sérieux avec d'autres, mais cette fois-ci une personne spéciale pourrait apporter rapidement une nouvelle dimension à leur vie. Plusieurs d'entre eux profiteront de ce vent favorable pour se marier ou emménager avec leur partenaire.

Cette année, le Chien devrait profiter de toutes les opportunités sur le plan social. Grâce à ses nouvelles relations, il pourra recevoir de bonnes suggestions, enrichir sa vie mondaine et partager le plaisir d'échanger ou de partager ses centres d'intérêt avec d'autres. Sa vie sociale sera en pleine ébullition de mars à la mi-avril, ainsi qu'en juin, août et octobre. La flèche de Cupidon pourrait toutefois atteindre les célibataires à n'importe quel moment de l'année et de façon souvent inattendue.

Plusieurs Chiens auront la joie d'organiser des célébrations au courant de l'année. Ce pourrait être à l'occasion de l'arrivée d'une nouvelle personne au sein de la famille ou de l'annonce de nouvelles réjouissantes. Le Chien aura le sentiment qu'il s'agit d'une année idéale pour réaliser ses rêves et il pourrait être tenté d'emménager dans une demeure correspondant davantage à ses besoins actuels. Plusieurs choses pourraient se produire et, malgré la pression additionnelle que cette situation pourrait causer, il se délectera de ses accomplissements.

Tout au long de l'année, il gagnera à être plus avenant et à parler davantage de ses projets et de ses espoirs. Cela permettra aux autres de mieux l'aider et, de son côté, il sera plus apte à partager ses préoccupations avec eux. Les événements importants qui se dérouleront cette année lui feront voir l'importance de mettre ses énergies et ses actions en commun avec celles de ses proches. Il devra faire montre de patience même s'il est avide de réaliser certains de ses projets. L'année du Lièvre est souvent plus lente que les autres, mais lorsque les choses vont bien, elle peut apporter de grands bienfaits aux personnes concernées. L'année sera donc importante et riche en événements dans le domaine de ses relations familiales.

Le Chien sera aussi favorisé sur le plan professionnel. Plusieurs natifs de ce signe auront la chance de miser sur leur situation actuelle et de se voir confier un rôle plus exigeant. Les compétences qu'ils ont démontrées et les succès qu'ils ont connus récemment seront des atouts majeurs. Lorsqu'une bonne occasion se présentera ou qu'un poste sera libéré, ils seront en bonne position pour postuler un poste dont ils rêvent. Plusieurs Chiens recevront l'aide de collègues plus âgés qui souhaitent les voir profiter au maximum de leur potentiel. Mars, juin, juillet, ainsi que la période de septembre à la mi-octobre, pourraient leur ouvrir de nombreuses portes. S'il est doté de confiance en soi et s'il ne craint pas de se mettre sous les feux des projecteurs, le Chien pourra jouir d'une grande chance tout au long de l'année. Les plus audacieux seront ravis de leur bonne fortune.

L'année du Lièvre sera excitante et favorisera le progrès. Plusieurs Chiens voudront en profiter pour se lancer en affaires ou devenir travailleur autonome. Dans un cas comme dans l'autre, ils seront prudents de bien se renseigner avant de faire le grand saut. Leurs perspectives de succès seront meilleures s'ils sont bien préparés et soutenus par des personnes compétentes. Comme le dit si bien un proverbe chinois : « Chose bien entamée est faite à moitié. »

L'année du Lièvre offrira d'excellentes chances aux Chiens qui cherchent du travail. Plusieurs auront envie de commencer une nouvelle carrière, d'occuper un nouveau poste ou d'utiliser différemment leurs compétences et leur expérience. En demeurant vigilants et en adoptant une attitude « oui je le peux », ils verront de nombreuses portes s'ouvrir devant eux et leur esprit brillera alors de tous ses feux. L'année du Lièvre est des plus prometteuses puisque leurs qualités et leurs forces seront reconnues et récompensées.

Au travail, les progrès effectués par le Chien l'aideront sur le plan financier. Certains natifs de ce signe gagneront des revenus supplémentaires grâce à un passe-temps ou à un centre d'intérêt qui leur est cher. Malgré leurs plans excitants et leurs responsabilités, ils devront rester disciplinés et établir un budget convenable. L'année étant propice à la croissance personnelle, ils devront avoir suffisamment d'économies pour profiter de leurs loisirs favoris, s'inscrire à un cours qui pourrait leur être utile, voyager ou se payer de l'équipement dont ils ont besoin. Le Chien connaîtra donc une certaine amélioration sur le plan économique et il sera heureux de voir tout ce qu'il est capable d'accomplir à condition, bien sûr, qu'il prenne de bonnes décisions et s'attelle à mieux planifier ses projets.

L'année du Lièvre sera stimulante pour le Chien qui devra veiller à agir de manière positive. Ses efforts et sa volonté d'aller de l'avant le mèneront vers le succès. Plusieurs changements excitants viendront égayer sa vie personnelle et feront en sorte que ses relations avec les autres et la réalisation de certains de ses rêves soient gratifiantes à plusieurs égards.

Le Chien de Métal

Le Chien de Métal a énormément de volonté et de détermination. Lorsqu'il se fixe un objectif, il travaille avec acharnement afin d'atteindre son but. Il sait s'engager à fond et il possède une très grande force de caractère. Toutes ces qualités lui donneront un bon coup de pouce au cours de cette année de grande opportunité.

Même s'il a tendance à être autonome, le Chien de Métal devra apprendre à ne pas avoir un esprit trop indépendant cette année. Il devra accepter de consulter les autres puisqu'il accomplira beaucoup plus de choses s'il demande aide et conseil à son entourage. Comme les autres Chiens, il a parfois tendance à se tenir sur ses gardes lorsqu'il rencontre une nouvelle personne et il devra mettre une partie de sa réserve de côté dans le cadre de son travail et de sa vie en société. S'il a une bonne impression lors d'une première rencontre, il est capable de nouer de solides amitiés et de se faire de bonnes relations. Il est possible que certaines personnes dont il fera la connaissance cette année lui rendent de grands services par la suite. Plusieurs Chiens de Métal réaliseront au cours des prochains mois que de nouvelles possibilités s'offrent à eux aussitôt qu'ils communiquent plus ouvertement avec les autres. Leur vie sociale sera particulièrement animée de mars à la mi-avril, ainsi qu'en juin, août et octobre. Ils devraient faire l'effort d'accepter les invitations et d'assister aux événements qui les intéressent. Plusieurs d'entre eux verront un de leurs passe-temps les mener à faire d'agréables rencontres. Ils auront le bonheur de partager du bon temps et de nouvelles amitiés qui leur feront le plus grand bien.

Les Chiens de Métal qui souhaitent avoir une vie sociale plus dynamique devraient s'engager davantage au sein de leur communauté ou d'un groupe qui s'intéresse à un domaine qui les passionne. Les affaires de cœur seront aussi favorisées et plusieurs célibataires pourraient rencontrer une personne qui prendra une place toute spéciale dans leur vie. L'année pourrait être cruciale et positive dans le domaine de leurs relations interpersonnelles.

Il y aura aussi beaucoup d'animation dans l'air à la maison. Certaines routines seront modifiées, ce qui exigera une certaine adaptation de la part de tous. Grâce au soutien et à la collaboration de chacun, tout se mettra vite en place et de nombreux bienfaits pourraient en découler. Il sera aussi de mise de discuter le plus tôt possible des activités familiales qui doivent être planifiées. Il pourrait s'agir d'un congé, de voyages, de sorties intéressantes ou de travaux de rénovation. Le Chien de Métal sera ravi par ces nombreux projets.

Son année sera aussi fort stimulante sur le plan professionnel. Grâce à sa détermination et à son expérience, il sera en mesure de faire des progrès notables. L'année du Lièvre lui ouvrira certainement de nombreux horizons. Ces changements auront souvent lieu dans le cadre de son emploi actuel tandis que des collègues plus âgés l'encourageront à donner le meilleur de lui-même. Plusieurs Chiens de Métal auront l'occasion d'atteindre une nouvelle étape de leur carrière puisqu'on leur offrira la chance de se spécialiser, d'embrasser de nouveaux défis ou d'accepter un rôle différent.

Ses relations interpersonnelles étant très choyées cette année, le Chien de Métal devait faire l'effort de travailler en étroite collaboration avec ses collègues, de se faire connaître davantage et de profiter de sa chance de pouvoir se créer un réseau.

Les Chiens de Métal qui ont l'impression de ne plus pouvoir évoluer avec leur employeur actuel et qui souhaitent changer de décor auront d'excellentes occasions de concrétiser leur rêve. En ouvrant leurs horizons et en demeurant résolus dans leur quête, ils seront en mesure de trouver un nouveau poste important et de voir leur ténacité bien récompensée. Cela exigera une grande adaptation de leur part, mais ces Chiens de Métal se délecteront de leur chance et seront heureux de faire leur marque. Des changements importants pourraient avoir lieu en mars, juin et juillet, ainsi que de septembre à la mi-octobre, mais l'année du Lièvre sera généralement satisfaisante puisque leur engagement, leur énergie et leur réputation les serviront bien à tout moment au cours de 2011.

Les progrès que le Chien de Métal fera au travail l'aideront sur le plan financier, mais pour bien en profiter il devra surveiller ses dépenses et mettre de l'argent de côté pour certains projets et achats plus coûteux. Il pourra réaliser un plus grand nombre de projets s'il sait faire montre de mesure. Il devra aussi être minutieux au moment de traiter toute paperasse administrative. Un retard ou un document égaré ou perdu par inadvertance pourrait lui causer du tort. Chiens de Métal, prenez-en bien note.

L'année du Lièvre sera marquée par le progrès et il est important que le natif de ce signe adopte un style de vie équilibré et prenne bien soin de lui-même. S'il est sédentaire pendant une grande partie de la journée, il devrait choisir de faire des exercices appropriés. Il vivra aussi de grandes transformations positives s'il apprend à mieux s'alimenter. Le fait de consacrer du temps de qualité aux siens ainsi qu'à ses activités préférées lui procurera une grande satisfaction.

Le Chien de Métal jouira d'un vaste éventail d'activités cette année. Son enthousiasme et son désir d'aller de l'avant lui permettront d'atteindre le succès. Ce sera donc une année importante et bien remplie sur le plan personnel. Il sera bien soutenu tout au long de l'année et ses relations interpersonnelles seront gratifiantes à la fois sur les plans personnel et professionnel.

Conseil pour l'année

Même si vous êtes fier de votre esprit indépendant et que vous aimez organiser les choses à votre manière, unissez vos forces à celles des autres au cours de l'année du Lièvre. Apprenez à vous mettre en valeur et laissez votre entourage découvrir vos qualités uniques et votre riche potentiel. Grâce à votre détermination, toutes les portes s'ouvriront devant vous, mais vous ne pourrez tout accomplir si vous faites cavalier seul.

Le Chien d'Eau

L'une des grandes forces du Chien d'Eau est son aptitude à bien communiquer. Il s'exprime clairement et il est capable de créer facilement des liens avec les autres et à éprouver une empathie sincère envers eux. Son esprit est aussi très affûté. Ces nombreuses qualités seront de grands atouts pour lui pendant l'année du Lièvre. Son style et ses talents en impressionneront plusieurs et son désir de progresser lui ouvrira plusieurs portes. Ce sera donc une année favorable et constructive qui sera aussi porteuse de moments très spéciaux.

Les relations interpersonnelles du Chien d'Eau seront particulièrement significatives et ceux qui sont en couple vivront des moments excitants. Plusieurs décideront d'avoir des enfants et/ou d'emménager dans une nouvelle demeure. L'année favorisera la concrétisation de projets importants. Ceux qui sont déjà parents seront enchantés de voir grandir leur progéniture. Il y aura souvent beaucoup de bonheur et d'excitation dans l'air.

Les célibataires pourraient vivre des changements remarquables. Les affaires de cœur occuperont une place de choix et une amitié pourrait se transformer soudainement en relation amoureuse. Certains pourraient aussi faire une rencontre fortuite très stimulante sur le plan sentimental. Plusieurs Chiens d'Eau se marieront ou emménageront avec leur partenaire. L'année du Lièvre sera souvent très spéciale sur le plan personnel.

Les Chiens d'Eau qui entameront l'année du Lièvre avec le moral à zéro devraient tirer un trait sur le passé et regarder résolument vers l'avenir. En adoptant une attitude positive et volontaire, ils mettront toutes les chances de leur côté et leur choix de tourner définitivement la page leur sera des plus favorables. Le Chien d'Eau sait au plus profond de son cœur qu'il a tous les atouts en main pour triompher, et ce, en dépit des difficultés personnelles ou professionnelles qu'il a connues par le passé. Sa détermination et son fort caractère lui permettront de vaincre tous les obstacles. Les événements qui auront cours pendant l'année du Lièvre joueront certainement en sa faveur.

Le Chien d'Eau aura aussi la chance d'entretenir des relations très positives avec les autres. Ses amis lui rendront service ou l'aideront de manière inattendue. Tout au long de l'année, il devrait en profiter pour rencontrer d'autres personnes dans le cadre de son travail et de ses loisirs. Il fera souvent bonne impression et pourra nouer des liens utiles. Sa vie sociale sera très active de mars à la mi-avril, en juin, en août, ainsi que de la mi-septembre à octobre. Il pourra toutefois profiter de sa bonne fortune tout au long de l'année.

L'année du Lièvre favorisera la vie culturelle, l'apprentissage et la créativité. Une fois encore, le Chien d'Eau saura jouir de cette période stimulante. Ceux qui s'adonnent à des activités culturelles pourront mettre davantage leurs talents en valeur. Ce sera une année très inspirante. Si le Chien d'Eau s'intéresse à un sujet spécifique ou s'il souhaite parfaire ses compétences et ses connaissances professionnelles, il devrait sauter sur l'occasion sans hésiter. Toutes les actions positives qu'il fera cette année l'aideront dans le présent ainsi que dans l'avenir. Il ne devrait pas sous-estimer la valeur de l'année du Lièvre.

Le Chien d'Eau vivra aussi des changements importants dans sa carrière. Il sera en mesure de faire de bons progrès à condition de demeurer vigilant et prêt à s'adapter. Même s'il sait exactement ce qu'il souhaite réaliser sur le plan professionnel, certains événements pourraient l'orienter dans une direction plutôt curieuse. Son employeur actuel pourrait lui donner la chance de changer de tâches ou lui offrir un poste très différent. Le Chien d'Eau pourra accomplir de grandes choses s'il travaille en étroite collaboration avec ses collègues et s'il apprend à saisir la chance au vol. Il est important qu'il montre à tous ce dont il est capable. Il ne récoltera pas toujours ce qu'il espère, mais les résultats pourraient tout de même être au-delà de ses attentes.

Même si plusieurs Chiens d'Eau seront fidèles à leur employeur actuel, l'année sera favorable à ceux qui croient qu'il est temps de partir et aux autres qui cherchent un emploi. Ils devraient bien réfléchir à la meilleure façon dont ils pourraient utiliser leurs compétences en plus de consulter des organisations professionnelles et des services de placement qui seront en mesure de bien les renseigner. En s'informant au sujet des différentes options et en demeurant vigilants, ils pourront sauter plus rapidement sur les bonnes occasions. Une fois qu'ils seront bien établis dans leur nouveau poste, ils pourront s'en servir comme tremplin pour construire leur avenir. Encore une fois, ces changements ne correspondront pas nécessairement à leurs attentes, mais ils pourront leur permettre d'acquérir une expérience très valable. De bonnes occasions pourraient surgir en mars, juin et juillet, ainsi que de septembre à la mi-octobre.

Les progrès que le Chien d'Eau fera au travail lui permettront de gagner plus d'argent, mais son année pourrait être onéreuse compte tenu des événements excitants qui animeront sa vie personnelle et d'un changement éventuel de domicile. Il devra donc surveiller ses dépenses et apprendre à mieux planifier ses projets. Au moment de signer une entente, il prendra soin de se renseigner au sujet de tous les tenants et aboutissants, de comparer les prix et, au besoin, de demander conseil. Son année financière devra être placée sous le signe de la minutie.

Les prévisions sont généralement favorables au Chien d'Eau, mais il aura sa part de difficultés lui aussi. Afin de mieux y faire face, il devra éviter d'accumuler la fatigue, la pression due à ses longues journées de travail et les incertitudes entourant certains de ses projets. Il devra se rappeler à tout moment que plusieurs personnes sont en mesure de l'aider et qu'il peut aussi faire appel à des professionnels et à des centres d'aide. Il ne doit surtout pas garder son anxiété pour lui seul. En faisant les démarches nécessaires, il parviendra à régler ses problèmes et à faire de grands pas en avant.

L'année du Lièvre sera donc généralement positive pour le Chien d'Eau qui aura la chance d'acquérir de l'expérience dans le cadre de son travail et de ses loisirs. L'amour, le soutien et l'aide de ses proches joueront un rôle de premier plan dans les changements personnels qui viendront égayer sa vie cette année. Il aura aussi l'occasion de célébrer certaines réalisations personnelles. L'année sera agréable et souvent spéciale pour le Chien d'Eau, et ce, à plusieurs égards.

Conseil pour l'année

Profitez au maximum de vos compétences sur le plan de vos relations interpersonnelles. Vous gagnerez à rencontrer les autres et à accepter qu'ils vous apportent leur soutien et leurs bons conseils. Accordez une attention particulière aux personnes que vous aimez par-dessus tout. Elles sont un véritable trésor dans votre vie. Prenez soin d'elles.

Le Chien de Bois

Le Chien de Bois jouira de nombreuses possibilités cette année. Il pourra faire de grands progrès et obtenir de beaux succès grâce à son attitude empreinte de bonne volonté.

La pression pourrait être plus forte dans le domaine de l'éducation. Il devra rester concentré et consacrer le temps et les efforts nécessaires pour réussir ses examens et ses devoirs tout en s'intéressant à des domaines plus pointus. Même s'il sentira parfois qu'il en a trop sur les épaules, il constatera bien assez vite qu'il apprend beaucoup mieux lorsqu'on le met au défi. L'année du Lièvre testera ses capacités et révélera ses aptitudes dans certains domaines. Ce surplus de travail lui permettra de progresser et l'encouragera à aller beaucoup plus loin.

Le Chien de Bois aura aussi la chance de s'adonner à ses passe-temps préférés. En veillant à parfaire ses connaissances et ses compétences, il s'amusera tout en apprenant de nouvelles choses. Ses activités pourraient inclure le sport, la musique, le théâtre ou d'autres domaines axés sur la créativité. L'année sera positive pour les Chiens de Bois enthousiastes.

Quels que soient ses champs d'intérêt, le jeune Chien de Bois devra accepter d'être initié par des personnes compétentes. Dans certains cas, l'apprentissage de techniques ou de modes d'emploi pourrait sembler difficile à cause de mauvaises habitudes qu'il a peut-être développées avec le temps. En écoutant minutieusement ce qui est dit et en faisant les efforts nécessaires pour se corriger, il améliorera sa situation présente et sera mieux en mesure de progresser dans le futur. L'année du Lièvre aura une portée à long terme pour lui. Grâce à sa bonne volonté, le Chien de Bois tirera brillamment son épingle du jeu.

Tout au long de l'année, il gagnera à être avenant et à parler de ses activités et des choix qu'il aimerait faire. Certains natifs de ce signe devront sélectionner des sujets pour de prochains cours ou auront la chance de parler avec des conseillers qui les guideront pour leur choix de carrière ou d'études. Le Chien de Bois devra alors exprimer clairement son point de vue tout en étant attentif aux conseils reçus. Ses décisions pourraient façonner sa vie au cours des prochaines années et il est nécessaire qu'il évalue judicieusement les choix qui pourraient lui convenir le mieux.

À n'importe quel moment, s'il se sent inquiet à propos de son travail ou d'autre chose, il devrait en parler ouvertement avec ceux qui sont le plus en mesure de l'aider, qu'il s'agisse de sa famille, de tuteurs ou d'autres professionnels. En étant avenant, il passera plus facilement à travers ses difficultés et il trouvera des solutions plus rapidement. Le Chien de Bois étant très responsable de nature, il ne devrait pas garder son anxiété pour lui-même.

Au foyer, même s'il sera souvent occupé par ses études et ses loisirs, le Chien de Bois gagnera à partager certains travaux et activités avec les siens. Sa participation et son engagement seront appréciés et favoriseront la communication entre tous. Il devrait accepter sans réserve l'aide et les conseils des membres de sa famille.

Le Chien de Bois saura apprécier ses amis avec qui il partagera des loisirs communs. Il savourera simplement le fait de parler et de passer de bons moments avec eux. Certaines activités lui permettront de rencontrer de nouvelles personnes. S'il accepte de baisser la garde et d'être plus communicatif, il pourra nouer de belles amitiés et inclure de nouvelles personnes dans son cercle social. L'année du Lièvre favorisera ses relations avec les autres. Sa famille, ses amis et ses connaissances lui apporteront fidèlement leur soutien et leurs encouragements.

Les Chiens de Bois qui ont un emploi ou qui en cherchent un vivront des changements intéressants. Ceux qui travaillent pourront obtenir un rôle plus important là où ils se trouvent tandis que d'autres chercheront un meilleur poste ailleurs en misant sur ce qu'ils ont accompli jusqu'à maintenant. Ceux qui cherchent un emploi pourraient se voir offrir la chance de combiner travail et études. En profitant de cette occasion, incluant des stages d'apprentissage, ces Chiens de Bois pourront bâtir une fondation solide sur laquelle ils seront appelés à construire leur avenir. Mars, la période de la mi-mai à juillet et celle de septembre à mi-octobre pourraient les inviter à faire des choix très stimulants. Cette année, l'accent devra toutefois être mis sur leur croissance personnelle et l'acquisition de nouvelles compétences.

Le Chien de Bois devra veiller sérieusement sur ses finances cette année compte tenu de tout ce qu'il rêve de se procurer et des nombreuses dépenses liées à ses loisirs. S'il accepte de reporter certains achats, il pourra profiter d'occasions favorables qui lui permettront d'économiser beaucoup d'argent. L'année devra être placée sous le signe de la patience et du contrôle sur le plan financier.

L'importance de l'année du Lièvre ne devrait pas être sous-estimée. En profitant des prochains mois pour étudier et parfaire ses compétences, le Chien de Bois sera satisfait de sa nouvelle orientation et des résultats nés de ses efforts. Grâce à sa détermination et à sa force de caractère, il a un brillant avenir devant lui et les accomplissements qu'il fera cette année le prépareront à vivre des choses encore plus excitantes dans l'avenir.

Conseil pour l'année

Profitez de toutes les chances que vous rencontrez sur votre chemin. En acceptant de parfaire vos connaissances et vos compétences, vous serez en mesure d'accomplir plusieurs choses intéressantes. Soyez avenant. Parlez de vos espoirs et de vos inquiétudes avec vos proches et soyez réceptif à leurs bons conseils. Vous avez plusieurs atouts en main et vos accomplissements pourront porter fruit à long terme.

LE CHIEN DE FEU

L'année du Lièvre a l'avantage de nous inviter à vivre des temps plus calmes et à nous adonner à nos diverses activités avec plus de mesure. Le Chien de Feu appréciera ce rythme qui lui conviendra beaucoup mieux et qui lui permettra d'expérimenter de belles choses sur le plan personnel.

S'il est ouvert d'esprit et communicatif, il recevra le soutien et l'affection de son entourage tout au long de l'année. En prenant le temps de parler de ses idées et de ses projets avec les autres, il pourra les mener à terme avec plus de facilité. Sa réflexion devrait surtout porter sur ses problèmes de logement, ses centres d'intérêt et son travail. Quel que soit le sujet de conversation choisi, il en tirera de grands bienfaits. Le Chien de Feu découvrira très tôt qu'il peut pousser ses projets très loin dès qu'il décide de passer à l'action. La chance sera de son côté en 2011.

Plusieurs Chiens de Feu passeront beaucoup de temps à s'occuper de leur demeure. Certains choisiront de déménager, de faire des travaux de rénovation ou de grands changements dans leur maison ou leur appartement. Le Chien de Feu sera excité de voir comment ses idées et ses plans prennent forme. L'attention qu'il accordera à cet aspect de sa vie et son bon jugement en la matière le récompenseront à coup sûr. Les choses n'iront pas nécessairement vite au cours de l'année du Lièvre et il est important qu'il prenne son temps avant de faire ses choix. De plus, si le Chien de Feu sait attendre avant de faire des achats plus importants, il pourrait profiter de bonnes occasions ou trouver une chose extraordinaire par pur hasard. Il a l'œil pour choisir des objets de qualité tout à fait appropriés selon les occasions.

Le Chien de Feu savourera le bon temps passé en compagnie de ceux qu'ils aiment. Il s'attaquera joyeusement aux tâches ménagères, aidera les plus jeunes, passera de beaux moments avec ses petits-enfants et participera activement aux diverses activités familiales. Bref, il sera comblé par ces tendres moments partagés avec les siens.

De plus, le Chien de Feu pourrait être tenté par les voyages. Après avoir fait les recherches qui s'imposent et opté pour les bonnes aubaines, il pourra vivre de belles aventures. L'année sera idéale pour passer à l'action sans hésiter.

Dans le domaine de ses centres d'intérêt personnels, le Chien de Feu ne devrait pas refuser de participer aux événements qui lui semblent les plus intéressants. Il pourrait être attiré par une nouvelle activité et il aura envie d'en découvrir davantage sur le sujet.

Les Chiens de Feu qui ont un emploi vivront de nombreux événements. Certains natifs de ce signe prendront leur retraite ou réduiront leurs heures de travail, ce qui exigera une certaine adaptation de leur part. Les temps libres dont ils disposeront leur permettront de réaliser des projets qu'ils caressent depuis longtemps. En ces temps de transition, le Chien de Feu devrait s'ouvrir aux autres à propos des différents choix qui s'offrent à lui et tenir compte de leur opinion. Les membres de sa famille et de son cercle social le soutiendront généreusement et cette solidarité spontanée lui procurera un immense plaisir. Il sera donc en mesure de bien profiter de la vie en 2011 à condition toutefois qu'il fasse preuve d'esprit d'initiative et de bonne volonté tout en acceptant l'aide de son entourage.

Conseil pour l'année

Soyez avenant et partagez vos idées, vos espoirs et vos projets avec les vôtres. En les incluant dans vos décisions, vous bénéficierez d'un soutien plus solide. En joignant vos talents avec les leurs, vous serez en mesure de réaliser vos rêves plus rapidement.

LE CHIEN DE TERRE

Le Chien de Terre est minutieux et discipliné. Il n'aime ni se presser ni agir sur un coup de tête. Il adopte toujours une approche plus pondérée et il porte une grande attention à son instinct. Il a un jugement tout à fait remarquable et il sait bien évaluer les différentes situations. Ses talents seront de grands atouts au cours de l'année du Lièvre.

Il pourrait vivre des changements majeurs au travail. Même si plusieurs Chiens de Terre ont connu des bouleversements récents, certains d'entre eux ne se sentent pas encore pleinement satisfaits. Ils considèrent qu'ils n'utilisent pas suffisamment leurs talents et leur expérience ou qu'ils stagnent là où ils sont. Plutôt que de maintenir cette situation qui leur procure beaucoup de désenchantement et d'insatisfaction, ces Chiens de Terre devront effectuer les changements nécessaires en ayant confiance aux possibilités que l'année du Lièvre mettra sur leur route. Ceux qui ont un emploi sûr dans une entreprise devront se renseigner au sujet des postes vacants tandis que les autres devront simplement aller voir ailleurs. Dès qu'ils commenceront à s'intéresser à une nouvelle option, les choses pourraient jouer rapidement en leur faveur. L'année du Lièvre est porteuse de chance et le Chien de Terre sera bien servi par son instinct et son énergie enthousiaste.

L'année du Lièvre donnera également au Chien de Terre l'occasion de développer certaines forces dans le cadre des nouvelles tâches qu'on lui confiera. S'il a la chance de faire un stage ou de consacrer du temps à la recherche afin de se tenir à jour, il renforcera sa position dans la hiérarchie de l'entreprise. Comme le dit un proverbe chinois :

« L'assiduité est mère de l'abondance. » Cette année, l'assiduité du Chien de Terre lui permettra de récolter de nombreux fruits.

Il est important que le natif de ce signe parle aux autres de sa situation et de ses espoirs. Des collègues plus âgés ou des relations pourraient lui être particulièrement utiles en lui proposant une nouvelle voie à suivre, en lui donnant de bonnes références ou en lui accordant le coup de pouce dont il a besoin. La chance sera de son côté en 2011, mais il devra toutefois être plus avenant et accepter de parfaire ses compétences.

Quant aux Chiens de Terre qui cherchent un emploi, ils devront faire face à une très forte compétition. Ils auront besoin de toute leur détermination et de toute leur confiance en soi. En explorant diverses manières d'utiliser leurs compétences et en faisant preuve d'esprit d'initiative et d'entreprise, ils seront en mesure de trouver un excellent emploi. Des changements pourraient survenir à tout moment de l'année, mais particulièrement en mars, juin et juillet, ainsi que de septembre à la mi-octobre.

Le Chien de Terre vivra des moments très satisfaisants grâce à ses loisirs. Il aimera pousser ses idées plus loin et commencer de nouveaux projets. Plusieurs Chiens de Terre auront envie de s'associer à un groupe de leur région ou de suivre des cours. À cause des préoccupations ou des tensions trop grandes qu'ils ont vécues récemment, ils ont parfois négligé leurs loisirs au cours des dernières années. Ils gagneront donc à renouer avec un style de vie plus équilibré au cours des prochains mois.

Les occasions de voyages seront très bonnes et souvent liées à leurs centres d'intérêt. Ils pourraient aussi recevoir une invitation pour rendre visite à des membres de leur famille ou à des amis. Ils devraient profiter de cette occasion ainsi que de toutes les propositions agréables qui leur sont faites.

Au travail, le Chien de Terre fera des progrès qui pourraient lui assurer de meilleurs revenus. Certains natifs de ce signe se feront un petit supplément grâce à une activité différente de leur emploi. Quoi qu'il en soit, le natif de ce signe devra bien utiliser ses ressources et éviter d'emprunter inutilement. Il sera de mise qu'il fasse des économies en prévision de ses futures dépenses. Une bonne surveillance de ses avoirs fera toute la différence dans sa vie.

L'année du Lièvre sera très animée pour le Chien de Terre qui appréciera les rires et les bonnes conversations ainsi que le fait de se changer les idées ou de faire quelque chose de différent. Il s'amusera particulièrement de mars à la mi-avril, ainsi qu'en juin, août et octobre. Les célibataires pourraient même nouer des amitiés prometteuses ou vivre une histoire d'amour.

Au foyer, le Chien de Terre sera aussi très occupé. Tout au long de l'année, il jouera un rôle de premier plan très apprécié dans la vie des siens. Il pourrait aussi être appelé à prendre des décisions qui auront des conséquences à long terme. Il devra prendre le temps nécessaire pour réfléchir et discuter ouvertement des implications financières afférentes. Ici encore, son instinct et son jugement seront de grands atouts. Le Chien de Terre aura aussi l'occasion de célébrer d'heureuses nouvelles au sein de sa famille et peut-être même la naissance d'un petit-fils ou d'une petite-fille. Son année sera gratifiante et agréable pour tout ce qui touche sa vie familiale.

L'année du Lièvre est des plus prometteuses pour le Chien de Terre. Sa détermination et son fort caractère lui permettront d'être aux premiers rangs. Il devra oser passer à l'action tout en savourant ses loisirs, ses activités familiales et sa vie sociale. Plusieurs horizons s'ouvriront à lui et ce sera une année importante au cours de laquelle plusieurs bonnes choses pourraient survenir dans sa vie par la plus pure des chances.

Conseil pour l'année

Le rythme effréné de l'année exige des réactions rapides. Ne perdez pas de temps et regardez droit devant. Votre vaste expérience et vos dons joueront beaucoup en votre faveur, tandis que votre sens de l'initiative vous vaudra des succès bien mérités.

Des Chiens célèbres

Andre Agassi, Elizabeth Arden, Brigitte Bardot, Marc Béland, David Bowie, André Brassard, Normand Brathwaite, Bertolt Brecht, George W. Bush, Kate Bush, Laura Bush, José Carreras, Paul Cézanne, Cher, Sir Winston Churchill, Petula Clark, Bill Clinton, Émile Proulx-Cloutier, Leonard Cohen, Robin Cook, Marie-Josée Croze, Jamie Lee Curtis, Pierre Curzi, René-Richard Cyr, Dalida, Claude Debussy, Judi Dench, Raymond Devos, Mireille Deyglun, Serge Dupire, Blake Edwards, Pierre Falardeau, Sophie Faucher, Joseph Fiennes, Sally Field, Robert Frost, Nathalie Gadouas, Judy Garland, George Gershwin, Barry Gibb, Victor Hugo, Holly Hunter, Michael Jackson, Patrick Labbé, Plume Latraverse, Louise Lecavalier, René Lévesque, Macha Limonchick, Jennifer Lopez, Sophie Lorain, Federico García Lorca, Sophia Loren, Shirley MacLaine, Madonna, Winnie Mandela, Kate McGarrigle, Golda Meir, Liza Minelli, David Niven, Huguette Oligny, Claude Poissant, Sydney Pollack, Julien Poulin, Elvis Presley, Sharon Stone, Anne Sylvestre.

Le Cochon

30 JANVIER 1911 – 17 FÉVRIER 1912	Cochon de Métal
16 FÉVRIER 1923 – 4 FÉVRIER 1924	Cochon d'Eau
4 FÉVRIER 1935 – 23 JANVIER 1936	Cochon de Bois
22 JANVIER 1947 – 9 FÉVRIER 1948	Cochon de Feu
8 FÉVRIER 1959 – 27 JANVIER 1960	Cochon de Terre
27 JANVIER 1971 – 14 FÉVRIER 1972	Cochon de Métal
13 FÉVRIER 1983 – 1er FÉVRIER 1984	Cochon d'Eau
31 JANVIER 1995 – 18 FÉVRIER 1996	Cochon de Bois
18 FÉVRIER 2007 – 6 FÉVRIER 2008	Cochon de Feu

La personnalité du Cochon

C'est l'action,
la générosité
et la participation
qui donnent à la vie son essence
et ses possibilités.

Le Cochon est né sous le signe de l'honnêteté. On le reconnaît à sa gentillesse, à sa compassion, mais également à ses prodigieux talents de conciliateur. En effet, comme rien ne lui déplaît davantage que la discorde et les frictions, il s'emploiera sans relâche à dissiper les malentendus et à trouver les terrains d'entente qui rétabliront l'harmonie.

Il se fait également remarquer dans la conversation, car il est sincère et va droit au but. Mensonges et hypocrisie le hérissent ; il croit en la justice et préconise le maintien de l'ordre public. Malgré ses convictions, le Cochon est enclin à la tolérance et aura vite fait de pardonner à tout un chacun ses torts. Rancune et esprit de vengeance ne font pas partie de son vocabulaire.

En règle générale, le Cochon jouit d'une cote de popularité enviable. Le commerce de ses pairs lui étant fort agréable, il se sent parfaitement à l'aise dans les situations de groupe et aime participer aux actions communes. Il n'est pas rare qu'il se joigne à un club ou à une association, et il compte alors parmi les membres les plus loyaux ; inutile de le prier pour qu'il apporte sa contribution, il en sera ! D'ailleurs, cet ardent défenseur des causes humanitaires n'a pas son pareil pour recueillir des fonds au profit d'une bonne œuvre.

Le Cochon est un travailleur infatigable et consciencieux. Sa fiabilité et son intégrité inspirent spécialement le respect. Durant sa jeunesse, il touchera un peu à tout, mais c'est généralement lorsqu'il a le sentiment d'être utile qu'il est le plus heureux. Ainsi, lorsqu'il en va de l'intérêt général, il donne de son temps sans compter ; on ne sera pas surpris que ses collègues et supérieurs le jugent inestimable.

Son sens de l'humour est notoire. À vrai dire, le Cochon est un amuseur-né qui a toujours en réserve un sourire, une plaisanterie ou quelque remarque fantaisiste susceptible de dérider. D'ailleurs, bon nombre des natifs de ce signe choisissent de faire carrière dans le monde du spectacle, ou suivent avec passion la vie des vedettes.

Malheureusement, il s'en trouve qui profitent de sa bonne nature et de sa générosité, car le Cochon a toutes les peines du monde à refuser de rendre service. Malgré la répugnance que cela lui inspire, il serait parfois dans son intérêt de dire non quand les autres dépassent les bornes. Il lui arrive également de pécher par excès de naïveté ou de crédulité. Mais quand d'aventure il éprouve une vive déception, il sait en tirer la leçon : on ne l'y reprendra pas, il fera dorénavant preuve d'indépendance. C'est souvent à la suite d'une telle déception que le Cochon fait carrière à titre d'entrepreneur ou de travailleur autonome. Du reste, grâce à son sens aigu des affaires, il peut jouir d'un compte en banque bien pourvu malgré une certaine propension à dépenser.

Le Cochon est également reconnu pour sa capacité à surmonter assez promptement les revers. Sa confiance et sa force de caractère l'incitent en effet à redoubler d'efforts dans l'adversité. S'il s'estime capable de s'acquitter d'une tâche ou s'il a un but en tête, il s'y attellera avec une détermination implacable – même au point de se montrer têtu ! Peu importe qu'on l'adjure de changer d'idée, une fois sa décision prise, il en démordra rarement.

Malgré toute l'ardeur qu'il peut déployer au travail, le Cochon sait aussi s'amuser. En réalité, c'est un bon vivant qui, avec l'argent durement gagné, s'offrira volontiers un voyage somptueux, un festin (car il est fin gourmet) ou diverses activités récréatives. Il apprécie également les soirées sans prétention et, si la compagnie lui plaît, il ne tardera pas à mettre de l'ambiance. En revanche, dans le cadre d'une réception mondaine où il ne connaît personne, il est susceptible de se renfermer.

Le Cochon aimant aussi son petit confort, c'est généralement chez lui qu'on trouve ce qu'il y a de plus récent sur le marché, les derniers appareils ménagers haut de gamme, par exemple. Dans la mesure du possible, il s'établit à la campagne plutôt qu'en ville et veille à disposer d'un bon lopin de terre, car il est souvent un jardinier aussi enthousiaste qu'accompli.

Auprès du sexe opposé, le Cochon remporte beaucoup de succès. Il ne manque pas d'en profiter, d'ailleurs, jusqu'à ce qu'il fasse son nid. Par contre, une fois qu'il s'est engagé, sa loyauté envers son partenaire est absolue. C'est avec la Chèvre, le Lièvre, le Chien, le Tigre et un autre Cochon qu'il s'accorde le mieux, mais étant donné son caractère facile, il peut nouer de bonnes relations avec tous les signes du zodiaque, hormis le Serpent. Le côté rusé, secret et circonspect de ce dernier ne fait pas bon ménage, on s'en doute, avec la franchise et l'honnêteté du Cochon.

La femme Cochon, pour sa part, est un parangon de dévouement. Elle déploie la dernière énergie pour s'assurer que son partenaire et ses enfants ne manquent de rien, car leur bonheur fait le sien. Sa maison est impeccablement tenue… ou terriblement désordonnée. Curieusement, c'est tout l'un ou tout l'autre avec les Cochons : soit ils se passionnent pour les tâches ménagères, soit ils les abhorrent. Par ailleurs, la femme Cochon a d'exceptionnels talents d'organisatrice qui, alliés à sa nature sympathique et avenante, lui permettent d'atteindre la plupart de ses objectifs. C'est également une mère de famille aimante et consciencieuse. De surcroît, elle est toujours habillée avec goût.

Dans l'ensemble, le Cochon aura certainement tout pour être heureux, car la chance tend à lui sourire. Pour peu qu'il ne se laisse pas manger la laine sur le dos et qu'il ne craigne pas de s'affirmer, il aura une belle vie ; ses amis seront nombreux, il fera du bien autour de lui et gagnera l'admiration de tous.

Les cinq types de Cochons

Aux douze signes du zodiaque chinois viennent s'ajouter cinq éléments qui les renforcent ou les tempèrent. Les effets de ces cinq éléments sont décrits ci-après, accompagnés des années au cours desquelles ils exercent leur influence. Ainsi, les Cochons nés en 1911 et en 1971 sont des Cochons de Métal, ceux qui sont nés en 1923 et en 1983, des Cochons d'Eau, etc.

LE COCHON DE MÉTAL (1911, 1971)

Le Cochon de Métal se démarque par ses grandes ambitions et la résolution dont il sait faire preuve. Solidement constitué, plein d'énergie, il se consacre à une foule d'activités. C'est sincèrement et sans détour qu'il partage ses opinions ; à l'occasion toutefois, sa confiance lui fait prendre ce qu'on lui dit pour de l'argent comptant. Il ne manque pas d'humour et raffole des soirées et réunions mondaines. Chaleureux et sociable de nature, il est entouré de bons amis.

LE COCHON D'EAU (1923, 1983)

Le Cochon d'Eau a un grand cœur. Généreux et loyal, il veille à rester en bons termes avec tous. Il est prêt à se mettre en quatre pour venir en aide ; malheureusement, d'aucuns en profitent. Un peu plus de discernement et de fermeté face à ce qui lui déplaît le servirait assurément. Bien qu'il ait une prédilection pour les choses paisibles de la vie, il cultive un éventail de centres d'intérêt. Il apprécie particulièrement les activités de plein air, les soirées entre amis et les événements mondains. Sa capacité d'abattre beaucoup de travail, et ce, d'une manière consciencieuse, lui assure le succès dans sa profession. C'est également un habile communicateur.

Le Cochon de Bois (1935, 1995)

Amical et persuasif, le Cochon de Bois s'attire aisément la confiance d'autrui. Il aime s'impliquer dans tout ce qui se passe autour de lui, avec pour conséquence qu'il accepte parfois un trop grand nombre de responsabilités. D'une loyauté exemplaire envers sa famille et ses amis, il éprouve également une grande satisfaction à aider les moins fortunés que lui. Il est enclin à l'optimisme et a un bon sens de l'humour. Sa vie est agréable et bien remplie.

Le Cochon de Feu (1947, 2007)

Le Cochon de Feu a un goût marqué pour l'aventure et dispose d'inépuisables réserves d'énergie. C'est avec confiance et détermination qu'il aborde la vie. Il ne craint ni d'exprimer ses opinions ni de courir des risques afin d'atteindre ses buts. Cependant, sa fougue l'emporte quelquefois alors qu'un peu de prudence serait salutaire pour certains de ses projets. Sur le plan matériel, il jouit d'une bonne étoile et il n'hésite pas à partager les avantages dont il est pourvu ; la générosité du Cochon de Feu est d'ailleurs légendaire. Il voue également une grande affection à ses proches.

Le Cochon de Terre (1959)

Le Cochon de Terre est doué d'une nature bienveillante. Plein de bon sens et réaliste, il ne ménagera pas ses efforts pour satisfaire ses employeurs ou pour donner corps à ses ambitions. C'est un organisateur-né ainsi qu'un individu habile en affaires. Son sens de l'humour et son agréable compagnie lui valent de nombreux amis. Il aime que sa vie sociale soit animée, mais il a parfois tendance à se permettre des excès de table.

Perspectives pour 2011

Les années du Tigre sont caractérisées par leur rythme plutôt rapide et le Cochon ne se sent pas toujours à l'aise au cœur de toute cette frénésie. Il a sûrement vécu certaines frustrations au cours des derniers mois (du 14 février 2010 au 2 février 2011) puisque ses projets ne se sont pas toujours réalisés comme il l'entendait malgré tous ses efforts. Sa vie sera toutefois marquée par une nette amélioration au cours des derniers mois de cette période effervescente et il sera ainsi mieux préparé à accueillir la prochaine année qui lui sera certainement plus favorable.

Le Cochon devra demeurer attentif et vigilant au cours des tout derniers mois de l'année du Tigre, et ce, plus particulièrement dans le domaine des finances. La fin de l'année 2010 l'obligera à faire plus de dépenses et il devra être très prudent. Il aura aussi intérêt à se pencher avec minutie sur toute correspondance administrative ou tout problème qui a trait avec l'argent.

Plusieurs Cochons verront leurs tâches augmenter au travail au cours de cette période et ils devront régler certaines difficultés liées à leur emploi. S'ils se concentrent sur leurs besoins et usent judicieusement de leur expérience, ils amélioreront leurs perspectives d'avenir et leur réputation n'en brillera que davantage. Ils pourraient voir des changements intéressants transformer leur vie de la mi-octobre au début de décembre, ainsi qu'au cours du mois de janvier.

De nature agréable, le Cochon aime entretenir de bonnes relations avec les autres et les derniers mois de l'année du Tigre lui permettront d'avoir une vie mondaine très animée. Il s'amusera beaucoup, mais il devra toutefois veiller à tourner sa langue sept fois avant de parler puisqu'il pourrait regretter certaines de ses paroles. Qu'il n'oublie jamais que les murs ont des oreilles et qu'une indiscrétion de sa part pourrait être source d'embarras.

Sa vie au foyer sera très active et il sera heureux d'apporter son aide à ses proches. Les rencontres amicales et les visites qu'il fera à des parents et à des amis lui apporteront beaucoup de joie. Il aura de quoi se tenir très occupé au cours des derniers mois de l'année du Tigre.

Le Cochon est doté d'un grand appétit pour la vie. Il est attaché à ses péchés mignons, mais il est aussi capable de travailler fort et d'assumer ses responsabilités avec sérieux. L'année du Lièvre sera des plus stimulantes pour lui puisque ses efforts seront bien récompensés.

L'année du Lièvre commence le 3 février 2011. Tout juste avant de l'entamer, le Cochon devrait définir clairement ses espoirs et ses aspirations pour les mois à venir, et ce, tout spécialement dans le domaine du travail. Il sera temps de foncer et, s'il est bien préparé, il se sentira mieux en mesure de saisir la chance au vol. L'année du Lièvre favorisant la bonne fortune et la synchronicité, il pourrait donc être avantagé à plusieurs égards.

Les Cochons bien établis dans leur carrière pourront gravir les échelons et hériter de plus grandes responsabilités. Ils devraient postuler sans hésiter pour les postes vacants qui les intéressent. Ils gagneront à agir prestement cette année. Leur expérience, leur détermination et leur personnalité agréable les favoriseront sans le moindre doute.

Les perspectives d'avenir sont aussi positives pour les Cochons insatisfaits de leur situation actuelle, pour ceux qui se sentent pressés de changer d'air et pour les autres qui cherchent un emploi. En prenant le temps de bien se renseigner, en évaluant les différentes possibilités qui s'offrent à eux et en profitant du soutien, de la formation et des conseils qui leur sont offerts, ils pourraient trouver un emploi différent de tout ce qu'ils ont fait jusqu'à maintenant et ce nouveau défi sera des plus intéressants. Comme ils l'ont souvent démontré, ils savent se distinguer lorsqu'ils se sentent bien motivés. De belles occasions pourraient surgir pour eux en février et en mars, ainsi que de la fin d'août au début d'octobre. Ils devront alors être particulièrement alertes et prompts dès qu'ils sentiront que la chance est de leur côté.

Les progrès que le Cochon fera cette année lui rapporteront des revenus supplémentaires. Il pourrait alors être tenté de réaliser ses projets et de faire des achats pour lui-même ainsi que pour sa maison. Il aura raison d'être heureux que ses efforts soient récompensés, mais il devrait tout de même songer à réduire ses emprunts, à profiter des crédits d'impôt personnels disponibles ou à acheter une police d'assurance additionnelle pour ses vieux jours. Ces sages décisions lui permettront de mieux profiter des bons coups qu'il fera cette année sur le plan financier. S'il venait à vivre une situation complexe ou difficile, il devrait vite consulter un professionnel. Ce conseil s'adresse à une minorité de Cochons seulement, mais il est important de se rappeler qu'il faut régler rapidement et efficacement tout problème qui pourrait avoir des conséquences importantes. L'avis d'un expert sera toujours bienvenu dans un tel cas.

Le Cochon se sent à l'aise avec les autres et sa vie sociale sera très agréable en 2011. Des amis de longue date l'aideront à prendre de sages décisions. Il pourrait aussi profiter de ses loisirs pour rencontrer des gens et élargir considérablement son réseau social. La chance le favorisera tout spécialement d'avril à juin, ainsi qu'en août et en décembre. Il sera très en demande puisqu'on apprécie beaucoup sa nature extravertie en société. Les Cochons qui commencent l'année en ayant le moral à plat ou qui ont récemment dû faire face à de l'adversité verront leur vie s'illuminer grâce à leurs nouvelles activités, à leurs amis et, dans certains cas, à une belle histoire d'amour.

Le natif de ce signe attache une grande importance à sa vie familiale qui sera très significative cette année. Armé de son tempérament enthousiaste, il prendra l'initiative d'organiser plusieurs activités pour les siens. Son optimisme, son respect envers autrui et sa minutie assureront le succès de ces joyeuses rencontres festives. Il devra toutefois s'assurer de ne pas courir deux lièvres à la fois. Il aura fort à faire au cours des prochains mois et il gagnera à bien planifier les choses plutôt qu'à précipiter les événements.

L'année du Lièvre sera donc stimulante pour le Cochon. En mettant ses talents et ses idées en valeur et en demeurant ouvert aux différentes possibilités qui se pointeront sur son chemin, il sera en mesure de faire des progrès notables. Ses meilleurs atouts seront sans doute son enthousiasme et sa belle personnalité. Il aura beaucoup de pain sur la planche et son année sera aussi gratifiante sur le plan personnel.

Le Cochon de Métal

Le Cochon de Métal a du flair, de l'esprit et de la détermination. Il entamera l'année du Lièvre en étant prêt à foncer puisqu'il a la ferme intention de tirer le maximum des douze prochains mois. En plus de célébrer une nouvelle décennie, il aura suffisamment confiance en lui pour faire tous les efforts nécessaires en vue d'atteindre ses objectifs. Son année sera gratifiante grâce à toutes ses actions menées dans un esprit positif.

Les Cochons de Métal qui commenceront l'année du Lièvre en étant mécontents seront heureux de voir que la chance vient enfin de tourner en leur faveur. Les premières semaines pourraient leur apporter des changements favorables, ce qui aura pour effet de ranimer leur optimisme. Ils auraient intérêt à en profiter pour tirer un trait sur le passé et oublier leurs récentes déceptions en se concentrant fermement sur le moment présent.

Au travail, les choses pourraient prendre une tournure particulièrement intéressante cette année. Plusieurs natifs de ce signe bien établis dans leur carrière jouiront d'une promotion et seront invités à endosser de plus grandes responsabilités. Leur expérience, soutenue par leurs bonnes relations et leur réputation impeccable, leur procurera de grandes satisfactions, et ce, qu'ils choisissent de rester fidèles à leur employeur actuel ou de changer d'entreprise. Leur année sera marquée par des succès bien mérités – parfois depuis longtemps.

Les perspectives sont aussi excellentes pour les Cochons de Métal insatisfaits de leur poste actuel ou prêt à orienter différemment leur carrière. En poursuivant leur quête avec persévérance et en étant à l'affût des bonnes occasions, ils pourront profiter de leur bonne fortune. Certains d'entre eux hériteront même d'un poste fort différent de tout ce qu'ils avaient fait jusque-là. Les changements qu'ils subiront en 2011 seront exigeants, mais ils leur permettront de maîtriser de nouvelles compétences et leur donneront la motivation nécessaire qui leur manquait peut-être au cours des derniers mois.

L'avenir est aussi souriant pour les Cochons de Métal qui cherchent un emploi. Ils pourront bénéficier de belles opportunités s'ils sont prêts à se perfectionner et à s'adapter à la nouveauté. Des changements pourraient survenir très rapidement, et ce, particulièrement en février, en mars, ainsi que de la fin d'août au début d'octobre.

L'année sera également favorable au Cochon de Métal sur le plan personnel. Il pourra parfaire grandement ses compétences professionnelles, mais il consacrera aussi une partie de ses temps libres à développer ses autres talents. Il gagnera à s'inscrire à un cours, que ce soit pour le plaisir ou pour obtenir un diplôme, ou à s'intéresser à un nouveau défi ou projet de recherche. Ses progrès seront encore plus remarquables s'il s'adonne à une activité qui sera à la fois utile et amusante. S'il parvient à maintenir son enthousiasme, il vivra des heures très inspirantes en 2011.

Le Cochon de Métal pourrait voir ses revenus augmenter cette année, mais il devra bien surveiller ses dépenses. Comme il a de nombreux projets et responsabilités, il devra être vigilant en matière financière. En tout temps, s'il a des inquiétudes ou s'il se trouve dans une situation difficile liée à l'argent, il sera sage de consulter un professionnel. Ces problèmes devront être résolus rapidement et efficacement, sinon ils pourraient empirer. Cochons de Métal, prenez-en bien note.

Sur le plan de ses relations sociales, le Cochon de Métal sera très populaire et il devrait profiter de sa bonne étoile pour rencontrer d'autres personnes. Lui qui est si affable et empathique, il sera dans une forme impressionnante. Sa vie sera très animée de la fin de mars à juin, ainsi qu'en août et en décembre. Les célibataires pourraient voir une amitié se transformer soudainement en relation plus significative. Plusieurs Cochons de Métal vivront une belle histoire d'amour ou auront une vie mondaine plus effervescente.

Au foyer, le Cochon de Métal sera aussi fort occupé. Des routines devront être modifiées à cause de changements liés à son emploi. Certains de ses proches devront prendre des décisions cruciales et auront besoin de le consulter et de recourir à son aide. Les progrès qu'il fera cette année ajouteront du soleil dans son quotidien. Ses proches seront aussi enthousiastes de célébrer son quarantième anniversaire de naissance avec classe et il sera touché par leur affection et les surprises qu'ils auront préparées pour lui.

Le Cochon de Métal consacrera une partie de son temps à rénover et plusieurs natifs de ce signe décideront de déménager. L'année sera fort occupée et les travaux d'ordre pratique pourraient prendre plus de temps que prévu. Il devra faire montre de patience et se donner plus de temps pour concrétiser ses projets. Les années du Lièvre ne favorisent jamais l'empressement.

Le Cochon de Métal pourrait donc vivre une année fort significative cette année. En plus d'entamer une nouvelle décennie, il se sentira prêt à aller de l'avant en misant plus que jamais sur ses forces et ses compétences. Le temps sera tout désigné pour récolter des succès bien mérités et profiter pleinement des beaux cadeaux de la vie.

Conseil pour l'année

Donnez-vous des buts très précis et passez à l'action. Vous serez en mesure d'accomplir de grandes choses si vous apprenez à user judicieusement de votre temps et des bonnes occasions que la vie mettra sur votre route. Votre quarantième anniversaire pourrait être très valorisant sur le plan personnel. Profitez-en bien.

Le Cochon d'Eau

Le Cochon d'Eau est très favorisé. Il est loyal, gentil et appliqué. Cette année, il vivra des changements agréables sur le plan personnel. De plus, son esprit d'entreprise et ses compétences lui seront très utiles. Il sera en mesure de faire des progrès en étant souvent porté par la chance.

Ses relations interpersonnelles seront spécialement choyées et les Cochons d'Eau qui sont en couple vivront de très beaux moments cette année. Plusieurs voudront fonder une famille ou avoir un autre enfant et ils prendront beaucoup de plaisir à observer la croissance des bébés et des tout-petits qui vivent auprès d'eux. Le Cochon d'Eau étant doté d'une nature sensible et aimante, il se lie facilement à ceux qui l'entourent.

Cette année, le natif de ce signe portera une attention particulièrement à sa demeure. Plusieurs décideront de déménager dans une maison qui correspond davantage à leurs besoins et seront enchantés par ce changement qui prendra toutefois plus de temps que prévu. Ceux qui resteront là où ils sont voudront faire des rénovations ou décorer les lieux afin que ceux-ci leur ressemblent davantage. Qu'ils changent de décor ou d'ameublement ou qu'ils achètent de l'équipement neuf, les Cochons d'Eau s'amuseront à faire des projets et à évaluer les différentes options qui s'offrent à eux.

Tout au long de l'année, le natif de ce signe sera comblé par l'amour et le soutien de ses proches. Ceux qui ont un partenaire seront particulièrement touchés par l'attention qui leur sera portée. Plusieurs profiteront de vacances originales ou feront une petite escapade de dernière minute. L'année du Lièvre sera riche en événements heureux.

Les Cochons d'Eau célibataires seront tonifiés et portés par une vague de nouveauté. Ceux qui ont perdu confiance en eux-mêmes ou dont l'estime de soi a été heurtée savoureront ce vent de transformation. Les affaires de cœur seront nettement favorisées et une simple amitié pourrait se transformer en relation amoureuse. Plusieurs célibataires trouveront enfin l'amour, emménageront avec leur partenaire ou se marieront. Voilà des cadeaux fort appréciables que leur offrira l'année du Lièvre.

De nature amicale et extravertie, le Cochon d'Eau savoure pleinement sa vie mondaine et cette année il aura souvent la joie de voir ses amis et d'assister à des événements. Ses amis lui seront très reconnaissants pour ses conseils et sa bonne intuition. Sa vie sociale sera particulièrement animée d'avril à juin, ainsi qu'en août et en décembre.

Même s'il sera très pris par ses nombreuses responsabilités, il ne devra toutefois pas négliger ses loisirs. Ces bons moments lui donneront la chance de faire plus d'exercice, d'explorer ses idées et de maintenir un style de vie plus équilibré. Les Cochons d'Eau sédentaires ou qui mangent souvent des aliments préparés devraient faire plus d'exercice et améliorer leur régime. Ils devront absolument se tenir en forme s'ils veulent profiter au maximum de cette année fort prometteuse.

Des changements importants pourraient survenir dans le domaine du travail. Grâce à son expérience et à certains défis qu'il a su relever récemment, le Cochon d'Eau se sentira prêt à accepter de plus grandes responsabilités. Il pourrait obtenir une promotion dans le cadre de son travail actuel ou postuler pour un poste dans une autre entreprise. Ce sera un temps opportun pour saisir la chance au vol. Il sera sur sa lancée et les portes s'ouvriront sur son chemin à condition qu'il ose se mettre en valeur.

La chance sera aussi du côté des Cochons d'Eau qui ont envie de faire un changement de carrière plus sérieux. Cela leur demandera des efforts considérables, mais s'ils ont un bon esprit d'initiative et s'appliquent à demeurer vigilants, ils pourraient se voir offrir un poste qui leur permettra de développer des compétences très particulières. Des changements favorables auront lieu principalement en février, en mars, ainsi que de la fin d'août au début d'octobre.

Les progrès accomplis dans le monde du travail procureront des gains supplémentaires au Cochon d'Eau. Mais il devra être discipliné et bien gérer ses avoirs puisque l'année du Lièvre sera onéreuse. Aussi, au moment de signer une nouvelle entente, il prendra soin de bien lire tous les tenants et aboutissants afférents.

Même si l'année sera plutôt favorable, plusieurs Cochons d'Eau pourraient se retrouver dans une situation difficile ou conflictuelle. Ils seront alors sages de demander l'avis de personnes qualifiées au lieu de vouloir régler les choses seuls. Les mésententes et les problèmes devront être réglés sans attendre. Cochons d'Eau, prenez-en note et *demandez* de l'aide au besoin.

L'année du Lièvre sera excitante et prometteuse pour le Cochon d'Eau. Il vivra de grands moments sur le plan personnel et se verra offrir de plus grandes responsabilités dans le cadre de son emploi. Ce sera donc une année positive qui lui offrira un large éventail de possibilités.

Conseil pour l'année

Croyez en vous-même et allez de l'avant. Apprenez à bâtir votre avenir en misant sur vos talents. Vous pourrez accomplir beaucoup de choses cette année si vous être déterminé et rempli de bonne volonté. Savourez l'amour et les relations chaleureuses que vous entretenez avec vos proches. Ce sont là des liens très précieux qui pourront ajouter une touche importante à votre existence.

Le Cochon de Bois

L'année sera très significative pour le Cochon de Bois puisque les choix qu'il fera cette année l'aideront à façonner son avenir.

Les Cochons de Bois qui sont aux études vivront une étape très importante. Ils devront être disciplinés et sérieux s'ils veulent bien réussir leurs examens et préparer tous leurs travaux. Les résultats qu'ils obtiendront cette année auront des conséquences importantes et pourraient déterminer le domaine dans lequel ils poursuivront leurs études et la carrière qu'ils pourront choisir. Ce ne sera donc pas le moment de relâcher leurs efforts. S'ils sont bien appliqués, ils seront fiers de leurs progrès en plus de se sentir plus inspirés et plus confiants que jamais. Plusieurs natifs de ce signe seront sérieusement encouragés à parfaire certaines de leurs compétences.

Même si l'année sera des plus encourageantes, elle ne sera évidemment pas exempte de difficultés. Ainsi va la vie. Le Cochon de Bois pourrait parfois perdre confiance en ses capacités si on ne sait pas reconnaître son travail ni l'encourager à continuer. Étant doté d'un bon esprit de résilience, il saura toutefois rebondir malgré sa déception. Si les autres ne savent pas toujours répondre à ses attentes, il devrait se demander pourquoi il en est ainsi et tirer les leçons qui s'imposent. À cet égard, il devra considérer ses revers comme une épreuve constructive lui permettant de faire les efforts requis pour reprendre la situation en main. L'année du Lièvre lui apportera beaucoup, mais il se privera de moments très favorables s'il ne donne pas le meilleur de lui-même.

Cette année, le Cochon de Bois saura apprécier le soutien et la camaraderie de ses amis. En s'intéressant à de nouvelles choses et en voulant se dépasser, il aura la chance de rencontrer d'autres personnes. Il sera particulièrement occupé d'avril à juin, ainsi qu'en août et en décembre.

Le Cochon de Bois aurait intérêt à être plus ouvert et avenant avec les siens. En parlant avec eux de ses projets et de ses difficultés, il favorisera la bonne communication au sein de son clan tout en profitant des bons conseils de ses proches. Il ne devra pas oublier que ceux-ci sont toujours heureux de l'aider et qu'il est important qu'il leur fasse part de ses inquiétudes et de ses problèmes au lieu de les ruminer en solitaire. Une difficulté partagée est souvent à moitié résolue.

Tout au long de l'année, le Cochon de Bois sera tenté de faire de nombreux achats. Il devra bien gérer et planifier ses affaires s'il tient vraiment à acheter et à faire tout ce dont il a envie.

Les natifs de ce signe qui cherchent un emploi seront favorisés. Ils devront toutefois être persévérants et faire montre de leur bonne volonté et de leur capacité d'apprendre et de s'adapter. Tout emploi, qu'il soit routinier ou non, leur permettra d'acquérir une expérience qui leur servira plus tard. Certains devront suivre une formation ou combiner travail et études. Tout ce qu'ils accompliront cette année portera fruit à long terme.

Les Cochons de Bois nés en 1935 connaîtront une année satisfaisante au cours de laquelle ils devraient mettre leurs idées en œuvre et profiter des bonnes occasions qui se présenteront. L'année du Lièvre leur fera vivre des moments spéciaux dans le cadre de leurs loisirs, de leur vie communautaire ou de leurs activités familiales. Certains d'entre eux seront enchantés par les lieux qu'ils visiteront. Ils n'auront certainement pas le temps de s'ennuyer au cours des prochains mois.

L'année du Lièvre sera agréable pour le natif de ce signe à condition qu'il sache profiter de sa chance. Le jeune Cochon de Bois pourra faire de grands progrès s'il fait montre de bonne volonté en prouvant à son entourage qu'il a du cœur à l'ouvrage. Il pourra alors parfaire ses talents et obtenir les qualifications dont il rêve. Tous les Cochons de Bois apprécieront beaucoup leurs temps libres et ils seront aussi reconnaissants du soutien qu'ils recevront de leur famille et de leurs amis. Leur année sera plaisante et positive.

Conseil pour l'année

Profitez de vos forces et des bonnes occasions qui jonchent votre route. Vous pourrez accomplir de grandes choses si vous êtes enthousiaste et déterminé. Apprenez à vous ouvrir davantage aux diverses possibilités qui s'offrent à vous. Vous pourriez en récolter des bénéfices qui porteront fruit à long terme.

Le Cochon de Feu

De nature aimable, le Cochon de Feu s'intéresse à mille et une choses et il est toujours très occupé. L'année du Lièvre lui donnera la chance de mettre ses projets en branle et d'obtenir des résultats significatifs.

Pour bien profiter de cette année encourageante, il devra définir clairement ce qu'il souhaite accomplir au cours des douze prochains mois. Cela lui permettra de se consacrer à des buts bien précis et à être plus à l'affût lorsque de bonnes occasions se pointeront dans sa vie. Il constatera bien assez vite que les choses se mettent rapidement en place dès qu'il s'attaque à un projet avec sérieux. Comme le dit un vieux proverbe chinois : « Chose bien entamée est à moitié accomplie. » S'il apprend à planifier ses activités, il sera en mesure de retirer le maximum de bénéfices des douze prochains mois.

L'année sera favorable aux Cochons de Feu qui songent à déménager depuis un certain temps dans une nouvelle région ou une maison convenant davantage à leurs besoins. Ce sera le temps d'évaluer les diverses options et de commencer à se préparer en vue de ce changement important. Ils verront que les événements tournent en leur faveur dès qu'ils décident de passer à l'action. Ils seront fort occupés au cours des prochains mois et vivront des moments très excitants. Plusieurs auront même la chance d'acheter la maison dont ils rêvent depuis longtemps.

Les Cochons de Feu qui ne changeront pas de demeure auront peut-être envie de faire des rénovations là où ils se trouvent présentement. Ils pourraient opter pour des réparations, des rénovations ou des améliorations de leur milieu de vie. Ces travaux pourraient être exténuants, mais les Cochons de Feu seront heureux de faire tous ces changements. Ils pourraient aussi faire de très bons achats au cours de cette période.

Le Cochon de Feu devra donc surveiller ses dépenses de près s'il veut améliorer sa maison ou son logement en plus de concrétiser tous ses autres projets. Il devra noter toutes ses dépenses et faire des économies en prévision de sorties d'argent majeures. Il devra aussi prendre le temps de lire minutieusement tous les tenants et aboutissants des ententes qu'il s'apprête à signer. Même s'il a l'habitude d'être prudent dans ce domaine, il devra tout de même se tenir sur ses gardes et ne jamais rien tenir pour acquis. Il gagnera aussi à traiter avec diligence la correspondance, la paperasse et les formulaires qu'il recevra. Comme il sera très occupé, il pourrait être tenté de remettre à plus tard ce qu'il pourrait faire aujourd'hui, et cela pourrait avoir de fâcheuses conséquences. Cochons de Feu, prenez-en bien note. S'il vit des difficultés ou des problèmes complexes, il devra avoir recours aux conseils d'un professionnel. Ces problèmes devront être réglés rapidement *et* définitivement.

Le Cochon de Feu sera très occupé à cause de ses nombreuses activités. Il sera donc de mise qu'une bonne communication et un sain esprit de collaboration règnent entre tous les membres de sa famille. En mettant leurs idées en commun, ils pourront prendre des décisions qui conviendront à tous. Il ne serait pas sage que le Cochon de Feu consacre tous ses temps libres aux travaux de sa maison. Plusieurs natifs de ce signe voudront gâter leur famille en leur offrant des vacances spéciales dans un lieu dont ils rêvent depuis longtemps. Les années du Lièvre ont le pouvoir de concrétiser plusieurs espoirs. De plus, l'année sera marquée par les accomplissements de certains membres du clan et le Cochon de Feu se sentira alors particulièrement fier des siens.

Sur le plan personnel, il gagnera à clarifier ses objectifs afin de pouvoir en tirer une plus grande satisfaction. Il ne doit pas hésiter à consacrer du temps à ses passe-temps et à faire fructifier ses idées, et ce, surtout s'il s'intéresse à un art en particulier. Tous les Cochons de Feu qui ont envie de se consacrer à un loisir ou à un centre d'intérêt ne devraient pas se désister puisque de grands bénéfices pourraient en découler.

Le Cochon de Feu sera également très choyé sur le plan social. En plus de passer du bon temps avec ses amis, il sera invité à participer à plusieurs événements. Il vivra de très beaux moments s'il accepte d'élargir ses horizons et de miser sur sa capacité de s'amuser et de se lier aux autres. Ceux qui déménageront auront la chance de faire de nouvelles connaissances et prendront le temps de découvrir les facilités disponibles dans leur région. L'année du Lièvre sera riche sur le plan des relations interpersonnelles, et plus spécialement de la fin de mars à juin, ainsi qu'en août et en décembre. Les célibataires qui souhaitent faire de belles rencontres seront choyés et pourraient même vivre une belle histoire d'amour.

Les Cochons de Feu qui ont un emploi seront appelés à parfaire leurs talents et leur expérience. Ils seront fort occupés à accomplir un travail bien précis, à superviser des projets ou à aider à la formation de quelques personnes. Plusieurs voudront prendre leur retraite ou travailler un peu moins afin d'avoir plus de temps pour leurs autres activités et l'année du Lièvre leur permettra de réaliser leur rêve. Les Cochons de Feu qui prendront leur retraite ou qui sont déjà à la retraite pourraient utiliser leurs compétences différemment en se consacrant à des projets communautaires, en donnant de leur temps à des associations caritatives ou en aidant une personne dans le besoin.

L'année du Lièvre sera instructive et satisfaisante pour le Cochon de Feu. Ce sera un temps idéal pour passer à l'action et réaliser ses rêves. Il sera encouragé par le soutien des siens et son esprit d'entreprise pourrait le mener à créer de belles choses. Il sera récompensé chaque fois qu'il agira avec détermination.

Conseil pour l'année

L'année du Lièvre est riche en possibilités, mais vous devrez passer à l'action. Ne laissez pas vos espoirs être anéantis. Ayez un bon esprit d'initiative et faites les premiers pas qui mèneront à la réalisation de vos rêves. Plusieurs portes s'ouvriront à condition que vous demeuriez enthousiaste et que vous acceptiez l'aide de vos proches.

Le Cochon de Terre

L'année sera favorable au Cochon de Terre. Grâce à sa nature aimable et consciencieuse, il sera en mesure d'accomplir de véritables progrès et de récolter les fruits de ses efforts précédents. L'année 2011 sera très dynamique pour lui.

Le Cochon de Terre déteste être pressé par les circonstances extérieures et l'année du Lièvre lui donnera la chance d'agir à son rythme. Plusieurs natifs de ce signe sauront profiter de leur situation et mieux définir leurs objectifs. En jonglant avec différentes idées et en évaluant les fruits qu'ils pourraient en récolter, ils se sentiront plus inspirés que jamais.

Le Cochon de Terre sera soutenu par sa famille et ses amis avec qui il devrait partager davantage ses idées et ses projets. Leurs conseils et leurs suggestions pourraient lui être d'un grand secours. Il gagnera toujours à les consulter *et* à tenir compte de leur opinion.

Ses perspectives seront aussi encourageantes dans le cadre de son emploi. Après avoir vécu une grande pression et des moments difficiles au travail au cours des dernières années, il verra enfin ses efforts être reconnus. Ce vent de renouveau lui permettra de faire de grands pas en avant. Il ne devra pas hésiter à accepter une promotion ou un nouveau poste puisque ce sera une année idéale pour embrasser de nouveaux défis. Même si tout ne se déroulera pas toujours comme il le souhaite, il gagnera à manifester son esprit de persévérance et son désir d'aller de l'avant. Plusieurs portes pourraient alors s'ouvrir devant lui.

Tout au long de l'année, ses relations avec des collègues plus âgés pourraient lui être utiles. Ceux-ci lui refileront de bons tuyaux ou accepteront de lui donner des lettres de référence très favorables. En 2011, le Cochon de Terre pourra s'enraciner davantage dans son domaine puisque son expérience et sa bonne réputation seront d'excellents atouts.

Certains Cochons de Terre se sentiront toutefois déçus de leur travail actuel et voudront changer d'air. L'année du Lièvre leur sourira ainsi qu'à ceux qui cherchent un emploi. En demeurant vigilants et en étant ouverts à toutes les possibilités, ils pourront hériter d'un poste qui deviendra un défi fascinant pour eux. Ils pourraient être appelés à accomplir de nouvelles tâches ou à s'initier à une nouvelle façon de travailler. Ce vent de changement les ravira. L'année du Lièvre est stimulante et le Cochon de Terre saura en profiter pleinement à condition qu'il fasse preuve de détermination et de bonne volonté. Des changements majeurs pourraient avoir lieu en février, en mars, ainsi que de la fin d'août au début d'octobre.

Le Cochon de Terre aura de meilleurs revenus grâce aux progrès qu'il fera dans le cadre de son travail. Il devra toutefois bien surveiller ses dépenses et gérer efficacement ses finances. Il sera de mise qu'il réduise ses emprunts et économise en prévision de certains achats plus importants. L'année devra être placée sous le signe de la gestion rigoureuse.

À n'importe quel moment, le Cochon de Terre qui vit une situation difficile devra demander l'avis d'un professionnel. Ce conseil s'adresse à une minorité, mais le Cochon de Terre *devra* rester sur ses gardes dès qu'un problème surgira.

L'année du Lièvre favorisant la croissance personnelle, les Cochons de Terre auront la chance de parfaire leurs connaissances professionnelles et de s'ouvrir à de nouveaux centres d'intérêt. Ceux qui ont négligé leurs passe-temps au cours des dernières années seront heureux de renouer avec leurs passions qui leur permettront d'avoir une vie plus équilibrée.

Sur le plan social, le Cochon de Terre aura souvent la chance de sortir et de faire de nouvelles connaissances. Sa vie sera particulièrement effervescente d'avril à juin, en août et en décembre. Les célibataires pourront vivre une histoire de cœur excitante qui apportera beaucoup de joie dans leur existence.

Sur le plan familial, le Cochon de Terre sera aussi fort occupé et il y aura un vent de célébration dans l'air. Des fêtes familiales mémorables souligneront ses succès ou ceux d'un membre de sa famille. Ses talents d'organisateur seront alors fort appréciés. Il sera souvent très sollicité, mais il en sera très reconnaissant. En plus d'apprécier le soutien de son entourage, il pourra apporter beaucoup d'amour aux siens, parfois de façon inattendue et généreuse. Le Cochon de Terre étant très attaché à sa vie familiale, il sera certainement comblé cette année.

L'année du Lièvre sera importante pour le Cochon de Terre puisqu'elle lui permettra de faire des progrès. Il pourra parfaire ses compétences dans le cadre de son travail et de ses loisirs s'il s'applique à mettre ses idées en valeur. Il sera en mesure d'accomplir de grandes choses grâce à ses actions menées dans un esprit positif et déterminé. Son désir d'aller de l'avant, soutenu par le soutien et les encouragements des siens, lui permettra de vivre une année gratifiante et remplie de succès.

Conseil pour l'année

Votre expérience et vos qualités personnelles seront bien récompensées cette année. Soyez actif et sachez tirer le maximum de vos idées, de vos compétences et des bonnes occasions qui se pointeront dans votre vie. Cette année favorable vous invitera à vivre de beaux moments qui illumineront votre cœur sur le plan personnel. Faites-en bon usage.

Des Cochons célèbres

Bryan Adams, Woody Allen, Julie Andrews, Fred Astaire, Sir Richard Attenborough, Hector Berlioz, Jane Birkin, Humphrey Bogart, James Cagney, Maria Callas, Paul Cézanne, Richard Chamberlain, Julien Clerc, Hillary Rodham Clinton, Glenn Close, David Coulthard, Oliver Cromwell, Billy Crystal, le Dalaï-Lama, Ted Danson, Yvon Deschamps, Richard Dreyfuss, Claude Dubois, Gilles Duceppe, Jean Duceppe, Ralph Waldo Emerson, Sylvie Ferlatte, Henry Ford, Clara Furey, Daniel Gadouas, André Gagnon, Charlotte Gainsbourg, Vincent Gratton, Ernest Hemingway, Henri VIII, Alfred Hitchcock, Elton John, Guy Laliberté, Tommy Lee Jones, Carl Gustav Jung, Boris Karloff, Stephen King, Nastassja Kinski, Kevin Kline, Roger Larue, Véronique Le Flaguais, David Letterman, Normand Lévesque, Jerry Lee Lewis, Marcel Marceau, Ricky Martin, John McEnroe, Ewan Mc Gregor, Marc Messier, Mika, Wolfgang Amadeus Mozart, Fernand Nault, Camilla Parker-Bowles, Luciano Pavarotti, Jean-Pierre Perreault, le prince Rainier de Monaco, Maurice Ravel, Ronald Reagan, Jean-Paul Riopelle, Arthur Rubenstein, Salman Rushdie, Françoise Sagan, Pete Sampras, Arantxa Sanchez-Vicario, Carlos Santana, Arnold Schwarzenegger, Steven Spielberg, Karine Vanasse, Suzanne Vega, Jules Verne, Jacques Villeneuve, Kim Yaroshevskaya, la duchesse d'York.

Appendice

Les horoscopes de l'astrologie chinoise accordent une place pré-
pondérante aux relations personnelles et professionnelles entre les
douze signes. Des tableaux faisant état de leur degré de compatibilité
figurent dans les pages qui suivent.

Relations personnelles

1. Excellente relation. Belle harmonie.
2. Très bonne relation. Nombreux champs d'intérêt communs.
3. Bonne relation, fondée sur le respect et la compréhension.
4. Relation satisfaisante, qui exige parfois des efforts et des compromis.
5. Relation malaisée. Problèmes de communication et divergences des champs d'intérêt.
6. Relation difficile. Personnalités conflictuelles.

	Bœuf	Tigre	Lièvre	Dragon	Serpent	Cheval	Chèvre	Singe	Coq	Chien	Cochon	Rat
Bœuf	3											
Tigre	6	5										
Lièvre	2	3	2									
Dragon	5	4	3	2								
Serpent	1	6	2	1	5							
Cheval	5	1	5	3	4	2						
Chèvre	5	3	1	4	3	2	2					
Singe	3	6	3	1	3	5	3	1				
Coq	1	5	6	2	1	2	5	5	5			
Chien	4	1	2	6	3	1	5	3	5	2		
Cochon	3	2	2	2	6	3	2	2	3	1	2	
Rat	1	4	5	1	3	6	5	1	5	3	2	1

Relations professionnelles

1. Excellente relation, fondée sur une parfaite compréhension mutuelle.
2. Très bonne relation de complémentarité.
3. Bonne relation. Entente susceptible d'être créée.
4. Relation satisfaisante moyennant un but commun. Des compromis sont souvent nécessaires.
5. Relation malaisée, peu susceptible de donner des résultats. Manque de confiance ou de compréhension. Rivalité entre les signes.
6. Relation difficile, caractérisée par la méfiance. À éviter.

	Bœuf	Tigre	Lièvre	Dragon	Serpent	Cheval	Chèvre	Singe	Coq	Chien	Cochon	Rat
Bœuf	3											
Tigre	6	5										
Lièvre	3	3	3									
Dragon	4	3	3	3								
Serpent	2	6	4	1	5							
Cheval	5	1	5	3	4	4						
Chèvre	5	3	1	4	3	3	2					
Singe	3	4	5	1	5	4	4	3				
Coq	1	5	5	2	1	2	5	5	6			
Chien	5	2	3	6	4	2	5	3	5	4		
Cochon	3	3	2	3	5	4	2	3	4	3	1	
Rat	1	3	4	1	3	6	5	2	5	4	3	2

Votre ascendant

Votre ascendant exerce une forte influence sur votre caractère, aussi son étude complétera-t-elle ce que vous avez déjà appris sur votre signe et sur la manière dont votre élément l'affecte. Vous parviendrez ainsi à une meilleure compréhension de votre véritable personnalité, comme le veut la tradition astrologique chinoise.

Pour déterminer votre ascendant, il suffit de chercher le signe qui correspond à l'heure (normale et non avancée) de votre naissance dans le tableau ci-dessous.

Heure de naissance	Ascendant
1 h à 3 h	Le Bœuf
3 h à 5 h	Le Tigre
5 h à 7 h	Le Lièvre
7 h à 9 h	Le Dragon
9 h à 11 h	Le Serpent
11 h à 13 h	Le Cheval
13 h à 15 h	La Chèvre
15 h à 17 h	Le Singe
17 h à 19 h	Le Coq
19 h à 21 h	Le Chien
21 h à 23 h	Le Cochon
23 h à 1 h	Le Rat

Bœuf : L'ascendant du Bœuf amplifie la prudence, la retenue et la stabilité, qualités souhaitables pour tous les signes. Il accentue également l'assurance et la résolution, ce qui convient particulièrement bien aux natifs du Tigre, du Lièvre et de la Chèvre.

Tigre : Cet ascendant exerce une influence dynamisante sur le signe, qui est alors plus extraverti, entreprenant et impulsif. L'ascendant du Tigre est généralement favorable aux natifs du Bœuf, du Tigre, du Serpent et du Cheval.

Lièvre : L'ascendant du Lièvre modère le signe, favorisant chez lui la réflexion, la sérénité et la discrétion. Le Rat, le Dragon, le Singe et le Coq en tirent un grand avantage.

Dragon : Cet ascendant insuffle courage, détermination et ambition. Ces qualités sont précieuses aux natifs du Lièvre, de la Chèvre, du Singe et du Chien.

Serpent : Sous l'influence de l'ascendant du Serpent, le signe se montre plus réfléchi, intuitif et autonome. Le Tigre, la Chèvre et le Cochon y gagnent.

Cheval : L'ascendant du Cheval rend plus prononcés l'esprit d'aventure, l'audace et, occasionnellement, l'inconstance. Ses effets sont bénéfiques pour le Lièvre, le Serpent, le Chien et le Cochon.

Chèvre : Le natif ayant cet ascendant est plus enclin à se montrer tolérant, facile à vivre et réceptif. Ses talents artistiques s'en trouvent également accrus. L'ascendant de la Chèvre a d'heureux effets sur le Bœuf, le Dragon, le Serpent et le Coq.

Singe : Légèreté et sens de l'humour vont de pair avec cet ascendant. Le signe qui en bénéficie est également plus entreprenant et communicatif. L'ascendant du Singe convient à merveille aux natifs du Rat, du Bœuf, du Serpent et de la Chèvre.

Coq : L'ascendant du Coq confère un esprit méthodique, une ouverture aux autres et beaucoup d'entrain. Il rend le signe plus efficace. Le Bœuf, le Tigre, le Lièvre et le Cheval en tirent grand profit.

Chien : Cet ascendant encourage le signe à faire preuve de bon sens, d'impartialité et de loyauté. Il exerce une excellente influence sur les natifs du Tigre, du Dragon et de la Chèvre.

Cochon : Le natif sous l'influence de cet ascendant est plus sociable, heureux de son sort, et même complaisant. Il est également enclin à aider autrui, car l'ascendant du Cochon accentue la bienveillance. Le Dragon et le Singe en bénéficient particulièrement.

Rat : L'ascendant du Rat incite le signe à se montrer extraverti, sociable et prudent en matière d'argent. Il a une influence particulièrement favorable sur les natifs du Lièvre, du Cheval, du Singe et du Cochon.

Comment tirer profit de votre signe et de la nouvelle année

Chacun des douze signes du zodiaque chinois se démarque par des qualités et des forces qui lui sont propres. En les découvrant, vous saurez les utiliser à bon escient; de même, en connaissant vos points faibles, vous serez en mesure d'apporter des correctifs au besoin. J'ose espérer que la section qui suit vous sera utile. Ce guide vous propose également quelques conseils, afin de vous aider à profiter pleinement de l'année du Lièvre.

Le Rat

Le Rat déborde de talents, parmi lesquels son entregent constitue sans doute sa plus grande force. À son charme et à sa sociabilité s'ajoute un sens inné de la psychologie. Le Rat est également perspicace et n'a pas son pareil pour repérer les bonnes occasions.

Cependant, pour réellement tirer parti de son potentiel, il lui faut s'imposer un peu de discipline. Par exemple, il serait salutaire qu'il ne cède pas à la tentation (parfois très forte) de s'engager dans un trop grand nombre de projets en même temps. Mieux vaudra pour lui d'établir ses priorités et de cibler ses efforts ; les résultats n'en seront que plus heureux. Par ailleurs, étant donné sa prestance, il gagnera à briguer des postes lui permettant d'exercer son art des relations humaines. Les secteurs de la vente et du marketing lui conviendront à merveille.

Le Rat gère habilement son bien. Même s'il est généralement enclin à la mesure, il lui arrive de se laisser aller à des folies. Bien sûr, ce travailleur appliqué les mérite, mais qu'il fasse preuve de retenue lorsque ses envies d'extravagance se multiplient !

Famille et amis tiennent une grande place dans sa vie. S'il se montre envers eux loyal et bienveillant, il tend par contre à taire ses propres inquiétudes. En s'ouvrant davantage de ses préoccupations, il bénéficierait d'une aide précieuse. Ses proches lui vouent une grande estime et seraient volontiers prêts à l'épauler, si seulement il se montrait moins secret.

Agile d'esprit, imaginatif et sociable, le Rat a assurément beaucoup à offrir. Il lui faudra d'abord et avant tout se fixer des objectifs clairs. Une fois décidé, plus rien ne peut lui résister ; plus rien, ni personne… vu son charme fou ! S'il canalise intelligemment ses énergies, il ira loin dans la vie.

Conseils au Rat pour 2011

L'année en général
Le Rat aime être occupé et actif, mais le rythme de l'année du Lièvre pourrait être lent. En s'adaptant et en faisant preuve de patience, il pourra parfaire ses compétences. Ce qu'il accomplira cette année pourra paver la voie aux succès importants qu'il connaîtra en 2012.

La carrière
Le Rat a une aptitude remarquable pour se lier aux autres. Il devrait travailler en étroite collaboration avec d'autres personnes et en profiter pour élargir son réseau social. Il pourra en impressionner plusieurs cette année. S'il cherche un emploi, il devrait demander conseil à des professionnels et s'ouvrir à différentes options. S'il adopte une attitude positive, il pourra faire de grands progrès. Les natifs qui ont un travail ou un passe-temps axé sur la créativité devraient mettre leurs idées de l'avant sans hésiter.

Les finances
Il devra bien surveiller ses dépenses. Toute nouvelle entente devra être étudiée avec soin et, si un problème surgit, il faudra demander conseil. L'année devra être placée sous le signe de la vigilance et de la minutie sur le plan financier.

La vie sociale
Le Rat accorde une grande valeur à ses relations avec les autres et il connaîtra du succès sur ce plan. Sa famille, ses amis et ses collègues lui apporteront leur soutien et leur aide. Plusieurs Rats vivront des changements importants sur le plan personnel et un enfant pourrait naître dans la famille. Ils doivent tenir compte de l'opinion d'autrui en tout temps. Plus ils seront sensibles à la réalité des autres, mieux ils se porteront.

Le Bœuf

Volonté et détermination sont l'apanage du Bœuf. Le moins qu'on puisse dire, c'est qu'il sait ce qu'il veut! Sans compter qu'il poursuit ses buts avec une persévérance à toute épreuve. Sa ténacité tout comme sa fiabilité sont d'ailleurs une source d'inspiration pour autrui. Le Bœuf aimant avant tout l'action, il accomplit souvent de grandes choses dans sa vie, et s'il peut corriger ses points faibles, il atteindra l'excellence.

La fermeté avec laquelle il s'applique à réaliser ses objectifs peut parfois se traduire par une certaine étroitesse d'esprit et une attitude rigide. En effet, le Bœuf ne se montre pas toujours ouvert aux changements; de plus, il préfère de loin faire les choses à sa manière, plutôt que de dépendre des autres. Il lui serait salutaire de se montrer plus coopératif et de cultiver son esprit d'aventure. La résistance qu'il manifeste face aux situations nouvelles peut lui être préjudiciable, alors que, s'il fait l'effort de s'adapter, ses progrès s'en verront facilités.

Le Bœuf gagnerait également à élargir l'éventail de ses champs d'intérêt ainsi qu'à aborder la vie avec plus de légèreté. Il est parfois préoccupé par ses activités au point de négliger ceux qui l'entourent; à vrai dire, son application et son sérieux peuvent être excessifs, le rendant quelque peu rébarbatif. Un peu d'humour ne lui ferait pas de mal! Toutefois, le Bœuf est un être de parole, sa loyauté envers sa famille et ses amis étant irréprochable. On l'admire, on le respecte et sa volonté de fer lui vaudra une vie réussie.

Conseils au Bœuf pour 2011

L'année en général
Une année prometteuse qui lui apportera souvent de la chance. Pour bien en profiter, le Bœuf devra agir avec détermination. En passant à l'action et en s'engageant à fond, il pourra accomplir beaucoup de choses. La chance sourira aux audacieux.

La carrière
Des occasions intéressantes pourraient lui être offertes cette année. Il pourra progresser dans son cadre professionnel actuel ou opter pour un nouvel emploi. Il devra rester vigilant et s'adapter à la situation. Son année sera une réussite à condition qu'il fasse preuve de bonne volonté afin d'être en mesure de faire de grands pas en avant.

Les finances
Même si ses revenus pourraient augmenter, il devra surveiller ses finances et, dans la mesure du possible, faire des économies en prévision de ses projets et de ses achats plus importants. S'il accepte de prêter de l'argent, il devra être prudent.

La vie sociale
Le Bœuf obtiendra souvent l'aide, le soutien, les conseils et les encouragements de ses proches. Ses loisirs lui permettront de se faire de nouveaux amis et une histoire d'amour pourrait devenir très significative. Le Bœuf doit faire preuve d'ouverture d'esprit et communiquer avec les autres. En cette année gratifiante sur le plan personnel, il devra accorder une attention particulière à ceux et celles qui occupent une place spéciale dans sa vie.

Le Tigre

Toujours entreprenant et plein d'entrain, le Tigre aime mener une vie bien remplie. Très sociable, il est doté d'un esprit alerte et innovateur et cultive une foule de champs d'intérêt. Cependant, en dépit de son enthousiasme et de sa bonne volonté, il exploite parfois mal son potentiel, qui est considérable.

Sa versatilité l'entraîne à papillonner d'une activité à l'autre, et il peut facilement disperser ses énergies en voulant tout faire à la fois. Une certaine rigueur, alliée à une discipline personnelle, lui permettrait d'être plus productif. Il devrait donc s'interroger quant au meilleur emploi qu'il peut faire de ses talents, se fixer des objectifs, et n'en pas dévier. En effet, s'il arrive à surmonter ses tendances à l'instabilité et sait faire preuve de persévérance, il parviendra plus rapidement à des résultats.

Son caractère liant n'empêche pas le Tigre de vouloir garder sa liberté d'action. Personne ne songerait à la lui retirer; toutefois, il trouverait la vie plus facile s'il se montrait prêt à travailler de concert avec les autres. La grande confiance qu'il a en son jugement le porte parfois à faire fi des opinions exprimées. Il aurait intérêt à ne pas abuser de son désir d'indépendance : cela pourrait lui jouer de vilains tours !

Somme toute, le Tigre possède bien des atouts : il est audacieux, original et vif d'esprit. Sa personnalité chaleureuse et son amabilité en font une personne qu'on admire et qu'on aime. S'il apprend à maîtriser sa nature inconstante, il est promis à de belles réussites.

Conseils au Tigre pour 2011

L'année en général

L'année sera constructive et satisfaisante. Pour mieux en profiter, le Tigre devra rester discipliné et user de son temps et des bonnes occasions à son avantage. Voilà une année idéale pour faire des efforts, se concentrer et planifier.

La carrière

Le Tigre aura d'excellentes chances de parfaire ses connaissances, ses compétences et ses relations. Même si ses progrès risquent d'être plutôt modestes, ses accomplissements porteront fruit à long terme. L'année pourra être stimulante et enrichissante et de nombreuses possibilités devront être explorées.

Les finances

Plusieurs Tigres jouiront de revenus supplémentaires, mais ils devront surveiller leurs dépenses puisqu'ils seront forcés de mettre de l'argent de côté pour leur habitation et leurs nombreuses activités. Un contrôle minutieux sera de rigueur.

La vie sociale

De nature amicale, le Tigre s'intéresse à mille et une choses et son style de vie est souvent très animé. Il connaît évidemment plusieurs personnes et il sera très sollicité cette année. Il pourrait se faire de nouveaux amis et vivre une nouvelle histoire d'amour. Ses loisirs et son travail lui donneront aussi la chance d'élargir son réseau social. Une année sous le signe de l'action au cours de laquelle il devra utiliser efficacement ses compétences dans le domaine des relations humaines. Il bénéficiera en retour du soutien et de la bonne volonté de son entourage.

Le Lièvre

Le Lièvre est un être raffiné, doté d'un goût sûr. Il a beaucoup d'entregent et tout l'intéresse. Il apprécie les bonnes choses de la vie et fait ce qu'il faut pour se les procurer.

Fin et plein de charme, il possède néanmoins certains traits qui méritent surveillance. Son conservatisme peut l'incliner à trop de prudence. Son horreur du changement risque de lui coûter des occasions prometteuses. Par ailleurs, certains Lièvres sont prêts à de grands détours pour éviter les situations potentiellement difficiles : certes, personne n'aime les problèmes, mais, dans la vie, il faut accepter les risques de s'affirmer si l'on veut avancer. Par moments, il serait donc tout à l'avantage du Lièvre de faire preuve d'audace et d'assurance dans la poursuite de ce qu'il désire.

Le Lièvre attache une grande importance aux relations interpersonnelles et, bien que d'un commerce généralement agréable, il prend facilement ombrage de la critique. Le natif du signe devrait s'exercer à être moins susceptible : la critique est souvent un bon maître, si on sait l'écouter, et les problèmes sont riches d'enseignements, si on les regarde en face.

Conseils au Lièvre pour 2011

L'année en général

L'année est remplie de potentiel, mais il n'en tient qu'à lui de passer à l'action. Ce n'est pas le temps de se laisser abattre par des déceptions ou des regrets du passé. Il faut que le Lièvre montre de quoi il est fait et étale ses talents sans réserve. En saisissant la chance au vol, il pourra vivre une année gratifiante qui sera portée par le succès.

La carrière

De grandes possibilités à l'horizon! En demeurant vigilant et en acceptant de se placer à l'avant-scène, le Lièvre pourrait avoir une promotion ou un poste plus satisfaisant. Il devrait aussi profiter au maximum des bonnes occasions qui se présenteront afin de parfaire ses compétences. Une année importante et riche en progrès pour tous ceux qui feront preuve de bonne volonté.

Les finances

Plusieurs Lièvres auront une augmentation ou recevront une somme additionnelle cette année. Les achats importants et les projets devront toutefois être évalués avec soin. Il serait sage de faire un budget équilibré, mais le Lièvre sera astucieux comme toujours. Il aura ses moments de chance et, s'il a envie de participer à un concours ou à une compétition, il devrait le faire sans hésiter.

La vie sociale

Le Lièvre apprécie ses relations avec les autres et il vivra de beaux moments cette année. Au foyer, les projets, les activités et les succès qu'il partagera avec les siens seront très significatifs. De nouveaux loisirs pourraient lui permettre de se faire de nouveaux amis. Les célibataires pourraient vivre une histoire d'amour très spéciale.

Le Dragon

Enthousiaste, entreprenant et d'une grande probité, le Dragon possède nombre de qualités admirables. Entre autres, il donne toujours le maximum et, même si toutes ses initiatives ne sont pas couronnées de succès, il persiste et signe. C'est un être qui suscite le respect et l'admiration. Sa vie est en général bien remplie.

Toutefois, le Dragon est à l'occasion brusque et trop direct. On le juge parfois dominateur à cause de sa forte personnalité. Il serait dans son intérêt d'écouter un peu plus les conseils qu'on lui donne plutôt que de se fier à lui seul.

De plus, il laisse parfois son enthousiasme prendre le dessus et il peut se montrer impulsif. Il saura donner sa pleine mesure s'il sait établir ses priorités et agir avec méthode et discipline. Plus de tact et de diplomatie ne lui feraient pas de tort non plus !

N'empêche, son entrain et son allure enjouée font que le Dragon est fort populaire. Lorsqu'il bénéficie d'augures favorables (et c'est souvent le cas du Dragon), il peut s'attendre à une vie riche et excitante. Ses talents sont nombreux et, s'il les utilise bien, le succès sera à sa portée.

Conseils au Dragon pour 2011

L'année en général

Les Dragons aimant demeurer actifs, ils doivent parfois recharger leur batterie et l'année du Lièvre leur donnera l'occasion de le faire. Ce sera le temps idéal pour faire le point et penser aux différentes façons qui pourraient leur permettre d'aller de l'avant dans le futur. Même si l'année aura un rythme plutôt lent, elle pourrait être très significative pour eux.

La carrière

Un progrès modeste sera possible, mais le plus important est que le Dragon acquerra de l'expérience et fera montre de ses forces cette année. En faisant preuve d'engagement et de bonne volonté, il améliorera ses perspectives tout en se préparant pour les progrès plus substantiels qu'il connaîtra au cours des prochaines années.

Les finances

Ses revenus pourraient augmenter, mais il devra faire un budget compte tenu de ses projets coûteux et des achats qu'il entend faire. L'année ne favorisera ni la hâte ni le risque.

La vie sociale

Le Dragon recevra un immense soutien de la part de sa famille et de ses amis. Il devra les consulter et écouter attentivement leurs suggestions. Ce ne sera surtout pas le moment de faire cavalier seul. Ses loisirs seront gratifiants sur le plan social et presque toutes ses activités lui permettront de rencontrer des gens en se montrant ouvert et avenant. Il vivra beaucoup de joie grâce à sa vie familiale et sociale.

LE SERPENT

Le Serpent est avantagé par sa vive intelligence, son esprit curieux et son discernement. Il cultive des champs d'intérêt variés. D'une nature paisible et réfléchie, il planifie généralement avec grand soin. Ses nombreuses habiletés lui valent de beaux succès, mais certains traits de caractère peuvent entraver ses avancées.

Sa circonspection lui fait parfois perdre du terrain par rapport à d'autres, plus confiants, qui se jettent dans l'action. De plus, son côté solitaire et sa soif d'indépendance ne jouent pas toujours à son avantage. Il devrait donc se montrer plus avenant et inviter la collaboration d'autrui à ses projets. Le Serpent est certes talentueux, sa personnalité, riche et chaleureuse, mais tout cela transparaît avec difficulté vu sa réserve, voire sa tendance à s'effacer. Pourquoi ne pas se montrer à sa juste valeur?

Il faut reconnaître cependant que le Serpent est son propre maître. À n'en pas douter, il sait ce qu'il veut et poursuivra ses objectifs avec courage et ténacité. Il n'en tient qu'à lui de faciliter son parcours. Au diable les réticences, Serpents, ouvrez-vous aux autres et avancez avec aplomb, quitte à prendre un risque de temps en temps… Quelques risques n'ont jamais fait de tort à personne!

Conseils au Serpent pour 2011

L'année en général

Ce sera une année à la fois stimulante et bien remplie. Le Serpent étant patient et bon observateur, il saura déterminer le moment idéal pour passer à l'action. En ayant un bon esprit d'initiative, il récoltera des succès réconfortants et bien mérités. Il devra toutefois s'adapter à de nouvelles exigences s'il veut progresser et il devra adopter un mode de vie équilibré.

La carrière

Une année rêvée pour apprendre et aller de l'avant. En demeurant vigilants, plusieurs Serpents pourront obtenir un nouvel emploi ou faire des progrès importants sur le plan professionnel. Pour y parvenir, ils *devront* faire les efforts nécessaires : nouvel apprentissage, adaptation ou études personnelles. L'année sera exigeante, mais le Serpent connaîtra du succès de façon progressive.

Les finances

Son succès au travail pourrait lui valoir une augmentation de salaire, mais il devra tout de même surveiller son budget de près. Il devra prendre le temps de bien évaluer sa situation financière et faire des économies en prévision d'un congé ou de vacances. Un changement d'air lui fera le plus grand bien en cette année très animée.

La vie sociale

Il pourra bénéficier du soutien et des conseils des autres, et ce, tout particulièrement au moment de relever des défis importants. Il devra rester ouvert et communicatif en mettant de côté sa tendance à être parfois trop individualiste. Il gagnera aussi à ne pas s'engager dans une situation potentiellement hasardeuse sur le plan personnel. S'il est minutieux et prend soin de consulter les autres, son année sera généralement agréable et les célibataires pourraient vivre une nouvelle histoire d'amour.

Le Cheval

Grâce à sa polyvalence, à sa grande capacité de travail et à son naturel sociable, le Cheval impressionne partout où il passe. Il a la parole facile, une personnalité attachante, aussi noue-t-il aisément des amitiés. On le reconnaît également à son esprit vif et à son sens de la repartie. Il tente volontiers sa chance et aime explorer de nouvelles idées.

Voilà donc un être fort sympathique et qui ne manque pas de caractère ; mais, bien sûr, il a ses points faibles. Ainsi, il ne va pas toujours jusqu'au bout de ce qu'il entreprend, car il se laisse distraire par de trop nombreux centres d'intérêt. Un peu plus de persévérance serait fort indiqué. Le Cheval a tout pour réussir avec brio, mais il doit apprendre à s'en tenir aux plans qu'il s'est fixés. Pour exploiter à fond ses talents, il devra maîtriser sa tendance à l'éparpillement.

Le natif de ce signe aime la compagnie, il voue une grande affection à sa famille et à ses amis. Malheureusement, combien de fois n'a-t-il pas regretté un mot déplacé ou un accès de colère ? Tout au long de sa vie, et plus particulièrement dans les situations tendues, le Cheval gagnera à maîtriser son tempérament fougueux et à cultiver l'art de la diplomatie. S'il se montre intempestif, en geste ou en parole, il risque de mettre en péril précisément ce à quoi il tient dans ses relations avec autrui, soit le respect mutuel et l'harmonie.

Le Cheval est avantagé par de multiples talents, alliés à une personnalité avenante et pleine d'entrain. En s'efforçant de tempérer sa versatilité, il aura toutes les chances de mener une vie riche et très satisfaisante.

Conseils au Cheval pour 2011

L'année en général
S'il fait preuve de flexibilité et profite de la plupart des bonnes occasions qui seront mises sur sa route, le Cheval connaîtra une année à la fois constructive et agréable. Ce sera un temps particulièrement propice à la croissance personnelle. Toutes les compétences et qualifications qu'il pourra acquérir lui profiteront dès maintenant, mais aussi dans l'avenir.

La carrière
L'année du Lièvre est remplie de potentiel pour le Cheval. Pour bien en jouir, il devra demeurer vigilant et s'adapter. Une excellente période de sa vie pour parfaire ses compétences, prendre de l'expérience et tenir compte des conseils de son entourage. Grâce au soutien des autres et à sa nature sincère, il a tous les atouts en main.

Les finances
Sa situation financière s'améliorera cette année, mais le Cheval devra éviter de prendre des décisions à la hâte. Ses achats et ses transactions devront être effectués avec prudence.

La vie sociale
Il profitera de l'aide et du soutien des autres et gagnera à les consulter. Les activités de groupe lui feront du bien et au travail il gagnera à travailler en réseau et à se faire une banque de relations professionnelles. Ses activités et ses loisirs seront gratifiants sur le plan social et lui permettront de rencontrer des gens. Une nouvelle histoire d'amour devra être nourrie avec soin si le Cheval souhaite qu'elle dure.

La Chèvre

D'un naturel chaleureux, amical et compatissant, la Chèvre s'accorde bien avec ses semblables, qui la considèrent généralement comme facile à vivre. Elle apprécie les belles choses et déborde d'imagination. On la reconnaît à son tempérament artistique. Elle affectionne les activités créatives et de plein air.

Cependant, malgré sa personnalité attachante, se cache chez elle une nature nerveuse et pessimiste. La Chèvre s'inquiète facilement : sans l'appui et les encouragements de son entourage, elle peut douter d'elle-même et tergiverser.

Afin de réellement exploiter ses talents, elle devra gagner en assurance, se montrer plus résolue et cultiver sa sérénité. Elle a tant à offrir ! Pourquoi ne pas se promouvoir et faire preuve d'audace ? Par ailleurs, la Chèvre aurait intérêt à clarifier ses priorités ainsi qu'à mener ses projets avec méthode et discipline. Faire les choses au petit bonheur la chance restreint souvent ses progrès.

Bien qu'elle attache toujours un grand prix au soutien des autres, elle gagnerait à affirmer son indépendance, en surmontant l'appréhension que suscite chez elle l'idée d'agir pour son propre compte. Car, en définitive, la Chèvre est talentueuse, sincère et aimable ; en s'efforçant de toujours donner le meilleur d'elle-même, elle sera promise à une vie enrichissante et agréable.

Conseils à la Chèvre pour 2011

L'année en général

Ce sera une année encourageante et positive à condition que la Chèvre passe à l'action. Elle devra avoir un bon esprit d'initiative et, au besoin, accepter de sortir de sa zone de confort. Comme l'écrivait si bien Virgile : « La chance sourit aux audacieux. » Pour la Chèvre audacieuse et remplie de bonne volonté, ce sera une année remplie de promesses.

La carrière

La Chèvre aura de nombreuses occasions de se mettre en valeur. Si elle se sent contrainte ou cherche un nouvel emploi, elle pourra connaître un vent de changement. Elle devra s'adapter et faire preuve de bonne volonté, mais elle aura la chance de parfaire son expérience et de mieux exploiter ses talents, dont sa créativité et ses dons pour la communication. Une année pour avoir confiance en soi et aller de l'avant.

Les finances

Plusieurs Chèvres auront de meilleurs revenus cette année. Mais elles devront bien gérer leurs avoirs et faire des économies en prévision de leurs voyages et de leurs projets. En demeurant vigilantes, elles pourront faire des achats très intéressants. Leur goût pour les objets de qualité et l'élégance seront des atouts à ne pas négliger cette année.

La vie sociale

Très à l'aise dans les relations interpersonnelles, la Chèvre pourrait être très sollicitée cette année. Sa vie familiale et sociale sera gratifiante et bien remplie. Elle se fera de nouveaux amis et ses perspectives seront aussi favorables sur le plan amoureux. Certaines Chèvres auront plusieurs occasions pour célébrer. Pour bien profiter de ces aspects favorables, elles devront demeurer actives et accepter de consulter les autres au besoin. L'année sera agréable sur le plan personnel.

Le Singe

Dynamique, entreprenant et créatif, le Singe fait de l'effet. Il cultive une foule de champs d'intérêt. Toujours prêt à s'amuser, il se
mêle à son entourage avec aisance. De plus, sa perspicacité lui permet comme nul autre de tourner les événements à son avantage.

Cependant, son esprit souple et ses nombreux talents s'accompagnent également de quelques points faibles. Par exemple, un rien
le distrait et il peut manquer de persévérance. Il a également tendance à ne se fier qu'à son propre jugement. Bien entendu, sa
confiance en lui constitue un atout inestimable, mais il gagnerait à
accorder un peu plus de considération à l'opinion des autres. De
plus, si le Singe aime être au courant de tout, il peut en revanche se
montrer évasif et secret en ce qui concerne ses propres sentiments
ou ses activités. Une plus grande franchise jouerait en sa faveur.

Le natif de ce signe est doté d'un extraordinaire esprit d'entreprise, mais, pour arriver à ses fins, il cède parfois à la tentation de
prendre des raccourcis ou de recourir à la ruse. Or, qu'il prenne
garde, cela risque de se retourner contre lui!

Il n'en reste pas moins que sa débrouillardise et sa force de
caractère le promettent à une existence à la fois intéressante et variée. Si le Singe parvient à canaliser ses énergies avec à-propos et à
refréner sa propension à l'éparpillement, une vie couronnée de succès l'attend. Sans compter que sa personnalité avenante lui vaudra
de belles amitiés.

Conseils au Singe pour 2011

L'année en général

Une année propice sous le signe du progrès. Pour bien en profiter, le Singe devra demeurer actif, mettre ses idées en valeur et utiliser ses forces à son avantage. Les plus déterminés pourront jouir d'une chance considérable.

La carrière

Nés sous le signe de la fantaisie, les Singes ont une imagination fertile qui peut donner naissance à de grandes idées. Ils sont aussi remplis de ressources. Tous ces talents les serviront bien et, s'ils prennent la peine de concrétiser leurs idées, ils pourront progresser de manière importante. L'année du Lièvre étant remplie de potentiel pour eux, elle saura récompenser leur esprit d'initiative et leur détermination.

Les finances

Les progrès faits au travail aideront le Singe sur le plan financier, mais il aura de nombreuses dépenses, et tout spécialement pour sa demeure. Il devra donc surveiller ses sorties d'argent et planifier ses dépenses plus importantes.

La vie sociale

Une année idéale pour passer du temps avec les autres. Il célébrera un événement heureux en famille et profitera du soutien de ses proches. Ses loisirs enrichiront sa vie mondaine et les célibataires pourraient vivre de nouvelles amitiés ainsi qu'une histoire d'amour qui illuminera grandement leur vie.

Le Coq

Le Coq en impose par sa fière allure, son style incisif et résolu. Doté d'un esprit délié, il se tient toujours au fait de l'actualité et s'exprime avec clarté et conviction. Sa minutie et son efficacité lui attirent le respect d'autrui. L'intérêt qu'il porte à ses semblables est sincère et bienveillant.

Malgré tout ce qui l'avantage, le Coq gagnerait à travailler sur certains aspects de sa personnalité. Ainsi, sa franchise et ses excès de zèle peuvent lui nuire, à tel point qu'il regrette parfois ses paroles ou ses gestes irréfléchis. De plus, vu ses exigences très élevées, il lui arrive de se montrer tatillon et même pédant. Cela peut se traduire par une attention démesurée à des questions secondaires, alors qu'un emploi plus judicieux de son temps serait souhaitable. Tous les natifs du Coq auraient intérêt à maîtriser ce mauvais penchant. Enfin, malgré ses talents de planificateur, le Coq manque parfois de réalisme quant à ses attentes. Au moment de l'élaboration de ses projets (et plus généralement dans le cadre de toute activité), il ferait bien de demander conseil au lieu de garder ses idées pour lui. La contribution des autres constituera un apport salutaire à ses initiatives.

En somme, le Coq est pourvu de remarquables talents, son dynamisme et son dévouement sont exemplaires; afin de tirer profit de ses qualités, il s'efforcera de concentrer ses efforts sur l'essentiel et de mettre un frein à sa nature quelque peu impulsive. Avec un peu d'application, il ira loin dans la vie et, grâce à ses centres d'intérêt multiples et à son caractère sociable, il gagnera l'amitié et le respect de ses pairs.

Conseils au Coq pour 2011

L'année en général

Le Coq est efficace et bien organisé. Il aime faire ce qui doit être fait. Cette année, il devra avoir une attitude plus mesurée et des attentes plus réalistes. Ce sera un temps idéal pour agir avec constance et bâtir son avenir en misant sur ses compétences et ses centres d'intérêt. Ses accomplissements pourraient être très significatifs, et ce, tout particulièrement au cours de l'année qui suivra, celle du Dragon.

La carrière

Plusieurs Coqs sont heureux de leur situation actuelle et leur seul souhait est de parfaire leurs connaissances et de faire connaître leur bonne réputation. Ce sera aussi une bonne année pour travailler en collaboration avec les autres et, s'il le faut, se joindre à une organisation professionnelle. Ceux qui cherchent un emploi se verront offrir un travail qui les mènera éventuellement à considérer d'autres possibilités. Leurs accomplissements de cette année porteront fruit à long terme.

Les finances

Une année qui coûtera cher! Le Coq devra resserrer les cordons de sa bourse et mieux contrôler ses dépenses. Un budget bien établi pourrait lui venir en aide.

La vie sociale

Les opinions et l'intuition du Coq sont très prisées et ses proches seront heureux de pouvoir profiter de ses conseils. Même s'il sait où il s'en va, il devra apprendre à consulter les autres au sujet de ses projets et de ses idées. Il gagnera également à faire des activités en groupe. Une année qui favorise l'esprit d'entreprise et les bons moments passés en compagnie de ceux qu'il aime.

Le Chien

Loyal, digne de confiance et fin psychologue, le Chien gagne à juste titre le respect et l'admiration d'autrui. Éminemment sensé, il ne tolère aucune forme d'hypocrisie ou de mensonge. D'ailleurs, on sait toujours où l'on en est avec lui, car il expose ses positions avec franchise et clarté. Également pourvu d'une nature compatissante, le Chien se révèle fréquemment un ardent défenseur des causes humanitaires.

Voilà donc un être qui compte de formidables qualités ; pourtant, certains traits de son caractère l'empêchent de jouir pleinement de la vie et d'aller aussi loin qu'il le pourrait. C'est que le Chien est l'inquiétude personnifiée, tout pour lui est matière à anxiété. S'il pouvait seulement corriger ce mauvais penchant ! En tout état de cause, lorsqu'il se sent tendu ou soucieux, il aurait avantage à se confier. Il ne lui sert à rien de ruminer seul ses tracas, d'autant qu'ils ne sont pas toujours fondés ! Le Chien a également tendance à voir le mauvais côté des choses alors qu'un peu d'optimisme serait salutaire à ses initiatives. Après tout, ses habiletés sont telles qu'il aurait toutes les raisons d'être confiant. Enfin, son entêtement occasionnel, qui joue parfois à son détriment, mériterait surveillance.

S'il peut tempérer son pessimisme et son anxiété, le Chien profitera réellement de la vie et s'accomplira davantage. Sa fiabilité, sa nature sincère et loyale font de lui une personne remarquable que tous apprécient. Il fera du bien autour de lui et nouera de belles amitiés. Il n'en tient qu'à lui de croquer dans la vie à belles dents. Qu'il médite de temps en temps les paroles de Winston Churchill, un autre Chien : « Lorsque je repense à toutes mes inquiétudes passées, je me rappelle l'histoire du vieil homme qui, sur son lit de mort, remarqua que dans sa vie il avait eu beaucoup de problèmes, la plupart desquels n'avaient jamais existé. »

Conseils au Chien pour 2011

L'année en général

Le Chien peut retirer de grandes choses de l'année du Lièvre et il sera mieux en mesure de réaliser ses projets. Ce sera un temps idéal pour agir de manière réfléchie et positive tout en acceptant le soutien des autres.

La carrière

Le succès arrivera progressivement, mais l'année pourrait avoir des surprises en réserve. De nouvelles occasions pourraient surgir et le Chien risque d'hériter de nouvelles fonctions, ce qui apportera un vent de fraîcheur dans sa vie. Une année pour demeurer vigilant, s'adapter et parfaire ses compétences. Ce qu'il accomplira cette année portera fruit à long terme.

Les finances

Les progrès qu'il fera au travail lui apporteront des revenus additionnels, mais il devra surveiller ses dépenses et prendre le temps de bien réfléchir aux achats importants qu'il entend faire. Il devrait demander l'avis d'un professionnel s'il s'apprête à faire une transaction complexe ou à prendre une décision dont les implications pourraient être majeures.

La vie sociale

Le Chien pourra profiter pleinement du soutien et des encouragements des autres cette année, mais il devra être affable et mettre sa réserve de côté au moment de rencontrer de nouvelles personnes. Ses nouveaux amis et ses nouvelles relations pourraient prendre une place importante dans sa vie. Les affaires de cœur seront favorables et son année pourrait être très spéciale sur le plan personnel.

Le Cochon

D'un naturel cordial, sincère et confiant, le Cochon s'entend bien avec tous. La discorde hérisse cet être gentil et bienveillant. Doué d'un bon sens de l'humour, il aime fréquenter ses semblables et, surtout, profiter des bonnes choses de la vie !

Sa perspicacité fait de lui un être habile en affaires, et il n'est pas de ceux qui se laissent facilement abattre. Bien que ses projets ne trouvent pas invariablement l'aboutissement souhaité, le Cochon peut faire preuve d'une ténacité remarquable ; il n'est pas rare qu'il triomphe des obstacles qui se dressent sur son chemin. Aussi au cours de sa vie, généralement fort active et variée, accomplit-il souvent de grandes choses. Cependant, en corrigeant ou en tempérant certains traits de son caractère, non seulement se simplifiera-t-il l'existence, mais il pourra même récolter de retentissants succès.

Ainsi, le Cochon accepte parfois de trop nombreux engagements. Il lui faut vaquer à ses occupations avec méthode et, malgré sa crainte de décevoir, se résoudre à procéder par ordre de priorité, le cas échéant. De surcroît, en usant d'un peu plus de discernement, il éviterait que d'autres n'abusent de sa nature généreuse. Ses excès de naïveté occasionnels lui ont d'ailleurs déjà joué de mauvais tours ; heureusement, le Cochon sait promptement tirer des leçons de ses erreurs. Sa tendance à l'entêtement mériterait également d'être surveillée ; lorsque les événements prennent une tournure qui lui déplaît, le Cochon peut se montrer inflexible, ce qui dessert quelquefois ses intérêts. Enfin, quoiqu'il soit légitime de vouloir profiter de l'argent durement gagné, ce bon vivant tirerait avantage à ne pas se permettre trop d'extravagances.

Toutefois, l'emportant de loin sur ces quelques défauts, l'intégrité du Cochon, son caractère avenant et sa vive intelligence font toujours bonne impression. S'il tire réellement parti de ses talents, sa vie sera sous le signe de la réussite, sans compter que son grand cœur lui attirera l'affection de son entourage.

Conseils au Cochon pour 2011

L'année en général
Le Cochon cherchera à concrétiser ses projets avec une grande détermination. Son esprit de décision et d'entreprise le servira bien cette année. La chance sera avec lui. Il pourra accomplir de belles choses s'il s'engage à fond.

La carrière
Le Cochon est très motivé et il est parfois béni par un flair inouï pour le monde des affaires. Son expérience et ses compétences seront des atouts de choix en 2011, une année placée sous le signe du progrès et de nouveaux défis personnels. Sa détermination lui permettra de faire de grands pas en avant.

Les finances
Ses finances pourront s'améliorer, mais il devra surveiller ses dépenses de près. Il devra peut-être apporter des améliorations importantes à sa demeure. L'aide d'un professionnel lui sera d'un grand secours s'il souhaite s'engager dans un projet sérieux.

La vie sociale
Le Cochon passera du bon temps cette année. Des projets partagés avec ses proches pourraient être très significatifs. Ses loisirs le combleront sur le plan social et les célibataires pourraient vivre une histoire d'amour qui illuminera cette année fort prometteuse.

Table des matières